LOOOOOO
OXOOOOO
OOXOXXO
XXXOOXO
XXXXOXO
XXXXXXX
NG TIME
NO SEX

LTNS 대본집

목차

LTNS는 나에게 두 가지 의미가 있다. 첫 드라마 대본이라는 것과 첫 공동 작업이라는 것이다. 둘 다 언젠가 꼭 해보고 싶었던 일이었고, 이를 이루었다는 사실만으로 성취감을 느낀다. 이 년 전 이맘때 임대형 감독님과 LTNS를 쓰겠다고 봄이 봄인 줄도 모르고 지하방에서 함께 보냈고, 일 년 전 이맘때는 LTNS 촬영 준비로 정신없이 보냈다. 날개에 불이 붙은 나방들처럼 수선을 떨며 날아다니던 시간은 사라지고, 지금은 아무런 일도 없었다는 듯 얌전히 책상에 앉아 이 글을 적고 있다. 물론 이 순간도 아무렇지도 않게 사라질 것이다. 다행일지 불행일지 오직 이 대본집만이 만질 수 있는 형태가 되어 남을 것이다. 사라진 모든 시간들을 그 품에 가득 안고서.

우리만 알고 있는 그 지난했던 시간을 처음부터 끝까지 함께해 준 임대형 감독님께 축하와 존경을 바친다. 그리고 결코 싸지 않았을 대본집을 사서 이 글을 읽고 있을 분들에게 심심한 위로와 감사를 전한다. 사라지지 않을 진심을 여기에 남기며.

2024년 4월 11일

프리티, 전고운 드림

저에게 있어서 대본을 쓰는 일은 이 세상에서 가장 즐거운 일입니다. 하지만 그와 동시에 이 세상에서 가장 외롭고, 비참하고, 고통스러운 일이기도 합니다. 제가 그러한 일을 누군가와 공유할 수 있었다니 아직도 믿기지 않습니다.

돌이켜보니 기적 같은 나날이었습니다. 그런데 눈코 뜰 새 없다는 핑계로 그 감사한 나날에 대해 충분히 감사하지 못했던 것 같습니다. 그 누구보다도 함께 기적을 쓴 전고운 감독님께 감사드립니다. 감독님과 함께 LTNS라는 뜨겁고 놀라운 시간을 지나올 수 있어 영광이었습니다. 이 말을 종이책에 담을 수 있어 다행입니다.

2024년 4월 11일

빅브라더, 임대형 드림

일러두기

¶ 이 책은 감독의 집필 형식을 존중하여 최대한 원본에 따라 편집하였습니다.
¶ 대사는 글말이 아닌 입말임을 감안하여, 어감을 살리기 위해 한글 맞춤법과 다른 부분이라 해도 그 표현을 최대한 살렸습니다.
¶ 드라마에서 장면을 나타내는 'Scene'의 경우, 표준국어대사전에는 '신'으로 등록되어 있지만 이 책에서는 작가의 집필 방식과 현장에서 쓰이는 방식에 따라 '씬'으로 사용했습니다.
¶ 이 책에 수록된 대본은 편집 과정에서 수정되거나 삭제된 부분이 포함된 감독판 오리지널 버전이며, 최종 공개된 영상과는 내용과 순서 등이 다를 수 있습니다.

용어 정리

¶ v.o (Voice Over): 영상과 일치되지 않는 대사로서 등장인물의 생각이나 기억 등을 전달할 때 종종 사용된다. 내레이션과 같은 역할을 한다.
¶ e (Effect): 주로 등장인물은 보이지 않고 화면 밖에서의 음향이나 대사에 의한 효과를 말한다.
¶ 사이: 앞말과 뒷말의 의도적인 빈 공간을 의미한다.
¶ CUT TO: 화면 전환 기법. 시간의 경과나 여러 장소의 상황을 동시에 오가며 보여줄 때 사용한다.

Episode 1

사랑은 두 개까지

갑자기 무슨 사랑 타령이야. 통장 같이 쓰면 사랑이지.

1 우진의 원룸 오피스텔 / 복도 / 밤 (과거)

농밀하게 키스하는 두 입술.

화면 천천히 빠져나오면, 젊은 '우진(29/여)'과 '사무엘(29/남)'이 보인다.

둘 다 직장인의 복장. 원룸 복도 우진의 집 현관문 앞이다.

우진, 키스를 하다 말고 사무엘에게서 얼굴을 뗀다.

아쉽다는 듯 우진을 보는 사무엘.

우진 (피식 웃으며) 잘 가. 바래다줘서 고마워.

사무엘 아, 맞다. 응. 가야지.

우진 응.

사무엘 (진짜 가? 표정)

우진 조심히 가.

사무엘, 아쉽다는 듯 돌아서 걸어간다.

우진, 흥미롭게 멀어져 가는 사무엘의 뒷모습을 보다가,

우진 야!

사무엘 응? (반가워서 뒤돌아보면)

사무엘의 앞으로 걸어오는 우진,

사무엘에게 가볍게 입 맞추려는데 사무엘이 우진을 확 끌어안으며 키스를 퍼붓는다.

두 사람은 다시 뜨거운 키스를 하게 된다.

키스를 하며 다시 원래 위치 우진의 집 현관 앞으로 자연스럽게 돌아오는 우진과 사무엘.

우진, 사무엘의 바지 지퍼 위에서 손을 서성거리다가 자연스럽게 지퍼를 내린다.

떨리는 손을 우진의 가슴 위로 가져가는 사무엘, 서툴러 보인다.

우진 여기서 할래?

사무엘 여기서?

우진 응. 더 꼴리지 않아?

사무엘 괜찮겠어? 소리 다 들릴 텐데?

우진 왜. 별로야?

사무엘 누구 나오면 어쩌려고...
우진 (그런 사무엘이 귀엽다는 듯 웃다가) 바지 벗어봐.
사무엘 여기서?
우진 나랑 깊이 만나고 싶다며. 그럼 깊이 들어와야지.
사무엘 진짜지? 나 진짜 벗는다. 깜짝 놀라지만 마라.
(바지의 허리춤을 잡고 주위를 둘러보다 고민한다)
우진 깊이 안 들어올 거야?

사무엘, 한숨 푹 내쉬더니, 마지못해 바지 벗는다. 팬티 정중앙이 봉긋 솟아있다.
그런데 돌연 사무엘의 바지를 주워 드는 우진,
현관문 열더니 그대로 문 닫고 들어가 문 잠근다.

사무엘 뭐 하는 거야! 미쳤어? (문 두드리며) 우진... 왜 이래...
문 열어...
우진(v.o) 팬티 터지려고 하네? 언제부터 그렇게 됐어?
사무엘 이러지 마... 열어...

집 내부

현관문 앞에 바짝 붙어 사무엘의 바지를 들고 서서 깔깔대고 있는 우진.

우진 언제부터 그렇게 됐냐니까?
사무엘(v.o) 지금...
우진 너 솔직히 말 안 하면 문 안 열어준다?

집 외부

현관문 앞에 팬티만 입고 서있는 사무엘.

사무엘 아까, 영화관에서 손잡았을 때부터.
우진(v.o) 그 상태로 계속 서 있던 거야? 아님 작아졌다가 다시
커진 거야?

사무엘 잠깐 작아졌다가 길에서 손잡았을 때 다시 커졌어.
우진(v.o) 열어줄까, 말까?
사무엘 우진... 제발... 문 열어...

사무엘 뒤로 택배 직원이 지나가자 문 앞에 바짝 붙어서는 사무엘.
우진이 살며시 현관문을 열어주자 사무엘이 우진의 입술에 달려든다.
뜨겁게 키스를 나누며 문 안으로 들어가는 우진과 사무엘.
그리고 자연스레 닫히는 현관문.

집 내부

키스를 하며 들어와 침대 위로 가서 엎어지는 우진과 사무엘.
우진, 사무엘의 셔츠를 거칠게 잡아 뜯다가 셔츠 단추가 뜯어진다.
바닥에 떨어지는 셔츠 단추.

2 우진과 사무엘의 아파트 / 거실 / 낮 (현재)

바닥에 떨어진 셔츠 단추를 줍는 사무엘의 손.
사무엘(36)은 소파 위에서 우진의 것으로 보이는 셔츠의 단추를 바늘로 꿰매고 있다.
우진(36)은 소파 앞 바닥에 소반을 놓고 앉아 김치 볶음 반찬 하나만 놓고 밥을 먹으며
핸드폰으로 카드 영수증을 훑어보고 있는 우진.

자막: 7년 후
7 Years Later

사무엘, 리모컨으로 TV 볼륨을 키운다.
TV에서 나오는 뉴스 화면.
'대출금리 인상 전망... 빚내 집 산 영끌족 비상' 자막과 함께 아나운서가 뉴스를 보도하고 있다.
'패닉 바잉', '고금리 쇼크' 등의 자막이 돋보이는 자극적인 화면과 함께 미국이 기준 금리를
올리면서 한국의 기준 금리도 올라가고 주택담보대출 금리가 인상할 것이라는 전망.

우진 (한숨 내쉬며) 한 달이 금방 오네.

사무엘　　벌써 이자 날이야?
우진　　응. TV 끄자. 소화 안 돼.
사무엘　　어. 어.

사무엘, 얼른 리모컨 들어 TV 끈다.

우진　　실컷 오르다가 왜 하필 우리가 사니까 미친 듯이 내려가?
사무엘　　(눈치 보다가) 내려갔다가 또 올라갈 거야.
우진　　하나만 하지, 금리는 왜 올라가? 이자가 오십만 원이나 오르는 게 말이 돼?

우진, 그 와중에도 핸드폰으로 눈에 불을 켜고 영수증을 확인한다.

우진　　커피 또 마셨네? 아니 밤에 잠도 잘 못 자면서 왜 자꾸 커피를 사 마셔.
사무엘　　낮에 졸음 운전할 것 같더라고...
우진　　집에 커피 있잖아. 집에서 마시고 나가자.
사무엘　　(...) 어. 그렇게 할게.
우진　　이렇게 힘들 땐 같이 노력을 해줘야 할 거 아냐. 내가 왜 맨날 김치 볶음에 밥만 먹겠어.
사무엘　　알았어...

어디선가 커플의 신음 소리가 들려오기 시작한다.
한창 섹스 삼매경에 빠져 가는 듯 뜨거운 신음 소리!

사무엘　　(바느질을 마친 셔츠를 우진에게 주며) 다 했어.
우진　　(셔츠 받으며) 들려?
사무엘　　(고개만 끄덕)
우진　　존나 자주 하네.
사무엘　　윗집인가, 아랫집인가...
우진　　옆집 같은데? 옆집에 부부 살잖아.

사무엘 그런가.

우진 저 집은 대출이 없나 보네. 남편 게 뿔뚝뿔뚝 서는 거 보면.

사무엘 고정금리거나, 자가가 아니거나.

사무엘이 다시 TV를 켠다.
쓸데없이 나오는 TV 뉴스. 여전히 아파트 가격 하락에 우는 시민 인터뷰가 나오고 있다.
화면 속 영끌족 시민은 직원복을 입고 세차장에서 세차를 하다 말고 서서 울고 있다.

영끌족 원금을 갚지 않는데도 이자만 100만 원씩 나갑니다. (하늘을 보고 깊은 한숨을 쉬는데 눈물이 줄줄 흐른다) 지금 그 집 임대 주고 저희 가족은 원룸 살거든요. 전세를 줬는데, 내년에 그 사람들 나가면 돌려줄 전세금도 없어요. 제가 하던 이자카야가 잘 돼서 한 개를 더 오픈했을 땐데… 바로 코로나가 오더라고요. 다 망해가지고… 저 지금 여기서 일하는데… 아우…

우진 아직도 저 얘기야? TV를 켜면 금리 얘기에 열받고, 끄면 섹스 소리에 열받고. 켜야 돼 꺼야 돼 이걸.

사무엘이 간단하게 채널을 돌린다.
어느 뮤지션의 공연 영상이 나오는 채널에 멈춘다.

사무엘 나 화장실 좀.

사무엘, 화장실로 들어가고, 우진이 화장실 방향으로 외친다.

우진 씻는 건가?

사무엘(v.o) 어!

우진, 화장실 쪽을 쳐다보다 TV 볼륨을 다시 줄이자 신음 소리가 크게 들린다.
우진은 자연스럽게 잠옷 바지와 팬티 속으로 손을 넣는다.
손은 바쁘지만 무표정한 우진의 얼굴. 눈을 감고 소리를 음미한다.

3 우진과 사무엘의 아파트 / 화장실 / 낮

욕조에 물을 받아놓고 입욕을 하고 있는 사무엘.
물 위로 아기 오리 인형 세 마리가 둥둥 떠 있다.
사무엘, 평화롭게 앉아 있다가 문득 자신의 소중이 쪽을 쳐다보더니,
아기 달래듯 손으로 살살 만지기 시작하고... 점점 흥분한다.
손이 움직이는 속도가 빨라지면서 욕조 바깥으로 물이 튄다.

점점 절정을 향해 가는 우진과 사무엘의 얼굴이 교차해서 보여진다.
점점 빠른 속도로 교차하다가...

4 오프닝 시퀀스

오프닝 음악이 깔리면서, 차창 너머 흘러가는 서울의 밤 풍경 이미지들이 펼쳐진다.
환락가를 지나고, 빌딩숲을 지나고, 한강 다리를 건너는 시선.
이 시선은 택시의 손님 좌석에 앉아 차창 너머를 구경하고 있는 우진의 것이다.
검은색 선글라스를 끼고 운전하고 있는 사무엘의 모습도 차창 너머로 보인다.
서울의 밤 도로를 달리는 사무엘의 택시.

LTNS
LONG TIME NO SEX
Episode 1: 사랑은 두 개까지

5 우진의 호텔 / 앞 / 밤

3성급 호텔 앞으로 와서 비상등 켜고 정차하는 사무엘의 택시.
우진이 택시 뒷좌석에서 내린다.

우진 굿 럭.
사무엘 굿 럭.

다시 출발하는 사무엘의 택시.

뒤돌아 호텔 문을 열고 들어가는 우진.

6 우진의 호텔 / 로비 / 밤

10시를 가리키는 시계.
한적한 호텔 로비 프런트 데스크.
우진, 프런트 데스크 안에 서서 인수인계를 받은 목록을 살펴보고 있다.

그때, 등산복을 차려입은 50대 중년 여자와 상복 차림의 50대 중년 남자 문 열고 등장.
우진, 그들을 보며 입꼬리를 올려 전시용 미소를 짓는다.

우진 (복화술로) 쎄하다.

급하다는 듯 우진에게로 다가오는 여자 손님.
남자 손님은 로비에 겸연쩍게 멈춰 서서 화려한 호텔 내부를 둘러보다가 1인용 소파로 가서 다리를 쫙 벌리고 앉는다.

여자손님 (다급한 속삭임) 혹시 대실은 안 되나요?
우진 네, 고객님. 죄송하지만 저희 호텔 규정상 대실은 안 되세요.
여자손님 참 호텔이란 데가 낭만이 없다, 그죠? 그럼 혹시 오늘 잘 수는 있나요.
우진 네, 잠시만요 고객님? 확인 좀 해드리겠습니다.

우진, 마우스 휠을 만지고 모니터를 살펴보는 척하다가 키보드로 뭔가를 두드린다.
모니터 화면에 적히는 글자들.

"제발꺼져라제발꺼져빨리꺼져"

우진 아! 트윈룸 하나 남았네요,
고객님. 어떻게, 예약하시겠어요?
여자손님 얼만데요.

우진 현재 책정된 룸 가격은 십팔만 원입니다.

여자손님 미쳤네. 현금으로 하면요.

우진 이 룸은 현재 현금, 카드, 인터넷가 모두 십팔만 원입니다, 고객님.

여자손님 무슨 하루 자는데 십팔만 원이나 해. 모텔은 오만 원이면 떡을 치는데.

우진, 키보드로 일하는 척하며 또 무언가를 친다.

"그럼모텔가서떡치시든가"

소파에 앉아 있던 남자 손님이 일어나 뒤에서 다가온다.

남자손님 안 된대?

여자손님 아니에요, 오빠. 저 잠깐 이분이랑 대화 중이었어요. 저기 가서 조금만 더 기다려 주실래요? 다 됐어요.

남자손님 그냥 가지. (작은 목소리로) 이제 장례식장에서도 일어나야 되는 시간인데.

여자손님 응, 알아요, 알아요. 술 한 잔만 더 하고 가요. 이제 진짜 다 됐어. 결제만 하면 돼요.

남자손님 쯧. 그래, 그럼.

남자 손님이 데스크에서 물러나 다시 소파로 가서 다리를 쫙 벌리고 앉는다.
여자 손님, 슬쩍 남자 손님 쪽을 보면, 남자 손님이 폰을 닦고 있는데 하필이면 성기 위치에다 놓고 빠른 속도로 닦고 있는 모습이 마치... 그렇다.

여자손님 (우진에게) 현금으로 십오만 원에 어떻게 안 돼요?

우진 손님... 혹시 카드는 없으실까요? 어차피 보증으로 카드 하나 맡기고 올라가셔야 하거든요.

여자손님 답답한 사람이네, 증말.

우진 (어금니 꽉)

여자손님 좀 도와줘요. (우진에게만 들리게 속삭이며) 나 공 많이 들였단 말야.

우진 네?

여자손님 좀 도와달라구요.

우진 죄송합니다, 고객님.

남자가 뒤에서 기침하며 눈치를 준다.

여자손님 너무 하시네. 그럼 일단 삼만 원만 빌려줘요. 내가 나갈 때 현금 뽑아서 드릴게. 이것도 안 돼?

우진 (한숨 푹 내쉬며) 그럼 체크아웃 하실 때 삼만 원 받겠습니다. 그래도 카드는 보증으로 맡겨두고 가셔야 돼요. 결제용은 아니니까 안심하시구요.

여자손님 (지갑에서 이 카드 저 카드 고르다가 카드 한 장 꺼내 건네며) 잘 사시겠어요. 아주 표독스러워가지구.

우진 (카드 건네받고 개인정보란 용지 건네며) 이것 좀 작성해 주시겠어요?

건네받은 개인정보란에 미친 속도로 주소와 폰 번호 등 개인정보를 기입하고 사인을 휘갈긴 후, 뒤의 남자 손님에게 다 됐다는 신호를 보내며 웃는 여자 손님.

우진, 여자 손님에게 룸 키카드 건네며 무언가를 설명하려는데,
여자 손님, 키카드 뺏어가듯 챙기며 엘리베이터 쪽으로 가버린다.
고개를 절레절레 젓는 우진,
포스트잇에 1803호 체크아웃 3만 원을 적어 모니터에 붙여둔다.
그리고 서랍에서 'Black List'라고 적힌 수첩 하나를 꺼낸다.
수첩을 펼쳐 방금 간 여자의 신상 정보를 적어두는 우진.
수첩에는 여러 이름들이 기입되어 있고 나이와 성별, 간단 특징 등이 적혀 있다.

우진, 주머니에서 주섬주섬 삼각김밥을 꺼내 껍질을 까서 한입에 다 넣어버린다.
입을 오물거리며 먹기 시작하는데...
번쩍! 호텔 밖에서 플래시 터지듯 불빛이 들어오더니 곧 우렁차게 천둥 치는 소리.

깜짝 놀라며 목이 메여 가슴을 몇 번 두드리는 우진.

7　　기사식당 / 밤

택시들이 잔뜩 주차되어 있는 기사식당 앞 인서트. 비가 내리고 있다.

택시 기사로 보이는 중년 남자들이 각각 혼자 앉아 식사를 하고 있는 기사식당 내부.
그들 중 유독 젊고 깔끔해 보이는 한 남자가 눈에 띈다. 사무엘이다.
그의 셔츠 주머니에는 검은색 선글라스가 꽂혀있다.

탈모약 프로페시아 한 정을 먹고, 하루 약통에 든 각종 알약들을 삼킨 후 "아침"이라고 적혀 있는 약봉지를 뜯는 사무엘의 손.
사무엘, 비 내리는 바깥 풍경을 보며 게슴츠레한 눈으로 그 알약들을 입안에 털어 넣고 물을 마신다.

8　　도로 / 사무엘의 택시 / 밤

비 내리는 밤의 도로.
사무엘, 한가하게 콧노래를 흥얼거리며 빗길을 운전 중이다.
차창 밖으로 길가에서 우산을 들고 손을 흔들며 사무엘의 택시를 잡으려는 한 무리의 사람들이 보인다.
시선을 주지도 않고 액셀을 밟으며 그들을 자연스럽게 지나치는 사무엘.

사무엘 택시의 빈차표시등이 '예약'으로 바뀐다.

9　　고가 진입로 아래 / 사무엘의 택시 / 밤

사무엘, 운전석을 눕혀 놓고 선글라스를 낀 채로 누워 있다.
거치대에 달려 있는 폰에서 계속 "카카오티" 소리가 들린다.

도로를 지나다니는 차들.
그 너머로 고가도로 오르막 진입로 아래쪽 틈에 바짝 주차돼 있는 사무엘의 택시가 보인다.

엄청난 위장술.

그때, 길 건너편에서 우산을 들고 도로를 무단 횡단하며 사무엘의 택시를 향해 뛰어오는 남자, 흐트러진 양복 차림에 노트북 가방을 들고 있다.
사무엘에게 묻지도 않고 택시 뒷좌석 문 열고 타버린다.
화들짝 놀라며 일어나 남자를 보는 사무엘.

사무엘	지금 운행 안 하는데요.
손님	사람 하나 살리는 셈 치고 가주시면 안 될까요. 오늘 정말 느낌이 좋거든요.
사무엘	(한숨 쉬고) 어디로 가시는데요?
손님	(안경을 올리며) 강원랜드요.
사무엘	(화들짝 놀라며) 강원랜드요?
손님	네. 강원도 정선에 있는.
사무엘	(고개를 갸우뚱한다) 강원도... 글쎄요... 어려울 것 같네요.

손님이 양복 안주머니에서 현금다발을 꺼내 사무엘에게 건넨다.

손님	현금 사십. 가시죠.
사무엘	(돈을 흘깃 보며) 사십... 글쎄요...
손님	(사무엘 눈치 보다 가슴에서 돈을 더 꺼내며) 오십.
사무엘	(또 갸우뚱) 오십... 오십...
손님	(눈치)
사무엘	(돈을 받는다) 오십. 콜.
손님	감사합니다. 역시 오늘 느낌이 좋은 게 맞네요.

사무엘, 씩 웃으며 차에 시동 건다.

10 도로 / 사무엘의 택시 / 밤

운전 중인 사무엘.

뒷좌석에는 손님이 통화 중이다.

손님 어, 박 팀장. 다들 출근했다고? 이야 다들 열심히들 산다. 아... 이걸 어떡하나... 때마침 나도 총알이 좀 있네? 좀 더 채우러 갈 테니까 내 자리 잘 봐줘. 아니 내 탄창이 채워질지 비워질지 박 팀장이 어떻게 알아. 어. 알겠어요. 일 열심히 하고 계세요.

전화를 끊는 손님, 불안한 듯 다리를 떨다가 곧 사무엘에게 말을 건다.

손님 기사님. 그... 중간에 어디 좀 들를 수 있을까요?
사무엘 어디요?
손님 경기도 광주요.
사무엘 (또 갸우뚱) 글쎄요...
손님 어차피 가는 길인데 서비스로 어떻게 안 될까요?

난처한 사무엘 얼굴.

11 하천 공터 / 밤

저 멀리 사무엘의 택시가 하천을 건너 달려온다.
시골길을 달려와서 큰 철문 앞에서 멈추는 택시.
철문 너머에는 수상한 건물 하나만 덜렁 있다.

손님 기사님 여기서 내릴게요. 제가 일이삼사십분 정도 걸릴 것 같은데, 좀 기다려 주십쇼.
사무엘 네?
손님 (주머니에서 십만 원 더 꺼내주며) 부탁 좀 드립니다.
사무엘 (돈 받으며) 알겠습니다. 그럼 삼십 분 안에 오셔야 돼요?
손님 네, 네. 오래 걸리면 삼사십 분 정도? 차는 여기 있으면 그러니까 저기 대놓고 기다리시면 글로 갈게요.

사무엘　　네. 그러시죠. 다녀오세요.

손님　　오늘 내가 기사님을 잘 만났네. 느낌이 좋아.

차에서 내리며 우산 펴고 어느 단독주택 앞으로 재빨리 걸어가는 손님.
사무엘, 받은 돈을 돈통에 넣고, 택시 슬슬 움직이기 시작한다.

택시 외부

하천 공터로 내려가는 길목에 '우천 시 통행금지' 표지판이 서 있다.
사무엘의 택시가 그 앞으로 다가와 멈춰 선다.
택시에서 내려 표지판을 비켜놓는 사무엘,
다시 택시에 올라타 하천 주차장을 향해 내려간다.

주차장 어딘가에 자리를 잡고 주차하는 사무엘의 택시.

택시 내부

라디오를 작은 볼륨으로 틀어놓는 사무엘,
운전석을 젖히고 그대로 뒤로 눕는다.
바깥엔 계속 비가 내리고 있다.

사무엘　　아... 좋네...

차 안에 고요하게 울려 퍼지는 라디오 소리와 빗방울 소리.
슬슬 감기는 사무엘의 눈.

택시 외부/내부

파도치는 하천 흙탕물.
빗방울의 굵기와 양이 기하급수적으로 많아졌다.
사무엘의 택시 밑바닥에도 흙탕물 들어오기 시작한다.

바깥 상황과는 달리 평화로운 택시 내부.
사무엘은 곤히 잠들었고...
라디오 채널은 93.9에 맞춰져 있고 음악이 흐르고 있다.

급격하게 파도치는 하천 흙탕물.
사무엘의 택시 밑바닥에 흙탕물이 바다의 파도처럼 밀려 들어온다.
택시 바퀴가 점점 잠겨간다.

곤히 잠든 사무엘의 얼굴.
돌연 사무엘의 핸드폰 알람이 울리고 사무엘이 눈을 뜬다!
당황하며 주변을 둘러보는 사무엘.
화면이 차 내부에 있다가 빠져나오면 택시가 하천에 창문 바로 아래까지 잠겼다.

사무엘 택시 블랙박스 영상

사무엘 택시 정면 블랙박스 영상이 보인다.
하늘에서 번개가 치고, 비가 미친 듯이 쏟아지고, 와이퍼는 미친 듯이 작동하면서 비를 닦아내고 있다.
정면으로 보이는 시야에 흙탕물이 점점 차오르고 있다.

사무엘 목소리 아이씨, 뭐야 이거! 어떡하지. 어떡하지!

흙탕물이 점점 차오르더니 갑자기 보닛을 덮어버리고,
사무엘의 택시가 물 위로 붕 떠서 배처럼 방향을 바꾼다.
차 안에서 사무엘이 다급하게 차 문 두드리는 소리!

사무엘 목소리 여기 사람 있어요! 살려주세요!!!

택시 외부

물로 가득 찬 하천 공터, 사무엘 택시만 둥둥 떠 있다.
침수된 차량의 창문을 열고 간신히 빠져나오는 사무엘,

숨을 헐떡거리며 절망적인 표정으로 주변을 둘러본다.
흙탕물이 사무엘의 허리까지 차올랐다.
망연자실 서서 갓등만 남겨놓고 둥둥 떠 있는 택시를 보고 있는 사무엘의 모습.
그 옆으로 오리 세 마리가 유유히 지나간다.

12 자동차 정비소 / 낮

자동차 정비소 마당.
멀쩡한 차들 가운데 온통 진흙으로 뒤덮여 갈색이 되어버린 사무엘의 택시가 눈에 띈다.
심각한 표정으로 사무엘의 택시를 내려다보고 있는 정비소 직원 둘과 그 옆의 사무엘.

사무엘 살릴 수 있을까요?
정비사1 사망이라고 봐야죠. 그 정도 시간 동안요, 이만큼 담가져 있었으면요. 그냥 엔진까지 다 사망했다고 보시면 돼요.
정비사2 (끄덕인다)
사무엘 그럼 수리는 아예 안 되는 건가요?
정비사1 이거 수리하실 비용으로요. 그냥 새로 한 대 장만하시는 게 나아요.
정비사2 (또 고개 끄덕끄덕)
정비사1 업장이 잠겨가지고 우예요.

그때 정비소 사무실 쪽에서 헐레벌떡 뛰어오는 보험사 직원.

보험직원 고객님, 침수 위치 확인이 됐는데, 하필 주차금지 구역에 주차를 하셨네요. 보험 조항에 따르면 주차금지 구역에 주차해서 당하신 재해는 보상이 불가합니다.
사무엘 아... 그거 몰랐는데...
보험직원 제가 웬만하면 도와드리겠는데... 하필 제출해 주신 블랙박스에 고객님께서 주차금지 표지판 옮기는 모습이 찍히셔가지고.

사무엘, 대답 못하고 허망하게 계속 택시만 바라본다.
모두가 난처한 얼굴로 사무엘의 택시를 바라본다.

13 우진과 사무엘의 아파트 / 근처 부동산 앞 / 낮

우진, 장바구니를 들고 부동산 앞에 붙어있는 아파트 매물 가격들을 보고 있다.
아파트 가격이 적힌 A4용지 속의 7억 2천 숫자가 계속 떨어지더니 5억 8천까지 떨어진다.
그때 문 열고 고개 내미는 부동산 사장.

부동산	매물 보시게? 들어오세요.
우진	아뇨, 저희 109동 609혼데요. 집 내놨는데 너무 소식이 없어서요.
부동산	(표정 바뀌며) 아... 맞다. 609호 사모님이시네. 요즘 손님이 없어요. 큰일 났어. 급하셔요?
우진	네. 급하네요.
부동산	그럼 어떻게, 가격을 좀 더 낮춰볼까요? 5억 5천에?
우진	저희 7억에 들어왔어요... 1억 5천을 그냥 날리라구요?
부동산	그죠... 1억이 무슨 옆집 개 이름도 아니고... 근데 지금 시세가 그래요. 요즘엔 빚 없고 집 없는 사람들이 최고예요!

우진의 열을 참는 얼굴.

14 우진과 사무엘의 아파트 / 부엌 / 밤

깍두기를 담그고 있는 사무엘.
우진은 식탁에 앉아 영수증을 보며 가계부를 정리하고 있다.
사무엘이 담그던 깍두기를 하나 들고 우진의 입에 넣자 자연스럽게 받아먹는 우진.

사무엘	간 어때?
우진	(미간을 잔뜩 찌푸리더니) 어우!
사무엘	짜?

우진　(표정 확 바뀌며) 아냐, 맛있어. 너무 맛있어.

사무엘　(기분 좋아지며) 그래?

우진　근데 무슨 깍두기를 그렇게 많이 해? 우리 둘이 먹는데.

사무엘　아... 정수네 좀 갖다주려고. 그 집 내 깍두기 좋아하잖아.

우진　공짜로 자꾸 갖다주지 마. 돈 받아.

사무엘　그럴까?

우진　언제 가? 나도 갈래. 가서 깍두기 주고 맛난 거 좀 얻어먹어야겠다.

사무엘　뭣 하러 그래. 혼자 갔다 올게.

우진　에이. 아냐. 나도 세연 씨 모처럼 보고 싶네.

사무엘　(...) 그럼 내일 같이 갈까?

우진　차는 언제 나온대?

사무엘　한... 일주일 정도 걸린대.

우진　우리 뭐 잘못했니? 안 그래도 죽겠는데 차까지 왜 이래.

사무엘　보험 처리돼서 수리비는 안 나왔어. 백퍼 상대 과실이라.

우진　그럼 당연히 그래야지.

사무엘　그동안 밀렸던 집안일도 좀 해놓고 그럴게.

우진　휴가 끝나면 두 배로 벌어라 사무엘.

사무엘　어.

사무엘 다 담근 깍두기를 두 개의 큰 락앤락에 옮겨 담는다.

눈물처럼 눈 옆으로 흐르는 땀줄기.

15　정수와 세연의 집 / 앞 / 낮

깔끔하고 거대한 단독주택들이 모여 있는 신도시 주택가.

마당 딸린 정수네 집 전경.

16　정수와 세연의 집 / 거실 / 낮

통유리로 마당이 보이는 거실.

싱크대 위에는 사무엘이 가져온 깍두기가 담긴 락앤락 통이 올려져 있다.

거실 혹은 부엌에서 치킨을 시켜 먹고 있는 우진과 사무엘, 그리고 정수와 세연 부부.
다들 치킨을 뜯고 있는데, 사무엘만 치킨을 먹지 않고 물만 마시고 있다.

세연　제가 마침 치킨이 너무 먹고 싶었거든요. 다 같이 먹으니까 더 맛있네요.

정수　그치? 역시 사람이 많으면 더 맛있어.

우진　(억지 웃으며) 네... 맛있네요. 영국이는요?

세연　우리 영국이는 베지테리언이에요. 그래서 우리가 딸 눈치 보느라 치킨 잘 못 시켜 먹어요.

우진　아... (사무엘 보며) 넌 왜 안 먹어.

사무엘　아 난 배가 안 고프네.

우진　그래? 아침도 안 먹었는데 이상하네.

사무엘　(킁킁대며) 근데 어디서 위스키 냄새 나지?

우진　갑자기 무슨 위스키 냄새?

사무엘　아닌데. 위스키 냄새 맞는데, 이거.

세연　(스테인리스 플라스크를 우진과 사무엘에게 보이며) 위스키 저예요.

우진과 사무엘 뭐지? 싶은 듯 서로 눈을 마주친다.

17　정수와 세연의 집 / 영국의 방 / 낮

책상에 모니터 세 대와 키보드 두 대가 올라와 있는 아이 방.
모니터에 주식 관련한 창이 여러 개 올라와 있고,
두꺼운 안경을 쓴 여자 어린이 '영국(9)'이 주식을 하고 있다.

똑똑. 문 두드리고 들어오는 우진과 세연.
세연이 채식 메뉴 한 접시를 영국의 책상에 올려준다.

세연　딸. 먹어가면서 해.

영국　(계속 모니터에 시선을 고정한 채로) 감사합니다, 어머니.

세연 오늘은 좀 괜찮아?

영국 네. 제가 원래 변동성을 좋아해서 바이오 쪽 주식을 사곤 했었는데요. 잘못된 접근이었던 것 같아요. 다행히 어제 조금 남기고 팔았습니다.

세연 진이 이모 왔는데, 잠깐 좀 인사할까?

영국 아, 네. 잠시만요, 어머니.

영국, 얼마간 집중해서 하던 일을 마치고 뒤로 돌아앉는다.
앉은 채로 우진에게 공손히 인사한다.

영국 안녕하세요, 진 이모님.

우진 (매번 적응이 안 되는) 응. 그래. 영국이.

영국 (우진을 미소 짓는 얼굴로 빤히 본다)

우진 이모가 주식하라고 용돈 좀 줄까?

영국 이모님, 괜찮아요. 저 부모님이 주시는 용돈으로 주식해서 돈 벌고 있어요.

우진 (피식) 그래? 그걸로 얼마나 벌어?

영국 아직 시드 머니가 부족해서 많이는 못 벌지만 한 달에 100 정도 버는 것 같아요.

우진 (당황한다) 그렇게나 많이?

영국 아직 많이 부족합니다.

어색한 침묵이 감도는 영국의 방.

18 정수와 세연의 집 / 마당 / 낮

잔디밭이 있는 마당.
각각 의자에 앉아 있는 우진과 세연.
우진은 작은 빈티지 커피잔에 든 커피를 마시고 있고,
세연은 벌겋게 취한 얼굴로 와인을 병째로 들고 있다.

우진 (마당을 둘러보며) 세연 씨가 이런 집 살아서 착하구나.

집 정말 좋다.

세연 이런 집 살면 뭐해요. 요즘 제 마음이 지옥인데.

우진 왜요. 고민 있어요?

세연 (와인 한 모금 마시고) 언니. 언니네는 세수해요?

우진 (푸하하 웃으며) 세수래... 와. 그 단어 진짜 오랜만에 들어본다. 세수.

세연 제가 그거 때문에 스트레스를 너무 받아서 탈모까지 왔어요. (정수리 보여주며) 여기 정수리 보이시죠.

우진 엇... 좀 날라가긴 하셨네요...

우진, 세연에게 와인병 달라는 손짓하자, 세연이 우진에게 와인병 통째로 건넨다.
병나발 부는 우진, 다시 와인병 세연에게 건네며,

우진 얘기해 봐요.

세연 정수가 원래 성욕이 왕성해요. 하루에 한 번씩은 꼭 했거든요. 내가 그 맛에 살았는데...

우진 와... 매일요? 정수 씨 그렇게 안 봤는데, 정말 좋은 사람이네?

세연 좋은 사람이었죠. 근데 몇 년 전부터 사람이 갑자기 나빠지더라고요. 세수 횟수가... 3주에 한 번, 3달에 한 번... 간격으로 점점 줄어들더니 이젠 아예 안 해. 요즘엔 집 들어오면 그냥 자. 아니, 매일 주던 걸 안 주는 게 어딨어! 차라리 처음부터 아예 주질 말든가.

우진 먹던 거 못 먹으면 서럽죠. 나처럼 아예 안 먹고 살면 또 몰라도.

세연 그리고 이게 제일 의심스러운 건데... 제가 최근에 한 번 확인을 해봤거든요. 그게 전 같지가 않아.

우진 그게 뭐야? 사이즈가 전 같지 않다고? 길이가? 아님 굵기가?

세연 (와인 병나발 불고는) 아니, 정액 양. 정액 양이 전 같지가 않다고요. 원래는 입에다 싸면 막 넘쳐서 흘렀었거든요? 근데 요즘엔 그냥 침 한번 삼키는 느낌

정도? 정말 쥐좆만큼 싸요.

우진　세연 씨 정액 잘 먹는구나...
그래, 그것도 입맛에 맞아야 돼.

세연　(수줍) 네, 저 정액 잘 먹는데... 요즘 먹지를 못해서 그런가 온갖 생각이 다 들어요. 혹시 딴 여자가 먹고 있는 건 아닐까... 그런 생각까지 들고.

우진　에이, 그건 좀 아니다.
남자들도 피곤하면 성욕이 없어지기도 한대요. 아니면 정수 씨 몸이 허해졌을 수 있고.

세연　그런 거겠죠? (한숨 푹 내쉬며) 그래도 한창인데...

우진　정액 양 가지고 의심하면 대한민국 남자들 어떻게 살아요.

세연　그런가...

우진　(세연에게 와인 건네받아 병나발 불고는) 나도 단백질 섭취 좀 하고 싶다. 있을 때 많이 먹어둘걸. 그땐 왜 그렇게 비리든지.

세연　언니. 진짜야?!! 안 한 지 얼마나 됐길래요?

우진　(손으로 세며) 언제 했더라. 어? 기억이 아예 없는데?

세연　언니! 어떡해? 어떻게 몇 년을 참고 살아요...

우진　나 안 참는데?
나 큰 성인이 혼자 잘 해결하고 사는 거지 뭐.

세연　(슬며시) 뭐 좋은 게 있어요?

우진　손가락이죠 뭐.

세연　언니, 제발. 정신 차려. 그거 안보 불감증이에요! 지금 동해상으로 미사일이 막 날아다니는데, 나는 미사일 안 맞는다... 나는 안 죽는다... 그러고 있는 거라니까요 그게? 사람이 허기가 지면요, 남의 집 담장을 넘게 돼 있어요. 제 말 무슨 말인지 아시겠죠. 지금 둘 다 많이 허기가 져 있을 텐데... 조심하세요...

와인 병나발 불며 마시는 세연.
웃고 있지만 뭔가 생각이 많아 보이는 우진.

19 정수와 세연의 집 앞 / 텃밭 / 낮

정수와 세연 집 앞에 작은 텃밭이 있다.
사무엘은 쪼그려 앉아 상추를 뜯으며 정수의 눈치를 보고 있고,
정수는 호스에 연결된 고압 분수기를 들고 서서 물을 대충 뿌렸다 말다 하며 계속 폰을 보고 있다.

사무엘 정수야, 내가 참 너한테 이런 말 하기 창피한데.
정수 뭔데.
사무엘 (우물쭈물) 이걸 어디서부터 어떻게 말해야 되나.
정수 나부터 해도 되냐? 나 큰일 났다.
사무엘 (정수 쳐다본다)
정수 내 여자 친구 바람난 거 같애.

정수, 고압 분수기 들고 의자로 와서 앉는다.

사무엘 여자 친구? 누구. 세연 씨 말하는 거야, 뭐야.
정수 세연이는 와이프고... 여자 친구.
사무엘 (그제야 이해했다는 듯) 아... 그니까, 와이프도 있고, 여자 친구도 있고?
정수 그치. 근데 지금 그게 문제가 아니고, 걔가 바람이 난 게 문제야.
사무엘 그게... 문제가 되나?
정수 야, 여자 친구가 바람을 피운다니까?
사무엘 그니까. 너도 바람피우는 거잖아.
정수 아... 너는 지금 내가 미친놈으로 보이는구나? (끄덕이며) 그래, 그럴 수 있지. 근데, 사랑이 두 개일 수가 있어. 너는 지금 내 말이 이해가 안 갈 텐데, 때 되면 다 이해하게 돼 있어. 명심해라. 두 개까지야. 세 개부터는 사랑이 아니야.
사무엘 (멍청하게 끄덕이며) 응... 그럴 수가 있구나...
정수 자 이제 너 창피한 얘기해 봐. 뭔데.

사무엘, 그제서야 뜯은 상추 등을 들고 정수의 옆으로 와서 앉는다.

사무엘	(한숨 푹 내쉬며) 내가 너한테 부탁할 게 있는데. (망설인다)
정수	뭔데. 야, 잘됐다. 나도 너한테 부탁할 거 있는데 나부터 해도 되냐?
사무엘	(끄덕인다)
정수	너 지금 나랑 어디 좀 같이 가자.
사무엘	지금? 어딜.
정수	너도 모처럼 좋아할 거야. 너랑 가야 알리바이가 좋아.

사무엘 어이없어한다.

20 야구장 / 객석 / 낮

야구장 객석에 나란히 앉아 있는 중년 여자와 중년 남자 커플의 뒷모습이 보인다.
여자는 남자의 어깨에 기대고 있고, 남자는 여자의 머리카락을 쓰다듬고 있다.
그러다가 눈을 마주치더니 가볍게 뽀뽀하는 두 사람.
그들의 LG 트윈스 응원복과 모자가 돋보인다.

그들을 지켜보고 있는 시선은 정수의 것이다.
객석에 나란히 앉아 있는 정수와 사무엘.
정수는 그들을 계속 지켜보고 있고,
사무엘은 응원가에 맞춰 신나게 율동을 하며 열띤 응원을 하고 있다.
정수, 폰을 꺼내 어디론가 문자를 한다. 상대방이 읽지 않은 문자가 쌓여 있는 채팅방.

"누나 지금 뭐 해"
"어디야"
"나 지금 어디게?"
"문자 좀 봐 누나"
"와 어떻게 우연히 여기서 만나냐"
"누나가 나한테 어떻게 이럴 수가 있어"

"누나 기아 좋아한다며"

폰을 꺼내 문자를 확인하는 '은미(46)'의 뒷모습이 보인다.
놀라며 주위를 둘러보는 은미.
옆에 있는 남자에게 대충 뭐라고 둘러대는 것 같더니 자리에서 일어나 걸어 나간다.
그런 은미를 지켜보다가 덩달아 자리에서 일어나는 정수.

사무엘	어디 가는데?
정수	여기 잠깐만 있어 봐.

정수, 은미가 가는 방향으로 따라 걸어 나간다.
그러거나 말거나 때마침 선수가 안타를 치자 폴짝폴짝 뛰며 환호하는 사람들과 함께 환호하는 사무엘.

21 야구장 / 앞 / 낮

야구장 바깥 구석에 마주 보고 서 있는 정수와 은미.
은미는 얘를 어떡하나 싶은 얼굴로 정수를 노려보며 전자 담배를 피우고 있고, 정수는 기죽어있다.

은미	정수야. 누나는 기아랑 LG 두 팀 다 좋아해. 진정한 야구의 팬이라면 누나처럼 두 팀 응원할 수 있는 거야.
정수	그런 게 어딨어. 그럴 바엔 그냥 다 좋아하고 다 응원해 버리지.
은미	(고개를 저으며) 그건 그냥 지조 없는 잡팬인 거고.
정수	(...) 그래도 그렇지, 누나가 LG도 좋아하는 걸 어떻게 내가 모를 수가 있어... 저 남자가 LG 좋아하냐?
은미	(한숨 내쉬며) 나 이제 너 슬슬 징그럽다. 어떻게 여기까지 따라와.
정수	누나... 야구 보러 온 거야, 나도...
은미	누나가 진짜 너한테 실망이 이만저만이 아니야. 너 이렇게 계속 나한테 똥볼만 던질 거야? 스트라이크

잘만 던지던 애가 왜 이래. 너 지금 야구로 따지면 심각한 상황이야. 볼넷만 세 개째고, 주자 만루에 풀 카운트 됐어. 어떡할 거야. 정신 안 차릴래? 교체당하고 싶어?

정수 교체라니. 말이 심하잖아.

은미 회사는 어떡하고 왔어.

정수 오늘 연차야.

은미 그럼 집에 가! 연락할 테니까.

정수 (한숨 내쉬며) 저 남자랑 야구만 보고 오늘 올라올 거야?

은미 정수야!!!

정수 (풀 죽은) 어, 누나.

은미 가. 누나 좀 놀다 갈 테니까. 집에 가, 빨리. 집에 있는 네 마누라도 생각해야지.

정수 (...) 연락할 거지?

은미 알았어. 누나가 연락할게.

정수 응. 오늘 집에 들어 가?

은미 (한숨 푹 내쉬며) 그럼 누나 안심하고 간다? 따라오지 마?

정수 (...) 응.

은미, 전자 담배 끄고, 걸어간다.
정수, 걸어가는 은미의 뒷모습 향해 외친다.

정수 누나! 미안해! 앞으로 스트라이크만 제대로 던져줄게!

은미 집에 가!

가는 은미를 계속 지켜보고 서 있는 정수.

22 도로 / 정수의 포르쉐 내부 / 밤

사무엘, 운전대를 잡고 있고, 정수는 옆에서 맥주를 마시고 있다.

정수 고맙다. 나 혼자서는 이 꼴 보러 못 왔을 것 같애.
사무엘 (...)
정수 누나는 나를 왜 만날까.
사무엘 포르쉐 타서?
정수 너는 무슨 말을 그렇게 하냐. 누나 그런 사람 아니야.
(한숨 내쉬며) 집에 갔겠지? 전화해 볼까?
사무엘 궁금하면 해봐.
정수 안 돼, 안 돼. 인내심이 없어 보이잖아. 안 그래도 나를
애로 보는데.
사무엘 근데 너 이러다 들키면 어떡하려고 그러냐?
정수 절대 안 들키지. 그건 와이프에 대한 배신이지.

사무엘, 눈치 보면서 화제 전환 거릴 찾는다.

사무엘 야... 서스펜션이 확 감싸주네. 차 좋다? 언제 샀어.
정수 어, 이거 와이프 차. 두 달 전에 결기 날에 뽑아드렸지.
사무엘 잘하네. 와이프한테도 잘하고, 애인한테도 잘하고.
정수 너도 이제 슬슬 다시 일어나야지.
사무엘 나도 일어나고 싶지. 그래서 말인데...
정수 (말 끊고) 우리 둘 다 열심히는 했잖아. 그럼 된 거야.
스타트업 한번 말아먹었다고 죽을 일이야? 한번
말아먹어 봤으니까 다음에 또 안 말아먹으면 되는 거지.
사무엘 (한숨 내쉬며) 너랑 나랑 같이 망했는데 어떻게 이렇게
다르냐.
정수 나는 처가가 있잖아. 내가 조만간 다시 연락할 테니까
너도 택시 그만 몰고 나랑 또 뭐 하나 하자.
서울대 안 아깝냐.
사무엘 왜. 서울대 나왔으면 택시 몰면 안 되냐?
정수 에이... 뭘 또 발끈하고 그래, 친구끼리. 무서워.
그러지 마.
사무엘 택시... 이제 하고 싶어도 못 해. 너 포르쉐 뽑을 동안 내
택시는 침수돼서 사망했다.

정수	뭔 소리야, 그게.
사무엘	침수돼서 폐차했다고. 보험 처리도 안 된대.
정수	야… 너도 참 팔자 한번 기구하다… 너 그 차 진이 씨가 대출받아 가지고 사준 차 아냐? 진이 씨는 아냐?
사무엘	정수야, 그래서 말인데… 내가 사실 너한테 뭐 하나 부탁 좀 하려고.
정수	알아, 인마. 내가 그 정도로 눈치가 없겠냐.
사무엘	어. 알았구나.
정수	사무엘. 나는 내 유일한 친구가 너라고 생각해.
사무엘	고맙다.
정수	그래서 널 잃고 싶지가 않아. 친구끼리는 돈 빌려주고 돌려받고 그러면 안 된다고 생각해, 나는. 그냥 차라리 내가 그 택시 한 대 사주고 말고 싶은데, 그러면 우리 관계가 뭐가 되겠냐. 그냥 불편한 갑을관계밖에 안 되지.
사무엘	나 갑을관계 안 되게 할 수 있는데 진짜 한 이천만 빌려주면 안 되냐? 그 돈이면 중고로 한 대 살 수 있거든?
정수	아 그만해, 나 민망하니까. 안 돼, 안 돼.

입술을 잘근 깨무는 사무엘, 더 말을 못 한다.

23 우진과 사무엘의 아파트 / 화장실 / 낮

샤워 부스 거울에 비치는 우진.
코털도 밀고, 겨털도 밀고, 생식기 쪽 털도 민다.

24 우진과 사무엘의 아파트 / 낮

거실

젖은 머리에 티셔츠만 걸치고 있는 우진,

무언가를 비장하게 내려다보고 있는 모습이 보인다.
우진이 내려다보고 있는 것은 바닥에 쪼그린 채 잠들어있는 사무엘이다.
우진, 발을 들어 사무엘의 성기 위로 가져가 슬슬 비비기 시작한다.

사무엘 왜 그래...
우진 나 깨끗이 씻었다? 거기 털도 밀었어. 지금 민둥산인데 안 볼래?
사무엘 (두 손으로 성기를 막으며) 잘했다... 위생적이겠네.
우진 (발 내리며) 야. 임박사무엘. 일어나봐. 지금 잘 때 아니야.
사무엘 (그 상태로 눈만 뜨고) 응. 왜.
우진 우리 같은 부부를 섹스리스라고 하니?
사무엘 (우진의 기세가 심상치 않자 일어나 소파에 앉으며) 왜 그래. 새삼스럽게.

우진, 사무엘의 앞에 양반다리 하고 앉아 손 스트레칭 후,
사무엘의 바지 안에 손을 넣어 핸드잡을 시작한다.
잔뜩 긴장해서 굳어있는 사무엘의 몸.

사무엘 갑자기?
우진 원래 이렇게 갑자기 막 하고 그러는 거야.
사무엘 아니, 그래도... 나 준비 안 됐는데...
우진 우리도 남들 하는 건 좀 하고 살자. 집중해 봐.
사무엘 갑자기 이러는 거 싫어...
우진 (집중해서 성의 있게 핸드잡을 계속하며) 옳지. 그렇지. 마시멜로 같고 좋다. 어때. 좋아?
사무엘 우진. 잠깐만. (정색하며) 잠깐만! (일어난다)
우진 (움직이던 손 멈추고, 빼며) 왜. 뭐가 문제야.
사무엘 나 의무처럼 이러는 거 싫어. 너 지금 나 사랑해서 이러는 거야?
우진 갑자기 무슨 사랑 타령이야.
통장 같이 쓰면 사랑이지. 그리고 섹스를 하다 보면 없던 사랑도 생기고 그러는 거지!

사무엘 너 어제저녁에 내가 뭐 먹었는지는 알아?
우진 내가 그런 것까지 다 알아야 니 거 만질 수 있다는 거냐? 너 애야?
사무엘 (...) 됐다. 그만하자.
우진 솔직히 나 너 지금 의심스러워. 왜 갑자기 사랑 타령이지? 막말로 니가 어디 가서 뭘 하고 다니는지 내가 어떻게 알아.
사무엘 (어이없다는 듯 너털웃음 지으며) 내 주제에 무슨 바람이야. 바람도 여유가 있어야 피는 거지. 정수처럼.
우진 (...) 뭐라고?
사무엘 (괜히 말했다 싶은)
우진 정수 바람피워?
사무엘 (...) 그렇대.
우진 너 지금 괜히 없는 말 지어내서 화제 전환하는 거 아니지?

침실

똑같은 싱글베드 두 개가 나란히 놓여있는 침실.
우진, 출근할 복장을 차려입고 화장대 앞에 앉아 거울을 보며 단장 중.
사무엘, 양말을 들고 우진의 앞으로 와서 앉으면,
우진이 자연스럽게 발을 내민다.
우진의 발에 양말을 신겨주는 사무엘.

사무엘 정수, 폰이 두 개더라. 내연녀랑 연락하는 폰이 따로 있더라고.
우진 (헛웃음 내뱉으며) 욕심 많은 새끼.
세연 씨는 지 때문에 머리털까지 빠지고 있는데, 폰을 두 개로 만들어?
사무엘 정수가 그러더라? 사랑이 두 개일 수가 있대. 근데 세 개부터는 사랑이 아니라나, 뭐라나. 미친놈.
우진 나는 폰이 자지라고 봐. 폰이 두 개가 됐다는 건 자지가 두 개가 된 거거든.

사무엘 (양말을 다 신기고 일어나 무슨 생각인가를 하더니) 그럼 택배 기사님들은?

우진 비유가 그렇다는 거잖아.

사무엘, 양말을 다 신기고 어디서 우진 시계 들고 온다.
자연스럽게 우진이 팔을 내밀면 우진 손목에 시계를 착용해 주는 사무엘.

우진 하여튼 남자 새끼들 돈 좀 벌면 눈에 뵈는 게 없어지고 자지가 두 개가 되나 본데, 내가 알게 된 이상 나 그냥 안 넘어간다. 그리 알아.

사무엘 뭘 어쩔 건데...

우진 뭘 어째. 네 친구 자지 하나 박살 내야지.

사무엘 어떻게 하려고 그러는데.

우진 바로 세연 씨한테 말할 건데? 요즘 안 그래도 그걸로 고민 많던데.

사무엘 남의 일이잖아. 그냥 관심 끄자.

우진 난 그렇게 못 해.

25 우진의 호텔 / 객실 내부 / 밤

깨끗하게 정리된 손님 받기 전의 빈 객실.
우진, 한 손에 얼음이 가득 담긴 컵을 들고 얼음을 씹어 먹으며 핸드폰을 바라보고 있다.
액정 화면에는 '송세연'이라고 적혀 있다.
망설이던 우진, 통화 버튼을 꾹 누른다.
신호음이 몇 차례 울리고 세연이 받는다.

세연(e) 언니. 제가 안 그래도 전화하려고 했는데.

우진 응, 세연 씨. 왜요? 무슨 일... 있어요?

세연(e) 무슨 일은 언니가 있잖아요... 언니 괜찮아요?

우진 뭐가요?

세연(e) 택시 침수됐다면서요. 어떡해... 보험도 안 된다면서요.

우진	네?
세연(e)	사무엘 씨는 괜찮으신 거예요? 장마철도 아닌데 도대체 어디서 그러셨대요...

우진, 얼음을 와르르 입에 부어 씹는다.

26 정수와 세연의 집 / 앞 / 밤

사무엘, 정수와 세연의 집 앞에 쪼그려 앉아 있다.
정수, 대문 열고 나온다.

정수	왜.
사무엘	(일어나서 정수를 본다)
정수	뭔데 집까지 와. 뭔데?
사무엘	응, 정수야.
정수	(사무엘 뜸 들이자) 나 10만 원빵 체스 두다 나왔어... 지금 내 폰이 영국이 퀸 먹기 딱 직전인데 인마 니가 전화 오는 바람에...
사무엘	(정수 말 끊고) 정수야. 큰일 났다.
정수	(심상치 않자) 뭐.
사무엘	(한숨 내쉬며) 내 와이프가 알았어, 너 바람피우는 거.
정수	뭐?!!
사무엘	세연 씨한테 말한대. 너 걔 성격 알지. 걔는 진짜 한다면 하는 애야.
정수	미쳤냐? 그걸 왜 말해!
사무엘	미안하다. 나도 내 입이 이렇게 싼지 몰랐다.
정수	미친 새끼네, 이거? 쳐 돌았냐?
사무엘	(...)
정수	아, 미치겠네. (어쩔 줄 몰라 하다가 또) 아, 미치겠네! 와, 이 미친 새끼 봐라, 이거? 너 인마 내 가정 파탄 나면 책임질 거야?
사무엘	나는 너 생각해 가지고 미리 말해주려고 온 거야...

대비하라고.

정수 (말문이 막혀 사무엘을 한참 노려보다가) 안 되겠다. 지금 우진 씨 어디 있어.

사무엘 그건 왜.

정수 우진 씨 있는 데로 가자. 너 여기 잠깐 있어.

정수, 재빨리 대문 열고 들어간다.
이윽고 주차장 문 자동으로 열린다.
부아아앙! 차에 시동 걸리는 소리 들리고, 포르쉐 나와서 끼이익 멈춰 선다.

정수 뭐 해, 이 새끼야 얼른 타!

사무엘, 한숨 내쉬며 정수의 차 조수석에 올라타면,
성난 엔진 소리를 내며 급출발하는 정수의 차.

27 우진의 호텔 / 로비 / 밤

한적한 호텔 로비.
우진이 프런트 데스크 안에 서 있고, 정수와 사무엘이 프런트 데스크 앞에 서 있다.
삼자대면 중인 세 사람.

정수 저 무릎 꿇을까요?

우진 아, 그러지 마세요.

정수 저 진짜 무릎 꿇습니다. (무릎 꿇는다)

우진 왜 저한테 와서 이러세요... 남 일하는 데 찾아와서 참... 민폐네 민폐야...

정수 저 바람피운 거 맞고요. 제 애인이 바람피운 것도 맞더라고요. 다 맞습니다.

우진 자랑이시네요. 이건 세연 씨도 알아야 되는 일이라고 생각해요, 저는.

정수 그럼 세연이가 큰 상처를 받을 텐데요? 왜 굳이 일을 크게 만드세요.

우진 그렇게 잘 아시는 분이 왜 그랬어요. 제가 세연 씨랑 짧고 굵게나마 우정을 나눈 사이라 모른 척할 수가 없네요. 그건 제 인생철학에 위배되는 일이라서요.

정수 인생철학이요...

정수, 허탈하다는 듯 호텔 유리 벽 너머를 바라본다.
그리고 무슨 생각이 들었다는 듯 뒤돌아 재빨리 뛰어 호텔 문 열고 바깥으로 뛰어나간다.

우진 저 새끼 뭐 하니?

사무엘 설마, 도망?

우진 지가 제 발로 와서 무릎까지 꿇더니 이렇게 이상한 타이밍에 도망을 친다고?

사무엘 뭐여...

우진 지가 도망쳐봤자지 뭐.

호텔 문 열고 다시 뛰어오는 정수, 우진과 사무엘의 맞은편에 비장하게 선다.

정수 (헐떡이며) 폰 좀 가지러 갔다 왔습니다.

우진 (?) 뭣 하러 오셨어요, 그냥 가시지.

정수 잠시만요. 중요한 얘기 하기 전에 숨 좀 가라앉힐게요. 해볼 수 있는 데까진 해봐야죠.

우진 (한숨 내쉬며 사무엘 본다) 이 사람 뭐 하자는 거니, 지금?

사무엘 (어깨를 으쓱한다)

정수 (준비됐다는 듯 호흡을 정리하고는) 제가, 제 죄에 대한 벌을 벌금형으로 받으면 안 될까요?

우진 네?

정수 우진 씨. 한 번만 인생철학을 위배해 주세요. 대신에 제가 그 대가를 지불할게요. 저 지금 우진 씨한테, 제 가정을 지켜달라는 아주 간곡한 부탁을 드리고 있는 거예요.

사무엘 야. 선 넘지 마.

우진 (헛웃음 내뱉으며) 정말 대단하시네요. 돈이면 다 된다?

정수 아뇨, 저 정말 그렇게 생각하지 않습니다. 이거 제 마지막 지푸라기예요. 이거 못 잡으면 저 죽습니다. 오죽하면 이렇게 하겠습니까. 한 번만 살려주십쇼. 최소한 제가 생각한 액수가 얼마인지 들어봐 주실 수는 있는 거잖아요.

우진 들어나 봅시다. 얼마 줄 건데요?

사무엘 (우진에게) 뭐 하는 거야...

정수, 고민하다 우진의 앞에 손가락 세 개를 펼쳐 보인다.

사무엘 삼백?

우진 (눈이 반짝인다)

정수 (손가락 세 개를 거두고) 아니. 삼천.

사무엘 삼천?!! (우진을 본다)

우진 (침을 꼴깍 삼키지만, 쿨한 척 정수를 노려본다)

정수 (사무엘과 우진의 눈치를 보고는, 얼른 자리에서 일어나며) 삼천이요. 저한테도 정말 큰돈이에요. 오해하실까 봐 덧붙이자면, 우진 씨 인생철학의 값어치가 이 정도란 말은 절대 아니고요. 그냥 제가 지금 쓸 수 있는 최고 한도액이 삼천이에요. 이 정도 드려야 제가 확신을 할 수 있을 것 같아서요. (눈알을 굴리며 우진의 안색을 확인한다)

우진 (알 수 없는 표정으로 근엄하게 정수를 내려다본다)

정수 (슬슬 흔들리기 시작하는 목소리) 우진 씨 눈에는 제가 그저 불륜남, 개새끼로만 보일 거 다 압니다. 아는데요. 저 제 가정 지키고 싶습니다. 저 정말로 제 와이프 사랑하거든요? 말 안 되는 거 아는데, 진심으로 사랑하고 있어요. 세연이한테는요. 제 눈 두 짝 다 떼 줄 수 있고요. 제 심장? 간? 다 꺼내줄 수 있어요. 저 세연이 잃고 싶지 않습니다. (울먹이며) 그리고 우리 영국이... 이혼 가정에서 자라는 꼴을 어떻게 봅니꽈...

눈물을 닦는 정수.
우진과 사무엘, 한동안 뭐라고 말을 하지 못한다.

정수	지금 여기서 바로 계좌이체 해드릴 수 있어요. 그래서 폰 가져왔습니다. 이거 탈 안 나고 깨끗한 돈이에요, 우진 씨.
사무엘	(보다 못해) 정수야, 그만해. 이게 뭐 하는 짓이야... 나 못 보겠다 씨.
우진	(...) 그래요. 그렇게 합시다.
사무엘	야. 넌 또 뭐야.

사무엘과 정수, 놀라서 우진을 쳐다본다.
정수, 표정 굳으며 헛웃음 내뱉는다.

28 우진의 호텔 / 앞 벤치 / 밤

사무엘과 정수, 벤치에 조금 떨어져 나란히 앉아 있다.
정수는 소리죽여 서럽게 울면서 물티슈로 얼굴을 닦고 있다.

사무엘	미안하다.
정수	너 혹시 나한테 일부러 이랬냐? 내가 돈 안 빌려주니까 협박이라도 해가지고 돈 좀 벌어야겠다 싶었어?
사무엘	그런 건 아니야... 그래도 내가 할 말이 없다.
정수	잘했어. 돈 원래 이렇게 드럽게 버는 거야.
사무엘	(...)
정수	내 드러운 돈 받았으면 너도 나랑 똑같은 놈인 거야. 넌 이제 어디 가서 착한 척하지 마라. 알았냐?
사무엘	(...) 알았다.
정수	그래. 볼일 다 봤으면 꺼지고. 다신 보지 말자.
사무엘	(고개 끄덕이며) 미안하다.

사무엘, 벤치에서 일어나지 않고 그대로 있고, 정수가 벤치에서 일어나 걸어간다.

포르쉐에 올라타 부아아앙— 시동 걸고 출발하는 정수, 가다가 급정거하며 창문 내리고,

정수	네가 오늘 나한테 아주 큰 교훈을 줬어. 나 이제 진짜 앞으로 아무도 안 믿으려고. 고맙다?

다시 급출발하는 정수.
남겨지는 사무엘, 씁쓸한 표정으로 정수가 간 쪽을 보고 있는데,
사무엘의 옆으로 와서 서는 우진.

사무엘	왜 그랬어. 너답지 않게.
우진	너 택시 한 대 다시 뽑아야 될 거 아냐.
사무엘	(화들짝 놀라 우진을 본다) 니가 그걸 어떻게 알아?
우진	그런 걸 왜 비밀로 했어...
사무엘	(...) 미안해.
우진	암튼, 너무 죄책감 갖지 마. 저거 친구 아니야. 쟤는 너 죽든 말든 신경도 안 쓰잖아. 근묵자흑이라고, 이참에 잘 정리했어.
사무엘	(...)
우진	차 알아봐. 너 차 없으니까 나도 출퇴근 힘들어.

사무엘, 말을 잃고 복잡한 표정으로 우진을 바라본다.

29 중고차 매장 / 전시장 / 낮

주차장처럼 생긴 전시장에 빼곡히 들어차 있는 수많은 중고차들.
딜러가 친절하게 사무엘과 우진을 안내하고 있다.
우진은 실내임에도 선글라스를 끼고 도도하게 따라다니고 있고,
사무엘은 딜러의 설명을 꼼꼼히 듣고 있다.
걷다가 그랜저 앞에서 우뚝 멈춰 서는 우진,
그랜저 앞으로 걸어가 여기저기 꼼꼼하게 훑어본다.
우진에게로 되돌아오는 딜러와 사무엘.

우진	이건 몇 킬로 탄 거예요?
딜러	차 잘 보시네요. 이 차는 얼마 안 탔어요, 고객님. 2만 탄 차예요, 고객님.
우진	그래요? 얼마예요?
사무엘	(우진에게 귓속말로) 우진. 이거 그랜저야.
딜러	이 차는 그랜저라 조금 가격이 있으신데?
사무엘	(우진에게 계속 귓속말로) 여보... 오바야... 괜찮겠어?
딜러	어떻게 이 차로 상담을 진행해 봐 드릴까요, 고객님?
사무엘	잠시만요? (우진을 간절한 눈빛으로 본다)
우진	네, 그러세요.

사무엘의 얼굴에 만연하는 미소. 숨길 수 없다.

30 도로 / 사무엘의 택시 내부 / 밤

사무엘의 새 택시, 한강 변을 시원하게 달리고 있다.
뒷좌석의 우진, 선글라스를 낀 채 창밖을 바라보고 있고,
운전석의 사무엘 역시 선글라스를 낀 채로 운전을 하고 있다.
어디 레스토랑에라도 다녀왔는지 모처럼 차려입은 두 사람.

우신	볼륨 솜 키워봐.
사무엘	(음악 볼륨을 키우며) 스피커 빵빵하네.
우진	이 자리 유지하는 게 만만치가 않다. 이 똥구멍만 겨우 가리는 자리.
사무엘	그래도 같이 사니까 어떻게든 살아지네.
우진	(사무엘의 말이 맘에 들지 않자) 사무엘. 우리 그동안 열심히 살았잖아. 그치?
사무엘	그치. 열심히 살았지.
우진	버는 족족 이자로 다 나가니까 먹을 것도 제대로 못 먹고...
사무엘	(...) 그치.
우진	열심히 산 대가가 이거라는 게 억울하지 않아? 지금

우릴 봐봐. 미래가 없잖아, 솔직히. 아무리 노력해도 죽을 때까지 이 정도겠지.

사무엘 (...)

우진 우리 이제 이렇게 살지 말자.

사무엘 (?) 갑자기? 그게 무슨 말이야?

31 아파트 풍경이 보이는 어딘가 / 밤

정차하고 있는 사무엘 택시.
우진과 사무엘 나란히 서 있다.
우진과 사무엘의 뒤로 보이는 아파트 숲이 기괴해 보인다.

우진 우리 최소한 평범하게는 살자.

사무엘 (?) 우리 지금 그렇게 살고 있는 거 아닌가?

우진 (고개 저으며) 이건 평범한 게 아니지. 남들 가진 것만큼은 갖고 사는 거, 남들 다 하는 건 나도 할 수 있는 거. 그런 게 평범한 거야.

사무엘 난 그냥, 지금도 적당히 만족하는데. 너랑 이렇게 둘이 돈 굶어 죽지 않을 정도로 벌면서, 같이 TV 보고... 가끔 같이 술도 한 잔씩 하고...

우진 정말 만족해?

사무엘 (...) 강아지 한 마리만 더 있었으면 좋겠어. 레트리버로.

우진 레트리버 키우고 싶으면... 나쁘게 살아야 돼.

사무엘 나쁘게?

우진 응. 나쁘게 살아야 돼. 우리가 나빠져 봤자 뭐 얼마나 나빠지겠어. 전두환만큼 나빠지겠어? 그런 데다 비하면 우리는 썩어도 준치야 시발.

사무엘 말하는 게 어째 불안하니... 무슨 생각인 건데.

우진, 사무엘에게 수첩 건넨다. 사무엘, 의아해하며 수첩 받아본다.
수첩에는 〈Black List〉라고 적힌 스티커 라벨이 붙어있다.

사무엘　　(수첩 받아서 보고는) 이게 뭐야. 블랙리스트?

우진　　정수 씨 같은 사람들 세상에 많아.

사무엘　　정수 같은 사람들.

우진　　가진 것에 만족을 못 하고 자꾸 더 가지려고 하는 사람들.

사무엘　　아… 더 가져선 안 될 것까지 가지려고 하는 사람들?

우진　　행운인지 불행인지 난 그런 사람들을 많이 알고 있네.

결연한 우진의 표정.

그런 우진이 왠지 무섭지만 덩달아 결연한 표정을 지어 보이는 사무엘.

사무엘　　무슨 생각인지는 모르겠지만, 니가 나빠지겠다면 나도 같이 나빠질래. 우리 둘이 같이 해야 하는 일이잖아.

우진　　맞아. 혼자서는 못 해. 같이 해야 돼.

비장한 우진과 사무엘의 얼굴.

화면을 가득 채우는 수첩의 〈Black List〉 글자.

–끝–

Episode 2

연애 비용

반가워.

이 일 하니까 붙어있게 되네. 좋다.

차 내부

키스하는 두 사람의 입술.
화면 천천히 빠져나오면, '가영(29)'과 '병우(34)'의 얼굴이 보인다.
병우, 먼저 가영에게서 입술을 떼어낸다.
가영이 다시 입술을 부딪치려 하자,
가영의 입술을 피하며 가영을 진정시키는 병우.
두 사람이 있는 곳은 자동차 뒷좌석이다.

가영 어디 가. 더 해.
병우 30분이나 했는데? 나 오늘은 진짜 일찍 가야 돼.
가영 (섭섭하다는 듯 입술을 삐쭉 내민다) 30분, 이, 나?
병우 (피식 웃으며 입술을 가볍게 맞추고) 나도 가기 싫다.
가영 근데 간다고?
병우 (가영의 숏커트 스타일의 머리카락을 천천히 귀 뒤로 넘겨주며) 가영아. 앞으로, 가영이가 오빠 좀 도와줘야 될 것 같아. 오빠 말 무슨 말인지 알지?
가영 (...) 알았어.
병우 오빠 도와줘야 돼?
가영 알았다니까.
병우 예쁘다 가영이. 오빠가 미안해서 뭐 좀 준비했는데 잠깐 내려 볼래?

차에서 내려 트렁크로 향하는 병우, 트렁크 문을 연다.
가영이 뭔가 싫어 따라 내린다.

차 외부

작은 캠핑용 스토브에 불이 들어온다.
캠핑용 커피 그라인더를 돌리고 있는 병우의 손.

마른 종이 필터 위에 캠핑용 주전자로 린싱을 하는 병우.
투명 커피 드리퍼에 떨어지는 원두 방울들.

서울의 밤 풍경이 내려다보이는 빌딩의 옥상 주차장. 어느 곳 부럽지 않은 시티뷰다.
주차된 병우의 SUV 뒤에 캠핑 의자가 두 개 설치되어 있고,
열린 트렁크에 달린 캠핑용 조명이 켜져 있다.
병우, 캠핑 의자에 앉아 주전자를 들고 테이블 위 드립 커피를 내리고 있고,
가영은 캠핑 의자에 앉아 그런 병우를 스윗하다는 듯 보고 있다.

가영　　오빠... 이게 다 뭐야...
병우　　아까 낮에... 잠깐 준비해 봤어. 가영이 드립 커피 좋아하잖아.
가영　　진짜... 욕심나게 왜 이렇게 잘해.
병우　　가영이가 나 같은 인간 만나주느라 고생하는데 이런 건 아무것도 아니지.
가영　　근데 밤에 카페인 먹이고 가 버리면 뭐야. 나 놀리는 것도 아니구.
병우　　디카페인이지.
가영　　미쳤어 진짜. 너무 잘해 너무 잘해...
병우　　오빠가 더 잘할게. 자.

병우, 다 내린 커피를 잔에 따라서 가영에게 건네면, 가영이 커피 건네받고 호로록 마신다.

병우　　가영이 산미 있는 거 좋아하지?
가영　　(끄덕이고 병우를 애틋하게 보다가) 오빠 우리는 왜 이제야 만난 걸까.
병우　　나 이런 말 잘 안 믿는데... 다 운명인 것 같아.
가영　　우리 운명은 왜 이렇냐.
　　　　오빠 결혼 전에 만날 수도 있었잖아.
병우　　가영아. 결혼은 사랑의 무덤이라는 말이 있다? 나 그 말이 무슨 말인지 알 것 같아. 오빠 가영이랑은... 오래 사랑하고 싶어.

병우, 가영에게 손을 내민다.
가영, 그런 병우의 손을 얼마간 가만히 보다가 잡는다.
가영의 손등에 입 맞추는 병우.

2 오프닝 시퀀스

오프닝 음악이 깔리면서, 차창 너머 흘러가는 서울의 밤 풍경 이미지들이 펼쳐진다.
환락가를 지나고, 빌딩숲을 지나고, 한강 다리를 건너는 시선.
이 시선은 택시의 손님 좌석에 앉아 차창 너머를 구경하고 있는 우진의 것이다.
검은색 선글라스를 끼고 운전하고 있는 사무엘의 모습도 차창 너머로 보인다.

서울의 밤 도로를 달리는 사무엘의 택시.

LTNS
LONG TIME NO SEX
Episode 2: 연애 비용

3 우진과 사무엘의 아파트 / 사무엘 방 / 낮

모니터 안의 원격 화상 회의 영상.
사무엘 누나들의 얼굴이 각각 분할된 영상으로 보인다.
큰누나 '은혜', 둘째 누나 '로운', 셋째 누나 '찬양', 그리고 사무엘.

은혜 샬롬.
로운, 찬양 샬롬.
로운 뭐여. 막내 살 빠진겨?
찬양 아녀, 아녀. 저거 찐 거여. 운동 좀 해야겄어 사무엘!

뭐라 말할 새가 없어 한숨 내쉬는 사무엘.

은혜 자, 인제 사무엘까지 우리 4남매가 다 참석을 했어요.
다 모였으니께 오늘 중대 안건에 대해서 회의를

시작하겠습니다. 먼저... 사무엘이. 너 곧 아부지 칠순인 거 알었냐, 몰랐냐.

사무엘 어? 어...

은혜 딱 보니께 몰랐네. 몰랐어 이거.

사무엘 아냐... 진이랑 얘기해보고 있었는데? 아직 정한 게 없어서 그렇지.

잠시 말없이 서로 눈치를 보는 누나들.

은혜 사무엘이. 혼자 꼬추 달았다고 사랑 다 받아가믄서 살아놓고, 이? 인간이 그람 안 되는 거여. 아부지 칠순 행사까지 누나들이 꼭 먼저 나서야겄냐?

로운 너 누나들 눈치 보여서 그랴? 누나들이 너 사정 어려운 거는 알어. 그니께 여기서 아무도 너한티 돈 갚으라고 하는 사람이 없잖어. 누나들 돈 뭐 그까짓 거 이천은 뭐, 언젠가는 갚겄지. 근디 니가 아무리 힘들어도 이런 식으로 하믄 안 되는 거여.

찬양 그려. 우리 누나들이 막둥이 아들이라고 애를 버려놓은 거여.

은혜 너 작년에 아부지 생신 때 논산 본가에 혼자 달랑 와가지고, 이? 아부지 용돈 뭐여, 10만 원? 드리고 갔지? 그람 그 참치 값은 누가 냈겄어.

로운 그려, 맞어. 누나들 집에 기름 안 난다이?

사무엘 (...) 미안해 누나들. 내 생각이 짧았네.

은혜 사무엘. 너한테 효자는 기대 안 햐. 그래도 후레자식은 안 돼야 될 거 아녀. 너는 우리 집안 장남이여. 그걸 잊어선 안댜. 그려, 안 그려.

사무엘 알았어 누나.

찬양 사무엘! 그래가지고! 우리가 아부지 필요하신 게 뭔지 알아냈그든? 하나는 전동 스쿠터, 또 하나는 컴퓨터.

로운 아부지 니가 15년 전에 두고 간 컴퓨터 그대로 쓰시는 거 알지?

사무엘　　알지... 컴퓨터 한 대 사드려야겠네.

은혜　　말만 하지 말고. 우리는 이번에 둘 다 사드릴라 그랴. 둘 다 사믄은 최소 삼백은 깨지고, 거기다 음식비 하믄은 뭐, 한 사백 정도는 깨지겄지? 그래가지고, 두 당 백씩이여. 여기서 이게 좀 무리다 싶은 사람 손? (다들 눈치 보자) 일단 나는 낼 거여. 아부지 칠순인디 뭐 빌려가지고라도 해야지 어쩌겄어.

로운　　아... 나는 좀 빡세긴 한디...

찬양　　나는 해볼게. 할 수 있다!

로운　　그럼 일단 고햐. 나도 쌔벼서라도 내야지, 뭐.

동시에 사무엘을 바라보는 누나들.
그때 방문 밖에서 들리는 우진의 목소리.

우진(v.o)　　사무엘! 나 지금 가야 되는데? 나 태워줘.

은혜　　금방 우진이여?

찬양　　뭐여... 집에 없대매!

사무엘　　아니여, 없었어. 지금 퇴근했어, 지금.

수척해진 사무엘의 얼굴.

4　　피아노 콩쿠르 경연장 / 내부 / 낮

무대의 중앙에 놓인 그랜드 피아노 앞에 앉아 연주를 하고 있는 '성지(9/여)', 머리를 뒤로 잘끈 동여매고, 검은색 무대용 원피스를 입고 있다.
범상치 않은 성지의 프로 같은 실력.

객석에 앉아 성지를 보고 있는 우진과 우진 언니 '정아(30대/여)'의 모습이 보인다.
인상을 확 찌푸린 채 성지의 음악을 감상하고 있는 정아, 어쩐지 불쾌해 보인다. 좌불안석.
우진은 조카의 뛰어난 연주 실력에 놀라워하며 이를 보고 있다.

정아　　쟤 왜 저러니... 미치겠다... 내 딸 성지 쟤, 쟤 너무 징그러.

우진 (정아를 이상하다는 듯 보며) 왜 언니?
성지 너무 잘하는데?

정아 (고개를 절레절레 저으며) 쟤 저렇게 하면 안 돼...
쟤 좀 말려 봐...

우진 내가 잘 몰라서 그러는데,
지금 성지 잘하고 있는 거 아니야?

정아 그러니까... 왜 저렇게 잘한대니. 또 1등 하면 안 돼...

무대에서 신들린 듯한 실력으로 피아노를 치는 성지,

〈CUT TO〉
시상식이 열리고 있는 무대.
시상자가 대상에 정아의 딸 '우성지'를 호명한다. 성지가 무표정한 얼굴로 상을 받고 있다.
자리에서 이를 지켜보던 정아는 자리를 박차고 나간다.
의아한 우진, 정아를 따라간다.

5 공연장 앞 계단 / 낮

계단 구석에 쪼그리고 앉아 눈물을 닦고 있는 정아.
우진이 정아의 어깨를 토닥거리고 있다.

정아 (눈물을 펑펑 흘리며) 돈 없어. 돈 없다구. 이제는
꽃다발 살 돈도 없어. 동생들 생각도 해야지, 지가 지금
천재 할 때니?

우진 천재? 성지 천재래?

정아 나 사실 쟤 5살 때부터 심상치 않았는데, 모른 척했어.
나 혼자 애 셋 밥 먹이는 것만도 미치겠는데, 나한테는
저게 재능이 아니라 재앙이야.

우진 (심각한 표정으로 정아를 지켜본다)

정아 그 선생님이란 사람도 참 미쳤지. 유럽으로 유학을
보내야 한다네? 유학은커녕 국내 여행도 못 데려가는데.
유럽? 유학? 내참. 정 형편이 안 되면 무조건 예중,

예고라도 보내라네? 쟤 대회 나갈 때마다 드레스 빌릴 돈도 없다구.

우진 언니 다른 건 다 돈으로 사도 재능은 돈으로 못 사는 유일한 거야. 성지 잘 키워보자. 내가 도울게.

정아 닥쳐! 니가 뭘 어떻게 도와. (눈물 뚝뚝) 피임 잘할걸. (오열)

우진이 비장한 얼굴로 정아의 눈물을 바라본다.

우진 나 앞으로 돈 좀 생길 것 같아. 정말 도와줄게.

정아 (엎드려 울다가 눈물을 그치며) 임박서방 취직했어?

우진 (묘한 표정으로) 응. 취직... 비슷한 거야.

6 고급 중식 레스토랑 / 내부 / 낮

중년의 남성과 여성, 중학생 정도 되어 보이는 딸 둘, 그리고 노부부, 이렇게 6인 가족이 거대한 원형 테이블에 둘러앉아 함께 식사 시간을 보내고 있다.
테이블 위에는 북경 오리와 광동식 새우요리, 수정방 등이 거하게 올라와 있다.

벌겋게 달아올라 기분 좋아 보이는 남성, 수정방을 따라 마시며 가족을 평화롭게 쳐다보다가 근엄한 미소를 짓는다.

한쪽에서 짜장면을 먹으며 그들을 힐끔힐끔 쳐다보는 사무엘.
4인 가족을 지켜보던 시선은 사무엘의 식탁 위에 올라와 있는 카메라의 시선이다.
사무엘이 메뉴판을 보며 수정방 가격을 확인한다. 400,000원.
작동 중인 카메라 뷰 파인더를 통해 보이는 단란하고 화목해 보이는 가족의 모습.
모두 행복하게 웃고 있다.
사무엘, 단무지를 향해 젓가락을 가져가며 태연하게 카메라의 셔터를 누른다.

7 고급 주상복합아파트 / 앞 / 새벽

파란 새벽. 대로변에 비상등을 켠 채로 정차해 있는 사무엘의 택시.

선글라스를 낀 운전석의 사무엘, 차창 너머 어딘가를 보고 있다.

고급 주상복합아파트의 주차장 차단기가 올라가고,
검은색 세단이 나와 미끄러지듯 코너를 꺾어 나아간다.
사무엘, 비상등을 끄고, 그 뒤로 따라붙는다.

8 서울의 도로 / 대검찰청 앞 / 새벽

앞차를 따라가고 있는 사무엘의 택시.
사무엘의 시선으로 차창 너머 검은색 세단이 보인다.
일정 간격을 두고 계속 검은색 세단을 따라가는 사무엘.

검은색 세단, 우측 깜빡이를 켜고 우측 차선으로 붙자,
사무엘도 따라서 우측 차선으로 붙는다.

어디론가 꺾어 들어가는 검은색 세단.
사무엘, 그곳으로 같이 꺾어 들어가려다, 흠칫 놀라며 그냥 지나친다.
대검찰청으로 들어가는 검은색 세단.
사무엘의 시선에서 점점 멀어지고...

9 우진의 호텔 / 앞 / 낮

우진의 호텔 앞에 비상등을 켜고 세워져 있는 사무엘의 택시.
우진과 사무엘은 택시 앞에 서서 심각한 대화를 하고 있다.

사무엘 대박이야 대박. 어쩐지. 이놈의 사진 몇 장 건지기가 어렵더라고.
우진 어떤 놈이길래?
사무엘 아직도 심장이 두근거리네.
우진 그니까, 왜.
사무엘 그 남자 어디로 들어갔는지 알아?
우진 어디!

사무엘　　대검. 대검찰청.

우진　　검찰? 와, 씨... 스케일 존나 크네? 아, 그 검사 새끼를 어떻게 요리하지?

사무엘　　이건 아니야. 너무 위험해. 이 사람은 건들면 안 되는 사람이야.

우진　　무슨 소리야. 그 새끼는 자식들도 있지, 사회적 위상도 있지, 미래도 있지... 잃을 게 많잖아. 우린 잃을 게 없고. 우리가 더 유리해.

사무엘　　뭐가 유리해. 깜빵에 갈 텐데. 이건 미친 짓이야.

우진　　원래 돈은 미친놈들이 버는 거야. 우리도 미치기로 한 거 아니야?

사무엘　　그래도 이건 아냐. 나는 못 해. 우리 미친 짓 하더라도 분수에 맞게 하자...

이때 우진의 핸드폰이 울린다. 전화를 받는 우진.

준호(e)　　누나. 메이드 형이 빡쳐서 누나 찾아요. 708호로 좀 오시래요. 지겨워...

우진　　알겠어. (사무엘에게) 이따 얘기하자.

사무엘　　이쪽은 포기하는 거야.

우진　　(한숨 내쉬며) 일단 알았어.

우진, 황급히 호텔 안으로 뛰어가고,
사무엘도 얼른 택시에 타고 출발한다.

10　　우진의 호텔 / 708호 내부 / 낮

엉망으로 어지럽혀진 호텔 방 내부.
초코시럽이 흡수되어 똥처럼 거무죽죽한 얼룩이 져 있는 침대 시트.
오일이 엎어져 번들번들거리는 페브릭 의자.
수건이 여기저기 흩뿌려져 있고, 몇몇 수건에 피가 묻어 있다.
고개를 내저으며 황폐한 호텔 방을 청소하고 있는 메이드 직원.

직원은 민머리의 중년 남성이다.

직원	(침대 시트를 제거하며) 어머머머, 이게 똥을 지려서 똥칠을 해놓은 거야, 뭐야.
우진	냄새가 안 나는 걸로 봐서는 초콜릿 같은데요.
직원	나 드러워서 못 해 먹겠네 진짜... (조심스레 침대 시트 냄새를 맡아보더니) 어머머머 맞네. 쪼꼬렛. 쪼꼬렛이야 이거. 사람 몸에서 쪼꼬렛이 나올 수는 없고... 이 년놈들이 쪼고렛을 몸에다 처바르고 뒹군 거야, 뭐야...
우진	악마 같은 새끼들.
직원	이래서 내가 자기 부른 거야... 자세히 좀 봐봐요, 뭐 손해배상 청구할 거 있나.

우진, 휴지통을 찾아내 뒤엎는다.
찢어진 스타킹, 휴지들, 콘돔 3개.

직원	콘돔 몇 개 나왔어?
우진	세 개요.
직원	응, 불륜. 부부는 그렇게 못 놀아.

우진, 인상을 찌푸리며 방을 둘러보다, 협탁 위에 놓인 애플워치를 발견한다.
애플워치를 손에 든다.

직원	이건 심해도 너무 심했어... 에이씨 드러워 진짜...
우진	(애플워치를 의미심장하게 보며) 이건 이대로 넘어가면 안 되겠네요.

11 우진의 호텔 / 로비 / 낮

한적한 호텔 로비.
프런트에 서 있는 준호와 우진.

우진은 어디론가 전화 중이다.

우진 안녕하세요, 이스트웨스트호텔입니다. (사이) 이스트웨스트호텔이요! 혹시 고객님 애플워치 분실하지 않으셨나요? (사이) 이번 주 일요일에 방문하신다구요? (사이) 네, 알겠습니다.

전화를 끊는 우진, 씩 웃는다.
그런 우진을 흥미롭게 보는 준호.

준호 누나 뭐 좋은 일 있어요? 기분 되게 좋아 보이네.
우진 맘을 고쳐먹으니까 살맛 나네.
준호 누나 기분 좋아 보여서 좋긴 한데... 난 왜 누나가 기분 좋으면 무섭지.

상당히 업된 우진의 모습에 준호 살짝 갸우뚱한다.

12 우진의 호텔 / 주차장 / 밤

호텔 주차장에 주차되어 있는 사무엘의 택시.

그 위로 자막: 일요일
Sunday

사무엘, 폰으로 전동 스쿠터 가격 비교를 해보고 있다.
이때 화면 위로 카톡 알림창이 뜬다.

"타겟 등장"

사무엘 택시의 시동이 걸리며 전조등이 켜진다.

13　　우진의 호텔 / 로비 / 밤

우진의 손에 들려 있는 주민등록증.

이름 이가영, 1994년생.

우진, 맞은편 프런트 앞에 서 있는 가영의 얼굴과 주민등록증을 대조해 본다.
키보드를 두드려 가영의 집 주소를 얼른 적어 놓는다.
"레지던스 로시 원룸텔 신림점."
데스크 서랍을 열어 애플 워치를 꺼내 주민등록증과 함께 가영에게 건네는 우진.

우진	확인되셨구요. 여기 있습니다, 고객님.
가영	(받으며) 감사합니다. 그럼 가도 되나요?
우진	네, 고객님. 가셔도 됩니다.
가영	(꾸벅 인사하며) 네, 감사합니다.
우진	네.

가영, 주민등록증과 애플워치를 대충 가방에 넣고 돌아서 정문으로 걸어간다.
잽싸게 폰으로 사무엘에게 뭐라 뭐라 문자하는 우진.

14　　우진의 호텔 / 앞 / 밤

누군가와 통화를 하며 문을 열고 나와, 호텔 앞에 서는 가영,
택시를 찾는 듯 두리번거리는데, 마침 사무엘의 택시가 가영의 앞에 선다.
가영, 다행이라는 듯 사무엘의 택시에 올라탄다.
천천히 출발하는 사무엘의 택시.

15　　옥상 주차장 / 밤

가영을 태운 사무엘의 택시가 주차장으로 들어서서 비상등을 켜고 멈춘다.
가영, 내려서 주차장 여기저기 둘러보며 어디론가 걸어가고...
사무엘, 콜을 받는 척하며 택시 안에서 그대로 잠시 대기한다.

가영, 천천히 걸으며 자동차를 찾아 헤매다가 무언가를 발견한다.
멀리서 차에 기대어 서서 손을 흔드는 병우가 멀리서 보인다.
병우를 보며 화사하게 미소 짓는 가영.

차의 트렁크에 기대어 있는 병우.
후면 창에 "아이가 타고 있어요" 스티커가 붙어있다.
병우의 앞으로 가영이 다가온다.
병우의 팔목에 애플워치를 착용해 주는 가영.
얼마간 그렇게 있다가 병우가 가영을 에스코트하여 조수석에 태운다.

사무엘은 택시 안에서 그런 병우와 가영을 향해 셔터를 눌러댄다. 찰칵. 찰칵.

16 신림동 가영 원룸텔 앞 / 밤

신림동 고시촌 일대 인서트들.
〈레지던스 로시 원룸텔-여성 전용〉이라는 간판이 붙은 건물.
건물 안으로 혼자 드나드는 고시생들의 모습이 보인다.
그 앞에 손 붙잡고 마주 서 있는 병우와 가영, 헤어지기 아쉬워 보인다.
병우, 그런 가영을 안쓰럽다는 듯 보다가 안아준다.
계속 그렇게 있는 병우와 가영.
이때 기영이 가방에서 꽃다발을 꺼내어 병우에게 준다.

병우 이게 뭐야?
가영 우리 이백일 선물.
병우 가영이... 이백일도 챙겨주고. 너무 고마워.
가영 예쁘지.
병우 너무 예쁘다. (잠시 난처해하다가) 근데 가영아 너무 고마운데, 이거 나 집에 가져가기가 좀 어려울 것 같은데...
가영 아 맞다. (...) 그냥 직장 동료가 줬다 그러면 안 돼?
병우 에이 의심만 받아. 그냥 이거 다시 오빠가 줄 테니 가영이 방에 꽂아 둬.

가영 (...) 알겠어.

사무엘, 숨어 서서 그런 병우와 가영의 모습을 사진으로 찍고 있다.

사무엘 (혼잣말로) 에이씨... 노출! 노출 나와라 노출.

병우, 가영의 볼에 살짝 입 맞추고는 떨어져 인사하며 뒤돌아 걸어간다.
그런 병우를 가만히 지켜보고 서 있는 가영.
가영은 조용히 눈물을 흘린다.
가영의 뒷모습과 멀어지는 병우의 모습.
가영, 얼마간 그렇게 서 있다가 돌아서서 눈물 닦으며 원룸텔 안으로 들어간다.

그런 가영을 보고 발이 떨어지지 않는지 고민하다가 얼른 병우를 따라가는 사무엘.

17 병우의 집 근처 / 밤

사무엘, 택시 운전석에 앉아 폰으로 골든 레트리버 영상을 보고 있다.

동네 구석 후미진 곳에 주차돼 있는 사무엘의 택시.
그 앞으로 멈춰서는 또 다른 택시.
그 택시에서 내리는 우진, 바로 사무엘의 택시로 갈아탄다.
사무엘, 영상 보고 있다 놀라며 폰 집어넣는다.

우진 (택시 문 열며) 여자랑 같은 동네 사네?
사무엘 응. 걸어서 한 십 분 정도 걸릴까?
우진 (택시에 올라타서 문 닫고) 참... 지랄들을 정성스럽게 한다. (사무엘에게 마실 것 건네며) 이거 마셔.
사무엘 (받으며) 고마워. 남자는 유부남인 것 같애.
우진 어떤 근거지?
사무엘 남자 차에 '아이가 타고 있어요' 스티커가 붙어있더라고.
우진 애가 있는데 그 지랄이라는 거지.
사무엘 아까 그 여자 울더라. 마음이 안 좋더라고. 불쌍해.

우진　　동정하지 마. 대한민국에 안 불쌍한 여자 없어.
사무엘　　아직 창창한 나이 같은데... 뭐가 아쉬워서 유부남을 만나냐...
우진　　원래 멋모를 때 십새들 많이 만나.
사무엘　　우진도 십새 만났었잖아.
우진　　그럼. 십새 천국에서 나라고 달랐겠어?
사무엘　　(...) 유부남도 만난 적 있어?
우진　　없어, 없어. 쓸데없는 소리 그만하고 오늘 사진 찍은 거나 좀 봐봐.
사무엘　　(우진에게 카메라 건네며) 많이 못 건졌어. 노출이 안 나와서.
우진　　(카메라 건네받으며) 폰으로 찍지.
사무엘　　한 번 봐 봐.

우진, 카메라 건네받고 사진들을 넘겨본다.
옥상 주차장에서 가영과 병우가 같은 차에 올라타는 사진들.
가영의 원룸텔 앞에서 껴안고 있는 가영과 병우의 사진 몇 장이 노출 부족으로 흐리게 나왔다.

우진　　결정타가 없네.
사무엘　　안으면 말 다한 거 아닌가?
우진　　안는 게 뭐? 친구끼리도 안고, 프리허그도 하고 그러는데 뭐.
사무엘　　그럼 무슨 사진을 찍어야 돼?
우진　　적어도 했네, 싶은 결정적인 사진 있잖아.
사무엘　　아... 뭐 모텔 들어가는 사진 정도?
우진　　그렇지. 그건 빼박이니까.
사무엘　　그게 빼박이야? 아닐 수도 있잖아. 난 같이 들어가서 정말 쉬기만 하고 나온 적도 있어.
우진　　참 너답다. 여자는 어차피 싱글이니까 됐고, 남자가 유부니까 그쪽을 털어야겠네. 남자 와이프 사진 찍고, 직장 어딘지 체크하고. 무엇보다 결정적인 증거 사진. 오케이?

사무엘 이 일 보통이 아니다... 그치.

우진 사무엘. 우리같이 없는 사람들이 하는 일 중에 쉬운 일이 있겠어?

사무엘 엇, 저 집 대문이 움직이는데?

우진이 사무엘의 손가락이 향한 곳을 집중한다.
2층짜리 다세대 구옥이다.

18 병우의 집 앞 / 사무엘의 택시 내부 / 밤

주택 앞

대문 열고 나오는 병우, 대문을 붙잡고 안쪽을 보고 있으면,
병우 장인, 장모가 나오고, 곧이어 병우의 임신한 아내가 천천히 대문 밖으로 나온다.
병우의 아내는 누가 봐도 가영을 연상시키는 이미지.
임신한 것을 제외하면 가영과 똑같은 사람을 보는 것 같다.

사무엘의 택시 내부

우진과 사무엘, 차 안에서 둘 다 몸을 수그리고 있다.

우진 (속삭이는) 왜. 왜. 나왔어?

사무엘 (덩달아 속삭이는) 응, 나왔어. 카메라 좀.

우진 폰으로 찍어, 폰으로.

사무엘 (몸을 슬쩍 들어서 폰카메라로 마구 찍으며) 대박.

우진 왜, 또.

사무엘 아까 그 여자랑 똑같이 생겼네.

우진 누가.

사무엘 남자 와이프 같은데. 와 씨, 소름 돋아. 아까 그 여자랑 완전 똑같이 생겼다.

우진 아, 그래?

우진, 궁금해서 살짝 고개를 들어보려는데,
사무엘이 우진의 고개를 들지 못하도록 막고, 자기도 고개를 숙인다.

주택 앞

병우, 뛰어다니며 장인 장모가 차에 올라타는 걸 돕고 있다.
마지막으로 장모가 탄 조수석 문을 조심스럽게 닫아준다.
창문을 내리는 병우의 장인 장모.

병우 아버님, 어머님, 조심히 가십쇼.
소은 잘 가, 엄마!

병우, 장인과 장모에게 깍듯이 인사하면,
출발하는 병우 장인 장모의 차.
병우의 아내는 장인어른과 장모에게 손 흔들어 인사한다.

사무엘의 택시 내부

여전히 차 안에서 몸을 수그리고 이를 지켜보고 있는 우진과 사무엘.
병우 부부가 집에 들어가는 모습을 카메라로 찍는 사무엘.
〈CUT TO〉

주택 앞

사무엘이 병우의 집 근처에서 여기저기 사진을 찍고 있다.
빌라 벽에 붙어있는 주소 판 사진을 찍고, 병우의 차 넘버를 찍고, 병우 차에 붙어있는 핸드폰 번호 사진을 찍고, 더 찍을 것이 없나 이리저리 두리번거린다.

사무엘의 택시 내부

운전석에서 앉아 폰으로 빌라 실거래가를 검색하고 있는 우진.
곧 사무엘이 택시 조수석에 올라탄다.

사무엘	다 찍었어. 이제 직장만 따면 끝인데…
우진	몇 시에 출근할라나.
사무엘	알 수가 없네.
우진	집에 갔다가 오기엔 좀 애매한 시간이네? 이대로 죽치고 있기엔 좀 무모한 것 같고.

우진, 사무엘의 상태를 살핀다.
사무엘은 피곤한지 눈이 풀려 있다.
차에 시동을 거는 우진.

19 모텔 / 카운터 / 밤

모텔 카운터에 고개를 내미는 사무엘.

사무엘	대실이요.

우진, 모텔 로비에 마련된 커피 자판기 앞에 어색하게 서 있다가 사무엘의 '대실'이란 소리에 사무엘을 본다.

모텔직원	이 시간엔 숙박만 됩니다.
사무엘	아… 그럼 숙박할게요.
모텔직원	일반은 오만 원, 특실은 육만 원.
사무엘	특실 주세요.

사무엘의 '특실'이란 소리에 다시 사무엘을 보는 우진.

20 모텔 / 특실 내부 / 밤

우진과 사무엘, 모텔 가운을 입고 한 침대에 서로 등을 돌린 채로 누워있다.

우진	자?
사무엘	아니.

우진 너 아까 대실 그거 뭐야?

사무엘 습관처럼 그 말이 나오더라고. 우리 모텔 오면 대실만 했잖아.

우진 언제 적 얘기야…

사무엘 니가 특실 좋아해서 대실도 특실로만 했었지?

우진 다 기억하네…

사무엘 우리 이렇게 한 이불 덮고 눕는 거 오랜만이다.

등을 돌리고 있던 사무엘, 우진 쪽으로 돌아눕더니 어색하게 우진을 안는다.
놀라는 우진.

우진 뭐야.

사무엘 반가워.

우진 내 참…

우진과 사무엘, 얼마간 가만히 그대로 있다.

우진 그.

사무엘 응.

우진 너 혹시 이거… 그 신호야?

사무엘 신호?

우진 섹스…?

사무엘 그냥, 이렇게 안아보는 것도 오랜만이니까… 안아본 건데.

우진 아. 프리허그?

사무엘 혹시 니가 지금… 하고 싶은 거…?

우진 딱히 지금 그런 건 아닌데. 부부로서 마땅히 해야 되는 걸 안 하고 있으니까, 해야 되지 않나 싶어서.

사무엘 에이, 섹스는 하고 싶을 때 해야지.

우진 우리 이대로 가면 계속 안 할 것 같은데. 노력은 해봐야 되지 않나.

사무엘 그런가.

우진 사실 나도 너랑 하면 막 남매끼리 하는 것 같고 그럴 것 같긴 한데... 그래도 노력을 하는 데까진 해봐야 되지 않을까? 명색이 부분데.

사무엘 노력을 어떻게 하지.

우진 나도 잘 모르겠는데 일단 눈 딱 감고 한 번 꼬추를 넣어볼까?

사무엘 우진. 그건 동물이 하는 교미잖아. 소도 그렇게는 안 할걸. 걔네도 발정기에 발정난 애들끼리만 해.

우진 사람이 먹는 발정제 같은 거 없나?

사무엘 우선 이렇게 대화부터 시작해 보는 게 첫걸음일 것 같은데.

우진 대화. 참 대화 좋아해...

사무엘 내가 어디서 본 건데, 서로 좋아하는 점 말하기? 가 도움이 된대. 그런 거라도 해볼까.

우진 그런 걸로 성욕이 생길까.

사무엘 해보는 거지. 노력.

우진, 사무엘 쪽으로 돌아눕고 사무엘을 훑어본다.
기대하는 사무엘.

우진 나 니 손가락 좋아하지. 굵은 손가락.

사무엘 그래? 내 손 못생겼잖아.

우진 아냐. 그런 손이 복손이랬어. 돈을 긁어모으는 손이래. 그리고 그런 손가락이 웬만한 꼬추보다 나을걸.

사무엘, 자신의 손을 보다가 그 손으로 우진의 손을 잡는다.
우진의 손을 만지작거리는 사무엘.

사무엘 너는...

우진 응.

사무엘 리더십이 좋아. 뭐랄까... 강단이 있는 것 같아. 판단력도 빠르고, 의지력도 대단하고... 딱 장군감 재질이야.

우진 그래? 고맙네. (또 사무엘을 보더니) 니 쌍꺼풀 좋아하지, 내가. 자연산이잖아.

사무엘 응. 자연산이지. 나도 내 눈 좋아해.

우진 자기애가 강하네.

사무엘 너는... 은근히 의리가 있는 것 같아. 나 그렇게 힘들었을 때도 계속 내 편 들어주고... 안 떠나고 옆에 있어줬잖아. 사람들이 잘 몰라서 그렇지, 너 인성 되게 좋다?

우진 응... 사무엘. 근데 이거 되게 좋다.

사무엘 좋지?

우진 응. 졸려. 잠이 잘 오네? ASMR 같애.

사무엘 (...)

우진 다음에는 다른 노력을 해볼까? 차라리 말로 섹스를 해보든지.

사무엘 응... 그래. 그래보자.

우진 자자. 4시쯤에는 나가서 대기 타야지.

그 상태로 눈을 감는 우진.
사무엘, 잡은 우진의 손을 놓지 않고 덩달아 눈을 감는다.

21 병우의 집 앞 / 사무엘의 택시 내부 / 새벽

파란 새벽.
택시 안에서 에너지 드링크 캔을 하나씩 들고 있는 우진과 사무엘.
둘 다 잠에서 덜 깨어 멍청한 얼굴이다.
우진의 얼굴을 보며 흐뭇하다는 듯 미소 짓는 사무엘.

사무엘 이 일 하니까 붙어있게 되네. 좋다. 우리 결혼하고 이렇게 오랫동안 얼굴 보고 있는 거 오랜만이지? 새벽 내내 보고 있네?

우진 실컷 봐라.

얼마간 그렇게 서로를 보며 피식피식 웃는 우진과 사무엘.

우진 근데 그 검사 새끼 말이야.

사무엘 갑자기 뭔 놈의 검사?

우진 있잖아. 그 검사 새끼. 며칠을 따라다녔는데 사진 몇 장을 못 건진 새끼.

사무엘 아... 아. 그 검사.

우진 그렇게 높은 데 있는 사람은 우리 같은 사람들이 해코지를 못 하는 건가 봐.

사무엘 많이 까다롭긴 했어.

우진 근데 이 사람들 쪽은 하루 만에 양쪽 집 주소부터 가족사진까지 다 땄잖아. 마음만 먹으면 너무 쉽게 해코지가 가능해. 열받지 않아?

사무엘 듣고 보니까 그렇네.

우진 누가 나쁜 마음먹으면, 우리 해코지하기도 엄청 쉽겠지.

사무엘이 곁눈질로 창밖을 본다.
구옥 주택의 2층 창문 한쪽에 불이 켜진다.

사무엘 불 켜졌다. 깼나 봐.

〈CUT TO〉
드디어 대문 열고 나오는 병우.
우진과 사무엘, 다람쥐처럼 똑같은 포즈로 이를 주시하고 있다.
병우가 집 앞에 세워둔 차에 올라타고, 차 출발시킨다.
덩달아 슬슬 택시 출발시키는 사무엘.

22 NS 저축은행 / 내부 / 낮

제도 금융권의 은행 못지않게 깔끔하고 번지르르한 제3금융권 대부업체 지점.
은행 데스크에 단정한 복장의 은행원들이 앉아 있는데, 그들 중 병우가 있다. 스물을 갓 넘긴 젊은 여성 고객을 상담하고 있다.

병우 저희는 여성 고객님들의 경우에는 우대를 해 드리고 있어요. 저희가 100만 원에서 700만 원 한도의 소액 같은 경우에는, 여성 고객님들에 한해서, 신용등급이나 직장 유무, 소득 같은 별도 조건 없이 바로 대출이 가능하시거든요?

여성고객 아... 근데 왜 대출인데 여성 우대가 있는 걸까요?

병우 아무래도 여성분들은 군대를 안 가시니까 도망갈 곳도 없고, 통계적으로 상환율이 더 높으세요. 그래서 그런 정책이 만들어졌습니다.

여성고객 아... 그렇구나. 그럼 혹시 300 가능할까요?

병우 네, 고객님. 바로 도와드리겠습니다.

여성 고객에게 내밀 서류들을 확인하다 말고 어딘가를 힐끔 보는 병우.
병우의 시선이 향한 곳, 옆 옆 데스크에는 놀랍게도 가영이 앉아 있다.
가영은 다리를 미친 듯이 떠는 남성 고객을 상담하고 있다.

가영 이자율은 고객님 기대출 정보와 신용점수에 따라 달라질 수 있으세요. 최대 연 24% 이내로 보시면 되시구요.

남성고객 24%요? 너무한 거 아니에요?

가영 (친절히 웃으며) 그런가요?

남성고객 (한숨) 혹시... 중도 상환 수수료가 있나요?

가영 저희는 취급 수수료와 중도 상환 수수료는 없습니다. 어떻게, 진행을 해봐 드릴까요?

남성고객 (큰 결정을 한 듯) 네. 진행해 주세요.

가영 입사하신 회사가 4대 보험이 되는 회사가 맞으실까요?

대기 의자에는 몇몇 고객들이 드문드문 앉아 있는데, 모두 젊은이들이다.
그들 중 사무엘과 우진이 섞여 앉아 있다.
차마 카메라는 꺼낼 수 없고, 폰으로 셀카를 찍는 척하며 가영과 병우를 찍는 사무엘.
자연스러운 척하려 하지만 뭔가 어색하다.
우진이 그런 사무엘에게 몸을 밀착해 쏙닥거린다.

우진 와. 여기 금리 살벌하다.

사무엘 법정 최대 금리야. 24프로. 여기 사람들 다 젊어 보이는데... 이자 무서운 줄 모르나 봐.

우진 몰라서 여기 왔겠니. 우리랑 같은 처지지 뭐.

사무엘 곧 우리처럼 되겠다.

우진 근데 정말 사내 불륜이 많나 봐.

사무엘 그러게. 덕분에 한 번에 다 찍었어.

우진 잘했어. 여기 점심시간 몇 시지?

사무엘 열두 시.

우진 그래? 점심때 뭐 하나 보자.

23 버거 매장 / 외부 / 낮

포장한 햄버거가 담긴 봉지를 들고 버거 매장을 나오는 가영,
어디론가 빠르게 걷는다.
뒤에서 기다리고 있다가 도보로 그런 가영을 추적하는 우진과 사무엘.

24 옥상 주차장 건물 / 앞 / 낮

옥상에서 내려다보는 듯한 부감 샷.
햄버거 봉지를 든 가영이 건물 안으로 들어가는 게 보이고,
곧 가영의 뒤를 따라 들어가는 우진과 사무엘의 모습이 보인다.

25 옥상 주차장 / 낮

옥상 주차장에 도착하는 우진과 사무엘, 주차장을 두리번거리지만, 가영은 보이지 않는다.

우진 그새 어디 갔지? 여기 아까 걔네 따라 주차한 덴데.

사무엘 여기가 걔네 아지튼가 봐. 저번에 가영 씨도 여기서 내려줬거든.

우진 걔네 차 어디다 댔더라?

우진과 사무엘 동시에 눈 마주치고, 똑같은 속도로 어딘가를 향해 고개를 홱 돌린다.
그들의 시선에 보이는 얌전히 주차되어 있는 사무엘의 택시.
그리고 사무엘의 택시 뒤에 주차되어 있는 병우의 차가 보인다.
병우의 차로 천천히 줌인 되면 차체가 위아래로 흔들리고 있다.
우진과 사무엘, 다시 똑같은 속도로 고개를 홱 돌리며 서로 눈을 마주친다.

병우 차 내부

뒷좌석 시트가 눕혀져 있고, 그 위에 매트가 깔려 있다.
차박 용도로 평탄화된 뒷좌석.

병우와 가영 윗옷도 벗지 않고 햄버거를 먹으며 섹스를 하고 있다.
병우는 뒷좌석에 앉아 있고, 가영이 그 위에 앉아서 몸을 움직이고 있다.
차의 창문들에는 모두 차량용 커튼이 쳐져 있다.

병우 배고팠어?
가영 응, 허기졌는데. 살 것 같애.
병우 맛있어?
가영 존나 맛있어. 둘 다.
병우 아... 미치겠네.
가영 나한테 먹히고 싶었어?
병우 응, 너한테 먹힐 수만 있다면 이혼 빼고 다 할 수 있어.
가영 (...) 빨리 싸. 10분 남았어.
병우 그래? 그럼 자세 바꾸자.

병우와 가영 먹던 햄버거를 차 바닥에 던져 버리고, 자세를 바꾼다.
가영이 아래로 가고 병우가 위로 가는 자세로 엎치락뒤치락하는 사이,
살짝 열린 차창 커튼 너머로 셀카봉에 꽂힌 핸드폰이 슬 올라온다.

병우 차 외부

병우의 차 뒤에 잔뜩 웅크린 채 쪼그려 앉아 셀카봉을 들고 차 안을 찍고 있는 사무엘.

병우(e) 욕 해줘.

가영(e) 씨발 새끼. 개새끼야.

병우(e) 더. 더. 욕 더 해줘!

가영(e) 발정난 개새끼. 존나 더럽게 좆같은 새끼야. 넌 왜 그렇게 사니? 응? 양아치 새끼야.

사무엘은 입을 틀어막고 이 소리들을 들으며 셀카봉을 들고 있다.

사무엘 택시 내부

우진, 택시 뒷좌석에 앉아 흔들리는 병우의 차를 폰 동영상으로 찍고 있다.
곧 택시 운전석에 올라타는 사무엘.
우진은 아랑곳 않고 계속 동영상을 찍고...

우진 왜 왔어.

사무엘 남자가 쌌어. 곧 나올 것 같아.

우진 그래? 근데 그게 말이 돼? 어떻게 20분 안에 먹고 싸고 다 해?

사무엘 그 정도면... 충분하지 않냐?

우진 무슨 소리야?

사무엘 내가 알기로는 남자들이 평균적으로 사정하는 데 걸리는 시간이 7분?

우진 7분? 고작 그 7분을 위해 이 난리란 말이야? 울고 싶다.

사무엘, 대답 없이 우진의 눈치를 본다.
우진, 계속 폰을 들고 병우의 차를 찍는다.
머지않아 차에서 자연스럽게 걸어 나오는 병우와 가영,
아무 일도 없었던 것처럼 손잡고 어디론가 걸어간다.
우진은 그제야 촬영을 멈춘다.

사무엘 이만하면 된 것 같은데?

우진 오케이... 카섹 굿. 철수.

사무엘 오케이.

26 우진과 사무엘의 아파트 / 사무엘의 방 / 밤

윈도우 모니터에 워드가 열려 있고, 큰 사이즈로 글씨가 적혀 있다.
끝에서 커서가 깜빡인다.

"금요일 12시 40분에
당신들이 안방처럼 쓰는 옥상 주차장 소화전에
현금 2000만원을 넣고 사라져라
그렇지 않으면 당신의 불륜 사실을 폭로하겠다"

컴퓨터 책상 앞에 앉아 있는 우진과 사무엘.
우진은 직장에 출근하기 위한 준비를 마쳤고, 사무엘은 잠옷 차림이다.

사무엘 2000 너무 센가. 1000으로 할까. 돈도 없어 보이던데.

우진 2000으로 해. 이것도 사정 많이 봐준 거야.
대출업체에서 일하는데 그게 어렵겠어?

사무엘 지들은 거기서 절대 안 받을걸. 2000 너무 세서 경찰에 신고할 것 같은데.

우진 용감한 새끼네. 그럼 그 새끼 좇되는 거지 뭐.

사무엘 앞으로도 가격 책정할 때 부자랑 서민이랑 구분을 좀 하자. 많이 벌면 많이 내고, 적게 벌면 적게 내게 해야지. 그래야 공평하지.

우진 (...) 그런가. 아, 모르겠다. (곰곰)

사무엘 공정성의 문제도 있지만, 사람이 자기가 닿을 수 있는 돈에 고민하지, 터무니없으면 막 나갈 수 있어.

우진 그래. 그럼 일단 처음이니까 1500으로 할까.

사무엘 1500 딜.

사무엘이 워드로 2000이라는 숫자를 1500으로 바꾼다.

사무엘	경찰들이 차 안에서 잠복하고 있으면?
우진	그니까 그런 것까지 잘 살펴봐야지. 야, 됐어. 그냥 내가 가져올게.
사무엘	아냐. 내가 해야지.
우진	지금 우리가 그렇게 조심스러워할 때야? 내가 뭐라고 했어. 돈은 미친놈들이 버는 거야.

사무엘, 키보드로 손을 가져간다.
워드에 몇 글자를 더 친다.

"경찰에 신고해도 폭로하겠다"

27 빌딩 / 복도 / 낮

'거사퀵' 글자가 새겨진 조끼를 입고 헬멧으로 얼굴을 가린 사무엘,
박스들을 쌓은 카트를 끌며 복도를 걷고 있다.

28 빌딩 / NS 저축은행 내부 / 낮

바쁘게 돌아가는 대부업체.
대기 의자에는 드문드문 고객들이 앉아 있고...
사무엘, 대부업체 문을 열고 들어와 박스를 바닥에 던지고 나간다.
직원 하나가 와서 상자를 확인하고는, 병우의 자리에 갖다 놓는다.
고객을 상담하느라 여념이 없는 병우.

29 빌딩 / NS 저축은행 내부 / 탕비실 / 낮

탕비실의 커피머신에서 커피가 나오고 있다.
병우, 택배 박스를 열어보면,
박스 안에 낡은 아이패드가 하나 들어 있다.
의아해하며 아이패드를 꺼내는 병우, 화면을 켜면,
병우와 가영이 손을 잡고 차에서 나오는 사진이 배경 화면으로 설정돼 있다!

배경 화면에는 사진첩 앱 달랑 하나뿐.
놀라서 게슴츠레했던 눈을 동그랗게 뜨며 주위를 둘러보는 병우,
아무도 없는 걸 확인하고 사진첩 앱을 열어본다.
동영상이 달랑 하나 있다.
동영상 재생 버튼을 클릭하는 병우.
동영상이 화면 가득 찬다.
배경 음악이 흐르면서, 병우와 가영의 흔들린 사진들, 자동차 안에서 섹스하는 사진들, 그리고 그 자동차를 밖에서 찍은 동영상이 하나둘 펼쳐진다. 불륜만 아니라면 올망졸망 예뻐 보이는 병우와 가영의 모습들. 사진들이 한 장 한 장 넘어가고... 화면 암전되며, 자막 오른다.

"금요일 12시 40분
당신들이 안방처럼 쓰는 옥상 주차장 소화전에
지금 보고 있는 이 아이패드와 함께
현금 1500만원을 넣고 사라져라
그렇지 않으면 당신의 불륜 사실을 폭로하겠다
경찰에 신고해도 폭로하겠다"

30 옥상 주차장 / 밤

떨리는 손으로 아이패드를 끄는 가영의 손.
옥상 주차장 구석에 서 있는 가영과 병우.
병우는 담배를 피우며 가영을 보고 있다.

가영 그냥 신고해.
병우 그게 무슨 큰일 날 소리야... 큰일 나, 가영아... 안 돼...
가영 왜. 신고하고 그냥 나랑 살자. 그건 싫어?
병우 그게 그렇게 쉬운 문제가 아니잖아...

가영, 다시 아이패드의 동영상을 재생한다.
동영상을 빨리 훑으며 사진들을 보다가 동영상 후반쯤에 있는 사진에서 멈춘다.
병우 아내의 사진이 보인다. 아내의 얼굴만 확대해서 보는 가영.

가영 오빠 와이프 처음 보네.
병우 그러니?
가영 나랑 닮았다.
병우 (...)
가영 (병우에게 아이패드 속 사진 보이며) 이거 오빠 와이프 맞지? 나 아니지?
병우 응. 너 아니야.
가영 와이프랑 안 한다며.
병우 어...
가영 근데 임신했네.
병우 아... 그치. 옛날에... 어쩌다 한번. 그 뒤로 안 했어.
가영 옛날? 니 와이프는 임신을 일 년 넘게 하고 있나 보네?

가영, 떨리는 손으로 주머니에서 담배 꺼내 불을 붙이고 연기를 깊숙이 들이마신 뒤 내뱉는다.

병우 가영아. 가영이가 오빠 좀 도와줘야 될 것 같애.
가영 (헛웃음 내뱉으며) 도와달라고?
병우 이번에 가영이가 오빠 좀 진짜 제대로 한 번 도와주라.
가영 뭘 자꾸 도와달래. 이 상황에서 뭘 더 어떻게 도와.
병우 너... 내 말뜻을 이해를 잘못하고 있구나.
가영 뭐. 너 설마 나한테 돈 달라는 거니?!!
병우 (...) 가영아. 솔직히 나 천오백 없어. 내가 그런 돈이 어디 있겠어. 반만 좀 도와줄 수 없겠니?
가영 (어이가 없어 말이 안 나오고 헛웃음만 난다)
병우 내가 오죽하면 이러겠어? 너한테?
가영 나도 돈 없어. 그니까 그냥 신고하라고.
병우 가영아! 우리 같이 잘못한 거잖아. 그니까 같이 부담을 좀 해줘야지.
가영 잘못이라고? 너 씨발, 잘못이라고 했냐?
병우 (...)
가영 너 여태 그런 생각으로 나 만났냐?
병우 (한숨 푹 내쉬며) 한 번만 살려주라. 오빠 진짜 큰일 나,

가영아... 여기서 대출 받아야 돼...

가영 받으면 되겠네. 너 전문가잖아.

병우 여기서 어떻게 받아. 너 오빠 인생 막장 가는 거 보려고 그래? 너도 잘 알면서 왜 그래.

가영 내가 그 금리보다 가치가 없어? 이게 니가 말하던 사랑이야?

병우 문제가 발생하면 같이 해결하는 게 사랑 아니야?

가영 그러게, 누가 바람피우래? 내가 와이프 정리하고 만나자고 했잖아.

병우 넌 잃을 게 없으니까... 그렇게 쉽게 말할 수 있...

가영 (말 끊고) 내가 잃을 게 없어서 죄책감 버리고 너 만난 것 같아?

병우 그럼, 정 힘들면 500만 원이라도... 너는 1금융권 대출도 될걸?

가영 내가 멍청해가지고 너 믿고 여기까지 왔고, 그러니까 내가 받은 이 상처는 내가 책임지고 살게. 너는 니가 저지른 잘못에 대한 책임을 져.

병우 상처 받았어? 와... 나도 상처 받는다. 그렇게 사랑한다고 하더니 돈 앞에서 태도를 확 바꾸네.

가영 와... 뭐 이런 새끼가 다 있지? 나 여태까지 누굴 만난 거니?!!

병우 그래. 나한테 뭐라고 해도 상관은 없는데, 너도 돈은 조금이라도 부담을 해. 보니까 돈만 주면 될 것 같애, 그 사람들. 깔끔할 것 같애.

가영 (상대할 가치도 없다는 듯 담배 던져 끄며) 너한테는 정말 욕이 아깝다...

병우 너 가영이 진짜 오빠한테 이럴 거야?!! 어?!! 너 그럼 내가 준 돈이라도 좀 돌려줘. 그거, 이자도 없이 빌려준 니 원룸 보증금. 내 사랑은 무이자였어.

가영 바닥까지 가는구나. 지 때문에 신림동까지 이사 갔더니... (비웃으며) 삼백? 이사비도 안 되는 그 돈? 못 주겠는데?

병우 왜? 그거 내가 빌려준 돈이잖아... 돌려줘야지.
가영 한 번만 더 지랄하면 확 내가 니 와이프한테 찾아가서 다 불어버린다?

가영이 병우를 노려보자, 병우 눈을 내리깐다.

병우 가영아 그럼 그 돈 오빠 선물이라고 치자.

가영, 열받아서 주먹으로 때리려는 시늉을 하자, 움찔하는 병우.

가영 좆또.

자리를 뜨는 가영.
인상을 잔뜩 찌푸린 채 남겨지는 병우.

31 우진과 사무엘의 아파트 / 부엌 / 낮

드립 커피를 내리는 사무엘.
주전자를 잡은 손이 심하게 떨리고 있다.
커피잔에 커피가 담긴다.

그 위로 자막: 금요일
Friday

우진과 사무엘, 식탁에 마주 앉아 커피를 들이켜고 있다.
둘의 표정 속에서 거사 전의 긴장감이 보인다.

우진 너무 긴장하지 마.
사무엘 당연하지.

말과는 다르게 커피잔을 잡는 손이 달달 떨리고 있는 사무엘.
우진이 그 위에 손을 살포시 포개어 준다.

우진이가 핸드폰 시계를 확인한다.

우진 　　출동하자.

비장한 얼굴로 남은 커피를 원샷하는 우진과 사무엘.

32 　빌딩 / 복도 / 낮

인서트

빌딩에 덕지덕지 붙어있는 수많은 간판들.
그 간판들 중 'NS 저축은행' 간판을 향해 줌인 되는 화면.

빌딩 복도

헬멧을 쓰고 Daft Punk처럼 걷고 있는 우진과 사무엘, 걷다가 멈추어 선다.
헬멧을 쓴 채로 서로의 얼굴을 쳐다본다.
동시에 고개를 끄덕이더니 갈라지는 두 사람.
사무엘은 어디론가 사라지고,
우진이 NS 저축은행 앞을 지나는 게 보인다.
우진, 굳게 닫힌 문에 붙어있는 '점심시간' 팻말을 확인한다.

33 　옥상 주차장 / 낮

미동 없는 옥상 출입문.
그 문이 열리고, 병우가 등장한다.
두리번거리며 무언가를 찾는 병우, 근처에서 소화전을 발견하고 그 앞으로 걸어간다.
그리고 자신이 가져온 작은 가방을 그 안에 넣는다.
가방을 소화전으로 넣으며 뒤쪽의 어딘가를 향해 시선을 주는 병우.
병우의 시선이 향한 곳에는 한 무리의 남자들이 서 있고,
그중 가장 험상궂게 생긴 남자가 병우를 쳐다보고 있다.
왔던 길로 다시 되돌아가 사라져 버리는 병우.

주차된 택시 안에서 고개를 숙이고 이를 주시하던 사무엘, 우진에게 전화를 건다.

사무엘　　갔어. 어떡해? 여기 경찰 없겠지? 와, 너무 쫄려.

사무엘, 주위를 탐색해 본다.
한 무리의 남자들이 구석에서 담배를 피우면서 소화전 쪽을 보고 있다.
웬 남녀가 차에 시동을 건 채로 앉아 소화전 쪽을 보고 있는 듯하다.
선뜻 택시 밖으로 나가지 못하는 사무엘.

34　빌딩 / 복도 / 낮

사무엘과 통화하며 계속 같은 곳을 돌고 있는 우진.

우진　　계속 잘 보고 있어 봐. 이상한 움직임 없는지.
내가 신호 줄게.

35　빌딩 / NS 저축은행 내부 / 낮

대기 의자에 사람들과 섞여 앉아 있는 우진, 데스크를 보면,
가영은 앉아서 업무를 보고 있고, 병우의 자리가 비어 있다.
곧 병우가 자리로 돌아와 앉는다.
아무렇지 않게 앉아 있는 가영을 한번 보더니 한동안 멍하니 앉아 있는 병우.
사무엘에게 문자를 보내는 우진.

"수거해"

36　빌딩 옥상 주차장 / 낮

운전석과 조수석 사이 컵홀더에서 울리는 사무엘 핸드폰 진동.
앞 씬에서 담배를 피우던 한 무리의 남자들 중 가장 험상궂게 생긴 중년 남성이 무리와
인사하며 헤어지고 사무엘의 택시 쪽으로 다가온다.
사무엘, 잔뜩 긴장한 채 차 문고리를 잡고 도망칠 준비를 하는데...

중년 남성이 사무엘의 바로 옆 차 문 열고 가방을 꺼내 어디론가 뛰어간다.

침을 꼴깍 삼키며 미동하지 않고 바깥을 다시 예의 주시하는 사무엘,
폰 진동 계속 울리자 전화 받는다.

우진(e) 수거했어?
사무엘 아직. 보고 있어.
우진(e) 너 진짜 이럴래?

37 빌딩 / 복도 / 낮

우진, NS 저축은행이 보이는 구석에 서서 사무엘과 통화를 하고 있다.

사무엘(e) 신중하고 싶어서 그래. 혹시 경찰 깔려 있으면 어떡해.
우진 옥상에 사람들이 많아?
사무엘(e) 아까 한 일곱 명 정도 있었는데, 지금은 두 명 정도 남았어.

38 빌딩 옥상 주차장 / 낮

36, 37씬 연속.

우진(e) 걔네가 그렇게 경찰 같아 보여?
사무엘 (...) 아니, 경찰 같아 보이지는 않는데...
너무 경찰 같지 않아 보여서 불안하네? 요즘 잠복 경찰들 철두철미할걸.

사무엘의 시선으로 보이는 직장인 차림의 두 명,
식후인지 커피를 마시고 담배를 꺼내며 담배 피우는 장소로 온다.

우진(e) 야. 됐다. 너 그냥 가만있어. 내가 올라갈 테니까.
사무엘 아냐... 이런 위험한 일은 내가 할 거야.

우진(e) 목소리에 왜 그렇게 자신감이 없냐! 나 진짜 안 올라가도 돼?

사무엘, 비장한 얼굴로 조수석 아래에서 무언가를 꺼내 얼굴에 쓴다.
오토바이 헬멧이다.

사무엘 우진. 잘 들어. 혹시 나 잡히면 나 혼자 한 거다, 이거.
우진(e) 안 잡혀. 보니까 이 새끼 쫄보야. 신고 못 했어.
사무엘 (비장하게) 내 방 책장에 '너만 번아웃이냐 나도 번아웃이다'라는 책이 있어. 그 안에 비상금 있다.

전화 끊고 택시에서 내리는 사무엘, 소화전 쪽으로 거침없이 걸어간다.
헬멧 너머 사무엘의 시선으로 보이는 직장인들,
사무엘을 힐끔 보고 계속해서 대화 나눈다.

소화전을 열고, 가방을 꺼내 메는 사무엘, 곧장 뒤돌아 어디론가 걸어간다.
그때, 직장인처럼 보이는 두 명 중 한 명이 사무엘을 따라오기 시작한다!
사무엘의 걸음이 점점 빨라지고...

직장인 저기요! 잠시만요! 저기요!

사무엘을 계속 따라오는 직장인.
자신의 택시를 지나쳐 재빨리 뛰기 시작하는 사무엘!
뒤따라오다가 멈추는 직장인!

직장인 저기요! 폰 흘리셨어요!

옥상 구석에 주차돼 있는 오토바이에 올라타는 사무엘,
급하게 시동 걸고 출발하면서 직장인 앞에 끽! 멈춰 선다.
직장인, 당황하며 사무엘에게 폰 건네면,
사무엘 폰 건네받고 고개 꾸벅 숙여 인사한 뒤 오토바이 급하게 출발시킨다.
그런 사무엘을 이상하다는 듯 보는 직장인.

우진, 소파 바닥에 앉아 위스키 마시며 오만 원권 현금 뭉치를 세고 있다.

사무엘, 소파에 양반다리 하고 앉아 웬 편지를 읽고 있다.

병우의 친필로 구구절절하게 적힌 편지.

사무엘 제가 드릴 수 있는 돈이 딱 700만 원뿐입니다. 최선을 다해서 구해봤지만 제 능력이 이것밖에 안 되네요.

우진 (돈을 다 세더니) 이 새끼 봐라. 진짜 딱 700이네.

사무엘 (신난) 진짜 이렇게 하니까 돈이 벌리네... 신기하다.

우진 편지 그게 다야?

사무엘 더 있어. (편지 들어 보면서) 진심으로 호소드립니다. 저희 가정을 지켜주세요. 저는 제 와이프를 사랑하고, 제 와이프의 배 속에 있는 제 아기도 사랑합니다. 비록 잠깐이었지만 가영이도 진심으로 사랑했습니다. 사랑이 너무 많은 사람이 스스로가 감당이 안 되어 저지른 실수라고 생각해 주실 수 없을까요.

우진 그러게, 왜 사랑을 남발하다 들키셨어요...

사무엘 이번 한 번만 눈감아주시면 평생 속죄하면서 조용히 살겠습니다. 누구신지 모르겠지만, 경찰에는 신고하지 않았으니 부디 이 돈을 받으시고 노여움을 조금이라도 푸시길 바랍니다.

우진 아니, 못 풀겠는데? 우린 1500을 요구했잖아. 그치? 심지어 그것도 봐준 거였어.

사무엘 결국 이 새끼는 지 가정도 이 정도밖에 안 사랑한 거야. 딱 700짜리 사랑인 거야. 무책임한 새끼. 이런 새끼는 대가를 치르게 해야 되는데...

생각이 많아 보이는 사무엘의 얼굴.

40 피부과 의원 시술실 / 낮

누워서 눈썹 문신을 받고 있는 '사무엘 부(70)'.

사무엘부 읏따거. 따거. 읏따 따거.

41 고급 중식 레스토랑 / 내부 / 낮

6씬의 중식 레스토랑. 사무엘이 검사를 미행할 때 왔던 곳이다.
검사 가족들이 앉았던 둥그런 테이블에 오손도손 모여 있는 사무엘의 가족들.
사무엘의 누나들 은혜, 로운, 찬양과 누나들의 남편 셋이 앉아 있고,
눈썹 문신이 도드라지는 사무엘 부와 사무엘이 나란히 앉아 있다.

은혜 아부지 칠순이라고 서울 와서 눈썹 만들어온 거여?
사무엘부 좀 모질라 보이지 않애?
은혜남편 아버님 잘 어울리십니다!
사무엘부 (기분 좋은) 이이, 그려. 이게 비싼 눈썹이여.
로운 오, 사무엘이. 모처럼 잘했네? 우리 아부지 칠순 럭셔리하다이?
찬양 (사무엘 보며) 언니들이 갈군 효과가 있네. 근데 우진이는?

이때 등장하는 우진, 손에는 똑같은 명품 화장품 브랜드 쇼핑백이 바리바리 들려 있다.

우진 오랜만입니다, 형님들... 막내가 늦어서 죄송합니다. 모처럼 형님들 뵙는데 빈손으로 올 수가 있어야죠...
은혜 아이구야... 이게 뭐야.
우진 형님들 피부 좋아지시라고 화장품 세트 좀 사 봤습니다.
로운 우리 거까지. 할렐루야네.

원형 식탁을 빙 돌며 언니들에게 쇼핑백을 하나씩 나눠주는 우진.

우진 저희가 그동안 형님들한테 너무 못했죠? 오늘 회포 한 번 제대로 풀겠습니다.

로운 고마워... 우리 진이 오늘 너무 무리하는 거 아니여?

찬양 캬... 이래서 아들 아들 하는게벼... 하나밖에 없는 아들네라고 좀 달러?

금세 한 바퀴 다 돌은 우진, 뿌듯하다는 듯 사무엘을 본다.
그런 우진을 보고 행복하다는 듯 미소 짓는 사무엘.

〈CUT TO〉
원형 테이블에 가득 채워진 요리들.
북경오리, 금사오룡, 칭찡우럭, 어향가지 등... 고급 중식 요리들이 다 올라와 있다.
직원 한 명이 수정방을 들고 들어와 사무엘에게 건넨다.
사무엘, 수정방을 까며 아버지의 잔에 따른다.

사무엘 아부지, 이게 수정방이라고 되게 좋은 술이에요.

찬양 (옆 테이블에서 메뉴판 보고) 뭐여? 사십만 원? 미쳤어?

사무엘 아부지 칠순이잖어.

수정방이 담긴 잔을 들고 골똘히 바라보는 사무엘 부. 눈가가 촉촉하다.

사무엘부 수정방. 알지. 내가 이 술을 이십 년 만에 먹어보네... (사위들 들으라는 듯) 우리 장인어른이 내 나이 땐가 그려? 내가 큰맘 먹고 중국 여행을 한 번 보내드렸지? 그때 그 양반이 어찌나 좋아하시던지. 그때 우리 장인어른이 사다 주신 술이 바로 이 수정방이여. 이제는 뭐 장인도 없고, 그 장인 딸도 없네.

조용히 사무엘 부의 말을 들으며 눈치를 보고 있는 사무엘 누나 테이블의 남편들.
한잔 원샷 깊게 때리는 사무엘 부.

사무엘부　　카아아... 죽이네이.

뿌듯해하는 사무엘과 우진.
찬양, 사무엘을 향해 이죽거린다.

찬양　　이런 데는 어떻게 알았댜... 돈도 없는 게.
사무엘　　(찬양 쪽을 보며) 뭐, 어쩌다?

식당 내 화장실 앞 통로

화장실에서 나오는 큰누나 은혜.
사무엘이 통로 앞에 서 있다.

은혜　　아우 깜짝아! 뭐여!
사무엘　　(...)
은혜　　뭐여. 불안하게.
사무엘　　(주머니에서 봉투 꺼내 은혜에게 건네며) 누나. 이거 받어.
은혜　　(놀라며) 이게 뭔디!
사무엘　　뭐긴 뭐겠어 돈이지.

은혜, 봉투 안에 든 지폐들을 확인해 보더니, 눈이 휘둥그레져서 사무엘을 본다.

사무엘　　쫌밖에 안 댜. 내가 인제 누나들 돈 월마다 조금씩 갚을게.
은혜　　너 괜찮겄냐? 요즘 금리 올라서 죽겄다매.
사무엘　　그동안 미안했어, 누나. 우진이도 누나들 볼 면목이 없다고 연락 자주 못 했던 거야.
은혜　　다시 취직한 거여?
사무엘　　(생각 많은 표정으로 끄덕이며) 뭐, 열심히 살고 있어.
은혜　　어이구야... 이게 무슨 일이여. 경사 났네?

42 정아의 피자집 / 앞 / 밤

피자집 앞 구석에서 어깨를 두드리며 얼음을 씹어 먹고 있는 정아.
피자집 문 열고 나오는 우진, 정아의 옆에 서더니, 주머니에서 돈봉투 꺼내 정아에게 건넨다.

정아	이게 뭐야?!! 돈이야?
우진	뭐긴. 천재 레슨비지.
정아	(표정으로 숨길 수 없는 기쁨) 이게 뭐야... 이게 무슨 일이래니.
우진	우리 성지 무조건 가르치자. 우리 가문을 탈탈 털어도 저런 천재는 없었어. 천재는 책임감을 갖고 가르쳐야 돼.
정아	니들도 거지잖아!!! 내 딸도 중요하지만 내 동생도 중요한데...
우진	임박서방 다시 좋은 데 취직 성공했어.
정아	그래? 역시 서울대는 다르다 달라. 우리 진이 고생 끝이구나.
우진	응. 그러니까 받아, 언니.
정아	(망설이다가) 이걸 내가 받으면 안 되는데, 받게 된다. 미안해 진아.

촉촉한 눈가를 훔치며 우진을 보는 정아.
그런 정아를 보며 살짝 웃어 보이는 우진, 주머니에서 담배 꺼내 불붙인다.
담배 연기 내뱉는 우진.

43 서울 시내 도로 / 밤

'거사퀵' 글자가 새겨진 조끼를 입고 헬멧을 쓴 사무엘, 오토바이를 타고 달리고 있다.
뒷좌석에는 도톰한 서류 하나가 다부지게 묶여 있다.

44 병우의 집 / 앞 / 밤

사무엘, 병우의 집 대문 옆에 있는 우편함에 서류를 꽂아 넣는다.

그리고 사라진다.

우편함에 꽂혀 누군가를 기다리기 시작하는 서류봉투.

-끝-

Episode 3

진짜 키스

그러니 방해하지 마세요.

해보자! 노력!

그 여자는 내 사랑이 필요한 여자야. 나도 그여자 사랑이 필요하고.

딱 붙은 두 입술, 요리조리 고개 각도를 바꿔가며 움직이고 있다.
침대에 나란히 걸터앉아 키스를 하고 있는 영애(62/여)와 백호(58/남).
영애의 손은 백호의 아래를 만지작거리고 있고, 백호는 이를 느끼고 있다.

백호 허어… 누님은… 배움이 참 빠르시네요…
영애 덕분이죠.
백호 아니, 이렇게 잘하시는 분이 재능을 낭비하고 사셨네.

영애, 돌연 일어나 침대 바닥에 무릎을 꿇고 앉아 손으로 백호의 소중이를 조몰락거리기 시작한다.
흥분해서 어쩔 줄 몰라 하는 백호, 영애에게 다시 키스하려고 하는데 영애가 살짝 피한다.

영애 실은 제가 요즘 유튜부로 공부를 하고 있어요.
백호 우리 누님이 무슨 공부를 하고 있을까?
영애 남자를 행복하게 만드는 기술이랄까?
백호 누님… 누님은 그런 공부 안 해도 돼요. 안 그래도 나를 최고로 행복하게 해주는데…
영애 (백호의 소중이 쪽을 보며) 백호는 우파네요. 그럼 이렇게… (손에 힘을 주며) 왼쪽 방향으로 살짝 당기면 자극이 훨씬 커진다네요?
백호 (신음 흘리며) 거기에도 좌파 우파가 있나 보죠?
영애 어머, 모르셨구나. 오른쪽으로 휘었으면 우파, 왼쪽으로 휘었으면 좌파.
백호 그럼 안 휘었으면 중도가, 허허허허. 나 누님 학습 도구예요?
영애 네. 어디를 잡는 게 좋아요. (손을 조금씩 아래로 움직이며) 여기? 여기?
백호 네… 아이구… 엇. 거기요… 거기.

그러다가 영애의 머리가 아래로 내려가고…

흥분해서 숨이 차오르는 백호.
얼마간 영애가 백호에게 펠라티오를 해주는 소리.

영애	이건 하모니카 불기 비법이래요. 어때요?
백호	불지 마요, 하모니카... 터질 것 같아요... 미치겄네...

영애의 머리가 화면에 보였다 안 보였다 한다.
흥분에 빠져드는 백호, 고개를 쳐들며 신음을 흘리는데,
갑자기 '빡' 하는 소리가 들리더니 영애가 짧은 비명을 지른다.

영애	악.

이게 웬일일까... 턱을 부여잡고 바닥에 천천히 드러눕는 영애.
백호가 놀라 바닥에 누운 영애를 부축한다.

백호	누님! 왜 그래요!
영애	(입이 벌어진 채로 다물지 못한다) 터기... 빠지거 가타여...
백호	아이고 큰일 났네! 턱이 빠져요? 내가 그 정도는 아닐 건데!
영애	가짜기 무리를 했나...
백호	누님, 일단 일어나 봐요. 빨리 병원 갑시다!
영애	모둠지겟어요. 월래... 목디스크가 이썬는데... 터기 나가면서 모까지 전기가 찌릿해써요...
백호	큰일 났네? 얼른 구급차 부를게요!

백호, 두리번거리다 침대 위에 있는 영애의 폰을 발견한다.
백호가 일어나려 하자 영애가 힘겹게 팔을 들어 백호의 손을 저지한다.

영애	내가 부르께요. 백호는 가요... 우리 여기서 가치 인는 거 들키며는... 안 대자나요...

백호 (침대 위의 폰과 영애를 번갈아 보다 서러움에 울컥한다) 누님은 이런 상황에서까지... 나를 위해서...

영애 나 거쩡하지 마고 가요. 나 갱차나...

백호 누나...

영애 빨 가. 가야지 내가 이릴구 부르 수 이써요.

영애의 말을 듣자마자 얼른 일어나 후다닥 옷을 챙겨 입는 백호,
침대 위로 올라가 영애의 폰을 들더니 119 버튼을 누르고, 다시 영애의 손 위에 올려준다.
영애를 안타깝다는 듯 보더니 살포시 이마에 키스를 하는 백호.

영애 가. 빨 가.

백호, 영애를 슬픈 눈으로 쳐다보더니, 마지못해 일어나 룸을 빠져나간다.
남겨진 영애, 백호가 나가자 손가락으로 통화 버튼을 누른다.

2 오프닝 시퀀스

오프닝 음악이 깔리면서, 차창 너머 흘러가는 서울의 밤 풍경 이미지들이 펼쳐진다.
환락가를 지나고, 빌딩숲을 지나고, 한강 다리를 건너는 시선.
이 시선은 택시의 손님 좌석에 앉아 차창 너머를 구경하고 있는 우진의 것이다.
검은색 선글라스를 끼고 운전하고 있는 사무엘의 모습도 차창 너머로 보인다.
서울의 밤 도로를 달리는 사무엘의 택시.

LTNS
LONG TIME NO SEX
Episode 3: 진짜 키스

3 우진과 사무엘 아파트 / 부엌 / 밤

식탁 위에 틀려있는 아이패드의 장작불 동영상.
클래식 음악이 은은하게 흐르고 있고, 노란 조명 불빛이 밝히고 있는 식탁.
완성된 수제 햄버거를 먹고 있는 우진과 사무엘.

우진, 생전 입지 않던 흰색 크롭 티셔츠에 청바지를 입고,
생전 쓰지 않던 뿔테 안경을 끼고 있고,
사무엘은 군복에 베레모 풀 착장 상태다.
머리를 귀 뒤로 넘기며 슬쩍 사무엘을 보는 우진.
눈이 마주치는 두 사람.
답답한지 목 쪽의 단추 몇 개 풀으려 하며 식탁 쪽을 힐끗 쳐다보는 사무엘.

사무엘 이게 진짜 섹시해? 군복이?

우진 응…

사무엘 이해가 안 되네.

우진 나도 니 취향 이해 안 되거든. 그냥 조용히 맞춰주자? 부부 관계 개선에 서로 성적으로 흥분될 만한 의상을 입어보는게 좋대잖아. 내가 이번에 공부를 좀 해보니까, 대한민국에 우리 같은 부부가 엄청 많대. 부부 세 쌍 중에 한 쌍꼴이라네. 우리가 이상한 게 아니야.

사무엘 응. (눈치를 보며) 그럼에도 불구하고 우리는 노력을 해야 한다, 이거지? 평균에 머물 수 없으니까?

우진 그렇지. 평균은 위험해.

부부간에 어색한 침묵이 감돈다.
둘은 얼마간 음식 먹는 데에 집중한다.
그런데, 군복이 답답하다는 듯 자꾸 목을 이리저리 움직이고, 베레모를 만지고, 어쩔 줄 몰라 하는 사무엘.
우진, 그런 사무엘을 보고 인상을 찌푸린다.

우진 뭐 해. 정신 사납게.

사무엘 좀 답답해서.

우진 그렇게 답답해?

사무엘 나 진짜 단추 몇 개만 풀면 안 될까? 밥 먹는 동안만.

우진 참… 참을성 없어, 그지? 나는 뭐 지금 편할 것 같애? 나도 이 스키니 단추 풀고 싶어. 내가 왜 배에 힘 딱 주고 이 단추를 안 풀고 있겠어!

사무엘　그럼 우리 그냥 풀고 편하게 햄버거 먹자.
우진　니 최선이 이거야? 어?
사무엘　(...) 왜 그래... 또...
우진　우리 노력하고 있는 거잖아. 너도나도 어색한 거 참아가면서. 어?
사무엘　내가 뭐라 그랬어? 군복 입으라고 해서 군복 입고, 햄버거 먹고 싶다고 해서 햄버거 만들었는데 뭐가 문젠데. 니가 시키는 대로 다 하고 있잖아.
우진　시키는 대로 한다고? 내가 니 상사냐? 이게 지금 나 혼자 좋으려고 쇼하는 거야? 같이 노력해서 섹스 문제 해결해보자는 거잖아. 내가 보기에 넌 그냥 우리 관계에 개똥도 관심이 없어.
사무엘　관심 없으면 내가 왜 이러고 있는데. 너는 니 감정대로 나한테 막 대하지 좀 마. 나는 안 그러잖아.
우진　야, 됐어, 시발. 내가 정말 이 여자 마음도 모르는 새끼랑 뭘 해보겠다고 이러고 있는 건지.

우진, 자리에서 벌떡 일어나 방에 들어간다.
사무엘, 황당해서 와인을 벌컥벌컥 마신다.
금세 옷이 바뀌어진 채로 방문 열고 나오는 우진.

사무엘　(길게 한숨 내쉬며) 또 이러네...
우진　그래, 또 나만 욱하는 미친년이지?
사무엘　도대체, 왜 그래, 왜. 왜 이렇게 사람 피를 말려...
우진　(뭔가 깨달았다는 듯 고개 끄덕이며) 그래. 우린 맨날 똑같은 데서 넘어져. 그래서 그동안 우리가 노력을 안 하고 살았던 거야. 어차피 이렇게 넘어질 게 뻔하니까. 그걸 깜빡했다. 그치?
사무엘　내가 나갈게.
우진　웃기시네.

우진, 그대로 집을 나가버린다.

사무엘, 베레모 벗어버리고 머리를 움켜쥔다.

4 우진의 호텔 / 로비 / 밤

로비에 서 있는 우진의 동료 준호.
우진이 지친 몰골로 걸어와 로비에 들어와 선다.

준호 어? 누나. 이 시간에 어쩐 일이세요?
우진 가출.
준호 또요? (잠시 모니터 보더니) 스탠다드 싱글이죠?
우진 싱글 아니어도 돼. 더블로. 아니다. 스위트룸 있어?
준호 지배인님이 직원 찬스로 스위트룸 예약하는 거 은근 눈치 주시던데.
우진 몰라. 그냥 줘. 박봉으로 밤낮없이 빡세게 일하는데 이 정도 혜택도 못 누려?
준호 그럼 진짜 스위트룸으로 드립니다? 저는 뒷일 책임 못 져요.
우진 그래.

그때, 띵! 하고 울리는 엘리베이터 소리.
우진, 그쪽을 보면, 엘리베이터 문이 열리더니 백호가 헐레벌떡 로비로 뛰어나오는 게 보인다.
뛰다가 우진과 눈이 마주치는 백호, 돌아서 데스크 앞으로 뛰어온다.

우진 고객님 무슨 일이신가요?
백호 당신 뭐야.
우진 아, 직원입니다.

우진 사복을 입은 채로 슬쩍 데스크 안으로 이동해 준호 옆자리에 선다.
백호, 숨을 헐떡이며 주머니를 뒤적거리더니 급하게 지갑을 꺼내고,
지갑에서 수표 두 장을 꺼내어 데스크에 척 올린다.

백호 두 당 한 장씩. 나 여기 온 적 없는 거요.

우진 네?

백호 여기 708호에 나는 온 적이 없는 거라고. 당신들은 나 본 적도 없는 거고.

우진과 준호, 황당한 얼굴로 백호를 본다.
우진은 그사이 백호를 빠르게 훑는데,
백호의 손에 들린 명품 지갑, BMW 키링, 손목의 롤렉스시계가 눈에 들어온다.

백호 입 잘못 놀리면 당신들 인생 고달파지는 거야.

멀리서 구급차 소리가 들려오다가 점점 가까워지자,
다시 헐레벌떡 뛰어서 호텔 밖으로 나가버리는 백호.
우진, 데스크 위의 십만 원짜리 수표 한 장 주머니에 넣으며,

우진 십새가... 어디서 협박이야...

준호 저 아저씨 나온 방에서 무슨 일 난 것 같은데요?

이게 도대체 무슨 일인가 싶어 밖을 내다보는 우진.
구급차 소리가 점점 가까워지더니 호텔 앞에서 멈추고,
사이렌 불빛이 유리 벽을 뚫고 호텔 로비 안으로 들어온다.

컴퓨터 모니터에서 체크인했던 백호의 기록을 찾는 우진,
〈Black List〉 수첩에 그의 정보를 기입한다.

강백호 010-xxxx-xxxx

5 우진과 사무엘의 아파트 / 사무엘 방 앞 / 아침

닫혀있는 사무엘의 방문 앞에 서 있는 우진, 발로 문을 노크한다.

우진 저기요. 문 좀 열어보시죠?

사무엘 왜요. 저는 아직 시간이 필요한데요.

우진	저도 제 시간 필요한데요. 일은 해야죠.
사무엘	무슨 일이요.
우진	집도 안 팔리고, 금리는 계속 좆같이 오르는데 돈 안 버실 거예요? 나오세요 얼른.

얼마 후, 토라진 얼굴로 방문 열고 나와서 우진을 지나쳐 거실로 향하는 사무엘.
우진, 그런 사무엘을 보며 진정하자는 의미의 한숨을 내쉬고...

6 우진과 사무엘의 아파트 / 거실 / 아침

사무엘, 의자에 앉아 팔짱 끼고 고개 숙이고 있고,
우진 역시 그 옆 의자에 앉아 사무엘을 보고 있다.

사무엘	(...) 어제 어디서 잤어?
우진	어디서 자긴 호텔 가서 잤지.
사무엘	너 그 싸우면 뛰쳐나가서 외박하는 거 좀 하지 말아 달라고 내가 부탁했잖아.
우진	열받으면 나가지는데 어떡하라고. 니가 열받게 안 하면 되잖아.
사무엘	어제 그 일이 그럴 정도의 일이야?
우진	또 싸우고 싶어?
사무엘	(...)
우진	감정은 잠시 미뤄두고, 공과 사는 구분하자.
사무엘	그게 돼?
우진	그럼. 일은 일이니까 지금은 비즈니스 파트너라고 생각하면 되지. 그게 안되나?
사무엘	(헛웃음 치며) 대단하시네요. 그럼 이제부터 존댓말 쓰시죠. 비즈니스 파트너니까.
우진	아. 네. 그럽시다.
사무엘	무슨 일인데요.
우진	(표정 바뀌며) 어제 호텔에서 혼자 자는데 이런 생각이 들더라구요. 앞으론 부자들한테만 크게 크게

뜯어야겠다. 저번처럼 서민들 대상으로 해서는 수지가 안 맞으니까요.

사무엘 크게 크게 하다가 망하는 사람들 많이 봤는데요...

우진 동업자 님. 그렇게 겁이 많으시면 돈 못 벌어요. 평생 이 짓거리 하면서 투잡 뛰실 거예요?

사무엘 (...)

우진 딱 목표액을 정합시다. 목표액 달성하면 이 짓거리 그만두는 걸로.

사무엘 얼마를 원하시는데요?

우진 우리가 깎인 아파트값. 일억 오천?

사무엘 일억 오천? 논리적인 금액이긴 한데... 그 돈을 어떻게 모아요.

우진 그니까, 오늘 내가 물어온 부자부터 어떻게 잘 좀 해보자고요. 백 퍼센트 불륜이에요. 내연녀도 유부면 둘다한테 뜯어서 한 번에 두 배로 벌 수 있겠네요. 그리고 우리가 일억 오천을 왜 못 모으겠어요, 이렇게 열심히 사는데?

사무엘 근데 아직 이 사람 이름이랑 전화번호밖에 모른다면서요?

우진 그게 문제긴 한데...

사무엘 반말?

우진 (째려보며) 그게 문제긴 한데요.

사무엘, 팔짱을 풀고 고개 들고 마우스를 집어 인터넷 포털 사이트에 들어간다.
우진과 사무엘, 나란히 화면을 들여다본다.
포털 검색창에 무심코 '010-XXXX-XXXX'를 쳐보는 사무엘.
바로 업체 〈백호 석재〉가 뜬다.

사무엘 와!!!

우진 와 씨, 대박. 백호 석재?

사무엘 그 아저씨 이름이 백호 맞죠?

우진 네. 얼른 링크 눌러 보세요.

사무엘이 〈백호 석재〉 링크를 누르니 홈페이지로 이동한다.
홈페이지 메인 화면을 훑다가, 하단에 적혀있는 '대표: 강백호'라는 이름과 사업장 주소로 향하는 마우스 커서.
사무엘과 우진, 모니터를 보다 말고 흥분해서 눈을 맞추더니 바로 또 피한다.

우진 이건 운명이네요.
사무엘 우린 정말 무서운 세상에서 살고 있는 걸지도.
우진 '돌을 판다'라... 연혁 눌러보시죠. 회사 연혁.

모니터 화면에 회사 연혁이 뜬다.

사무엘 돌만 보고 걸은 외길 인생 30년... 돌이 돈이 되나...
우진 되니까 외제 차 타고 지갑에 수표 넣고 다니죠. 돌 파는 강백호 씨 당첨!

사무엘, 백호 석재의 로드뷰를 띄워서 360도 돌려본다.
화면 가득 차는 백호 석재 로드뷰.
그 로드뷰 화면 안으로 들어오는 사무엘의 택시.

7 백호 석재 앞 / 아침

로드뷰 화면이 자연스럽게 본 화면으로 이어지면서...
백호 석재 풍경이 드러나고, 사무엘의 택시가 백호 석재 앞에 멈춰 선다.
거대하고 다양한 돌들이 마당 가득히 세워져 있고, 가장 안쪽에 단층 구조의 사무실로 추정되는 건물이 있다.
백호 석재 앞에서 돌 하나를 운동기구처럼 들고 팔 근육 운동을 하고 있는 백호.

이 풍경을 카메라로 찍는 사무엘. 찰칵.

8 장어 전문 식당 / 낮

백호와 백호 장인, 백호 아내가 한 테이블에 앉아 장어를 구워 먹고 있다.

장어 쌈을 싸서 장인에게 건네는 백호.
백호 장인과 아내는 무표정하게 장어를 먹는 데 집중하고 있다. 뭔가 마음에 안 드는 눈치.

백호	이게 장어가 정력에만 좋은 게 아니고 시력에도 그렇게 좋다네요. 장인어른 요즘 스마트폰 많이 보시잖아요? 이거 제가 싼 쌈 좀 드셔보셔요.
백호장인	(못마땅한) 뭐 하는 짓이야. 자네 먹어.
백호	(고개 꾸벅하며) 예.
백호장인	자네, 대황물산에 돌 갖다 대는 거 왜 보고 안 했나? 이런 쌈 쌀 시간에 보고나 제대로 해. 영수증 다 가져오고.
백호	예.

백호, 몸을 돌려 쌈을 자기 입으로 가져가서 넣고,
바로 다시 쌈을 또 하나 써서 이번에는 아내에게 건넨다.

백호	자. 아. 이게 장어가 피부 미용에도 그렇게 좋다네. 부지런히 좀 먹어.
백호아내	이런 거 백날 먹어 봐라. 주사 한 방 맞는 게 낫지.
백호	허허. 주사도 맞고, 장어도 먹고 하면 되지 이 사람아.

백호 아내, 마지못해 백호가 주는 쌈을 받아먹는다.
허허 웃으며 손수건으로 땀을 닦는 백호.

건너편 테이블에서 산적처럼 집게를 들고 장어 2인분을 구워 먹으며 이 광경을 훔쳐보고 있는 사무엘. 장어를 얼마나 먹었는지 입술에 기름이 번들번들.

9 산 / 등산로 / 묘비 앞 / 새벽

등산로 초입

푸르스름한 새벽녘.

등산로 초입의 경사가 높은 구간에서 백호가 영애의 손을 잡아주고 있다.
이들이 사라지자 같은 구간에 나타나는 우진과 사무엘.
둘은 각자 알아서 잘 올라간다.

등산로

영애와 백호, 등산로를 걸어 올라가고 있다.
백호는 손에 장미꽃 한 다발을 들고 있고, 영애는 백호의 뒤를 따르고 있다.
영애는 턱 보호대로 머리를 감싸고 있다.

영애와 백호의 한참 뒤에서 숨을 헐떡이며 그들을 따르고 있는 우진과 사무엘.
우진이 오만 인상을 찌푸리며 멈춰 서자 사무엘도 덩달아 멈춰 선다.
앞쪽을 주시하는 우진과 사무엘.

우진 (헉헉대며) 저분도 턱이 나가셨네요. 수제버거 꽤나 드셨나 봐요.
사무엘 (역시 헉헉) 턱이 나가도... 등산을 하러 다니시고... 다들 스태미나가... 장난이 아니네요...
우진 그러니까 장어 먹으러 다니지. 그나저나 장어값 많이 나왔던데요?
사무엘 먹고 싶어서 먹었겠습니까. 1인분은 주문이 안 되던데요.

제법 멀어져 앞서 걷던 영애가 잠시 우진과 사무엘 쪽으로 고개를 돌리자,

우진 엇, 여기 본다. (사무엘 팔짱을 끼며) 커플인 척해요.
사무엘 (팔짱 낀 우진 손을 잡으며) 우리 원래 커플입니다.

멀리, 영애와 백호가 걷다 멈춰 서서 등산로를 벗어나는 것이 보인다.

묘비 앞

그들이 다다른 곳은 앙증맞게 세워진 묘비 앞.

백호, 영애에게 꽃을 건네주고는 묘비에 묻은 흙을 털고, 주변을 정리한다.
묘비 앞에 꽃을 내려놓고 바닥에 쪼그려 앉아 묘비를 보는 영애.

영애	(여전히 입을 잘 못 벌려 발음이 샌다) 장미야… 엄마 와써…
백호	(주변을 정리하다 말고 묘비를 향해 귀를 기울이는 척하다가) 한동안 왜 안 왔냐는데요?
영애	엄마가 턱이 나가가지구 몬와써. 우리 장미 엄마가 보고 시퍼.
백호	(다시 귀 기울이는 척하다가) 저도 엄마 보고 싶어요. 여긴 걱정하지 마시고 엄마 턱이나 잘 돌보세요… 라고 하네요?
영애	(피식 웃으며) 우리 장미 목소리가 들리세요?
백호	예. 착한 사람 귀에는 들립니다.
영애	또 뭐라는가요?
백호	가만 있어보자… (다시 묘비를 향해 귀를 기울이는 척하다가) 어. 어, 그래. 자주 좀 오시라고? 아저씨랑 같이?

숨어서 그런 영애와 백호를 보고 있는 우진과 사무엘.
멀리서 영애와 백호가 묘비 앞을 뜨자, 모습을 드러내며 묘비 앞으로 걸어와 선다.
숨을 헐떡이며 땀을 닦고 물을 마시는 우진과 사무엘.
묘비에는 "故 장미 (2008–2022)" 라고 적혀 있다.

사무엘	장미… 장미… 개 이름인가? (카메라로 묘비 사진을 찍는다)
우진	그 사진 참 영양가 있겠다. 아. 이건 반말 아니고 혼잣말.
사무엘	혼잣말은 속으로 하세요.

우진, 한숨을 푹 내쉬며 먼저 올라가면, 사무엘이 뒤따라간다.

10 도로 / 사무엘의 택시 / 낮

도로를 달리는 백호의 세단 후미가 보인다.

운전석의 사무엘과 조수석의 우진,
차량 전면을 집중 응시하며 백호의 차 뒤를 따르고 있다.

우진	우측 깜빡이.

사무엘의 택시 앞 차의 앞에서 백호의 세단이 우측 깜빡이를 넣으며 차선을 변경하자
사무엘도 덩달아 우측 깜빡이를 넣으며 뒤따른다.

우진	또 우측 깜빡이.
사무엘	(깜빡이 넣고 우측 차선으로 또 이동한다)
우진	고속도로 타려나 보네요.
사무엘	어디까지 가는 거야...
우진	오... 이제 좀 뭔가 해보려나 보네요. 일단 바짝 따라가시죠.

계속 우측으로 차선 변경하다가 고속도로 IC 쪽으로 빠지는 백호의 세단.
덩달아 고속도로 IC 쪽으로 빠지는 사무엘의 택시.

11 안면도 라암도 내포항 / 선착장 / 낮

배 몇 척이 떠 있는 조그만 선착장.
백호의 세단은 바다와 인접한 선착장 근처에 주차돼 있고,
영애와 백호는 대기하고 있던 선장과 함께 짐을 한가득 배에 싣고 있다.

숨어서 그 광경을 지켜보고 있는 우진과 사무엘, 경악한다.
입으로 욕하는 우진.

〈CUT TO〉
영애와 백호가 탄 배가 출발하면서 멀어지면,
바다 가까이로 다가와 서서 멀어지는 배를 황망하다는 듯 지켜보는 우진과 사무엘.
우진, 남은 배 한 척에서 짐들을 정리하고 있는 선장을 발견하고,

우진 저기요. 여기서 배 타면 어디로 가는 거예요?
선장 (우진과 사무엘을 이상하다는 듯 보다가) 왜요!
우진 그냥 궁금해서요.
선장 (대충 고갯짓하며) 쩌기!
우진 쩌기가 어딘데요?
선장 (귀찮다는 듯) 쩌기! 펜션!

우진과 사무엘, 선장이 가리킨 방향을 보면,
바다 멀리 줄지어서 떠 있는 해상 펜션 4동이 보인다.
영애와 백호가 탄 배가 그중 한 동에 정박하고 있다.

사무엘 와... 저 바다 위에 떠 있는 게 펜션이에요?
선장 (귀찮다는 듯 대답 않고 하던 일 한다)
사무엘 선생님. 여기는 예약하고 와야 됩니까?
선장 들어가시게? 오늘은 한 동 밖에 안 나가서 따로 예약 안 해도 돼요.
우진 얼만데요?
선장 25만 원! (구시렁구시렁) 10분 전에 오지. 같이 타고 가면은 될 거를. 낚시할 거예요?

고민하는 우진과 사무엘.

12 안면도 라암도 내포항 / 라암도 슈퍼 / 낮

각종 낚시용품들을 판매하고 대여하는 슈퍼.
우진과 사무엘, 슈퍼 안을 이리저리 구경 중이다.
의자에 앉아 그런 우진과 사무엘을 뚫어져라 지켜보는 슈퍼 주인.

우진 사장님. 혹시 여기 혹시 핸드폰 방수팩도 팔아요?
슈퍼주인 에. 저기 봐봐요.
우진 (핸드폰 방수팩 찾아서 들어보더니) 얼마예요?
슈퍼주인 3만 원.

우진 3만 원이요?!!
슈퍼주인 에.

그때, 사무엘이 낚싯대 하나를 집어 든다.

슈퍼주인 그거는 8만 원.
사무엘 하루에 8만 원이요?
슈퍼주인 싼 거 찾아요? 그럼 그 옆에 거로 해요. 5만 원짜리.

사무엘, 우진을 쳐다보면, 우진 이를 악물며 고개를 끄덕인다.

13 안면도 라암도 내포항 / 해상 펜션 / 낮

탈탈 털린 듯한 표정으로 배에 타고 있는 우진과 사무엘.
파도에 몸이 흔들흔들.
머지않아 해상 펜션에 다다른다.

해상 펜션 1동에서 이미 낚싯대를 바다로 드리워놓고 나란히 서 있는 백호와 영애,
하하 호호 웃으며 좋은 시간을 보내고 있다.
그 옆으로 지나치는 우진과 사무엘을 실은 배.
백호와 영애는 반갑다는 듯 우진과 사무엘에게 손 흔들며 인사를 한다.
우진과 사무엘, 당황하며 모습이 노출되지 않도록 살짝 몸을 돌린다.

화면, 해상 펜션 2동에서 기다리고 있으면,
사무엘과 우진을 실은 배가 다가와 정박한다.
가져온 짐도 별로 없지만 어쨌든 짐을 들고 펜션에 승선하는 우진과 사무엘.

백호와 영애가 있는 1동과 우진과 사무엘의 2동,
비어있는 3, 4동의 해상 펜션의 전체 전경이 하늘에서 내려다보인다.
평화로워 보이는 해 질 녘 바다 풍경.

해상 펜션 1동

능숙한 솜씨로 갓 잡은 싱싱한 우럭회를 뜨고 있는 영애.
백호는 영애의 옆에 앉아 영애의 솜씨를 구경하고 있다.

백호 허허허허. 솜씨가 좋으시네.
누님은 도대체 못 하는 게 있어요?
영애 (백호의 입에 갓 뜬 회 한 점을 넣어주며) 자셔봐요.

백호, 회를 받아먹고 소주를 한 잔 마시더니 소주잔을 탈탈 털고 영애에게 건넨다.
백호가 소주 따라주면, 빨대를 소주잔에 꽂고 마시는 영애.

백호 근데 누님... 턱이 오래가네요. 내가 또 언제쯤 학습 당할 수 있으려나...

그 말에 영애가 턱 보호대를 풀더니, 아– 하면서 턱을 이리저리 돌려본다.

영애 (배시시 웃으며) 가능할 것 같네요.
백호 허허허허. 누님! 우리 회 빨리 먹어 봅시다. 기분이 좋네요.

자기가 뜬 회 한 점을 집어 입에 넣는 영애.
그런 영애의 손을 잡는 백호.

영애 고마워요.
백호 저두요.

그때 바람이 불며 영애와 백호의 가발이 살짝 삐뚤어진다.
서로의 가발을 매만져주는 영애와 백호.

해상 펜션 2동

우진, 사진을 찍다 말고 사무엘을 노려본다.
사무엘은 낚시에 열중 중이다.

우진 낚시하러 왔습니까?
사무엘 이것도 일이에요. 낚시하는 척 연기하는 중이거든요?

또 잡혔다는 듯 신나서 낚싯대 줄을 감는 사무엘!
거대한 우럭 한 마리가 올라오고 있다.

사무엘 대박! 나 낚시에 소질 있다! 뭐야, 이게! 우럭이야, 뭐야? 우럭이네!
우진 (혼잣말로) 미친놈 저거.

버킷에 이미 잔뜩 담겨 있는 볼락과 우럭 인서트.

〈CUT TO〉
사무엘과 우진, 버너 앞에 앉아 있다.
다 먹은 라면의 남은 국물이 끓자 대충 썬 생선 살들을 집어넣는 사무엘.

우진 저 사람들 오늘 분위기 좋습니다. 할 것 같아요.
사무엘 (끄덕이며) 이런 데까지 왔는데... 하시겠죠. 제발 해라...
우진 어? 들어간다. 들어간다.

우진의 시선으로 보이는 펜션 1동의 영애와 백호, 다정하게 숙소 안으로 들어간다.

우진 들어갔다. 우리도 넘어가야 할 것 같은데? (사무엘 보며) 어떻게 저기로 간담?
사무엘 둘 중 하나가 바다를 건너야겠지요.

잠시 서로 눈치를 보는 우진과 사무엘.
사무엘이 갑자기 영웅의 눈빛으로 돌변하며 목소리 톤이 바뀐다.

사무엘	(큰 결심을 한 듯) 제가 가겠습니다.
우진	정말요? 그럼 제가 너무 미안한데...
사무엘	동업자 님 물 공포증 있으시잖아요. 제가 가겠습니다.
우진	(반한) 어머. 제가 그동안 잊고 살았네요? 이렇게 멋있는 분이셨다는 걸?

사무엘, 큰 전장을 나가는 장수의 표정으로 바다를 비장하게 바라보다가 결심했다는 듯 일어나며 숙소 안으로 들어간다. 엉거주춤 따라 들어가는 우진.

15　안면도 라암도 내포항 / 해상 펜션 2동-1동 / 밤

구명조끼를 입고 핸드폰 방수팩을 멘 사무엘, 바다에 뛰어들기 전 마음을 다잡고 있고,
우진은 덩달아 구명조끼를 입고 사무엘의 팔다리 어깨를 주물러주고 있다.
우진, 사무엘이 긴장돼 보이자 손을 한 번 잡아준다.
사무엘, 우진의 손을 두 손으로 꼭 잡는다.
두 사람은 얼마간 그렇게 서로를 본다.
사무엘이 굳은 얼굴로 우진을 보며 준비됐다는 듯 고개를 한 번 끄덕인다.

이윽고 조심스럽게 바다에 뛰어드는 사무엘!
첨벙! 소리가 나며, 바닷물 위에 뜬다.
살짝 헤엄쳐서 해상 펜션 2동에서 1동으로 연결된 줄을 잡는 사무엘.

위에서 그런 사무엘을 걱정된다는 듯 보고 있는 우진.
사무엘은 줄을 잡고 조금씩... 조금씩... 펜션 1동을 향해 나아간다.
펜션 1동에 다다른 사무엘, 간신히 펜션 1동으로 기어 올라가서 선다.
멀리 있는 우진에게 무사히 도착했음을 알리고자 손을 흔들어 보이는 사무엘.
폰 라이트를 켜고 사무엘에게 흔들어 보이는 우진의 모습이 멀리서 보인다.

사무엘, 메고 있던 핸드폰 방수팩에서 핸드폰을 꺼낸다.

그리고 몸을 숙인 채 숙소의 창가 쪽으로 조심조심 다가간다.
창가 밑에 있던 소주병이 발에 닿자 놀라는 사무엘. 다행히 비명은 가까스로 참는다.
그리고 슬쩍 소주병을 구명조끼 주머니에 챙겨 넣는다.
숨을 고르며 몸을 살짝 일으켜 창문 너머를 보는데... 잘 보이지 않는다.
창문을 열까 말까 고민하는 사무엘,
마침내 창문을 슬쩍 열고 들여다봤다가 재빨리 몸을 수그린다.
못 볼 꼴을 봤다는 듯 살짝 인상 찌푸리는 사무엘,
폰을 들어서 살짝 열린 창문 너머를 겨냥한 뒤 사진을 찍는다.

16 안면도 라암도 내포항 / 해상 펜션 1동-2동 / 밤

해상 펜션 1동 숙소 내부

살과 살의 마찰음이 들리는 가운데...
반쯤 열린 창문 사이로 보이는 싱크대에 엎드려 있는 영애의 상반신만 보이는데, 상반신이 앞뒤로 들썩들썩 움직이고 있다.
영애 뒤에 서 있는 듯한 백호는 창문에 가려져 보이지 않고 소리만 들려온다.

영애 백호.
백호(e) 예, 누님.
영애 백호! 말 놔.
백호(e) 응! 그래!
영애 엉덩이 때려봐.
백호(e) 허허허허.
영애 얼른.
백호(e) 또 유튜브 봤네 우리 누나. (철썩 소리가 난다)
영애 한 번 더.
백호(e) 누나 좋아?

한창 앞뒤로 움직이던 영애 상반신의 움직임이 갑자기 멈추더니, 백호의 목소리가 들린다.

백호(e) 근데 왜 저기 창문이 열려있지?

보이지 않던 백호가 바지를 추켜 입으며 나타난다.
백호의 시선으로 살짝 열린 창문이 보인다.
창문으로 줌인하면, 백호를 찍고 있던 폰, 얼른 사라지고!
백호, 창문 쪽으로 걸어간다.

해상 펜션 1동 숙소 외부

창문 아래 바짝 붙어 쪼그려 앉아 있던 사무엘,
당황해서 슬금슬금 움직여 코너를 돌아 숨는다.
마침 창문을 열고 바깥을 살펴보는 백호, 아무도 없자 창문 닫는다.
안도하며 얼른 폰을 다시 방수팩에 넣고 메는 사무엘, 멀리 우진 쪽을 보면,

우진은 사무엘을 향해 백호가 밖으로 나가고 있다는 수신호를 하다가 재빨리 몸을 숨긴다!
하지만 사무엘은 우진의 간절한 수신호를 알아들을 리 없고...

그때, 백호가 문을 열고 나오는 소리!
사무엘, 그대로 얼어붙는다. 백호의 발자국 소리가 점점 가까워진다.
에라 모르겠다 싶은 사무엘, 바다로 뛰어든다. 첨벙!

배 위를 이리저리 살펴보던 백호,
첨벙 소리가 들린 쪽으로 걸어온다.
사무엘이 있던 곳에는 아무도 없다.
백호의 바로 아래, 바닷물에 떠서 해상 펜션의 난간을 잡고 매달려 있는 사무엘.
마저 이리저리 살펴보다가 다시 숙소로 들어가 버리는 백호.

〈CUT TO〉
녹초가 되어 줄을 잡고 조금씩... 조금씩... 다시 펜션 2동을 향해 나아가는 사무엘,
펜션 2동에 다다랐다.
기다리고 있던 우진, 사무엘을 붙잡고 난간 위로 간신히 올린다.
올라와서 주저앉아 거친 숨을 몰아쉬며 추워하는 사무엘.
우진이 다행이라는 듯 담요로 사무엘을 덮어주면서 꼭 끌어안는다.
얼마간 사무엘을 꼭 껴안고 있는 우진.

헤어드라이어 소리.

사무엘의 젖은 옷들과 팬티가 의자에 걸려 있다.

추워서 이불을 꽁꽁 싸매고 있는 사무엘.

우진은 헤어드라이어로 사무엘의 머리를 말려주고 있다.

우진 괜찮아? 감기 걸리겠네.

사무엘 (아직 떨며) 지금은 동업자 모드 끝난 건가요?

우진 (...) 미안해, 내가. 그동안 너무 포악하게 굴었다.

사무엘 (...) 아냐. 내가 미안해. 너무 속 좁게 굴었어.

사이.

우진 춥지. 아까 눈탱이 맞은 슈퍼에서 소주라도 살걸.

사무엘 소주 있어.

우진 소주가 어떻게 있어?

사무엘 백호 씨 거 쌔볐지.

우진 그 와중에? 너 요즘 왜 이렇게 멋있어져?

사무엘 추울 땐 소주지.

〈CUT TO〉

밤바다 위에 떠 있는 해상 펜션 인서트.

펜션 벽에 기대어 나란히 앉아 있는 우진과 사무엘,

이불을 꽁꽁 싸맨 사무엘이 소주를 병째로 마시고 있다.

사무엘은 취기가 올라와 있고, 우진은 멀쩡하다.

사무엘 아, 그때 니가 하자고 했던 거. 할까?

우진 뭐?

사무엘 노력.

우진 칭찬 타임?

사무엘 말로 섹스해 보자며.

우진	(놀라며) 그래? 지금?
사무엘	(...) 어떻게 하면 되나?
우진	(얼떨떨한) 폰섹처럼 하면 되지 않을까? 우리 사귈 때 한 적 있잖아.
사무엘	음... 그치. 해볼까? 괜찮겠어?
우진	그래. 한 번 가보자.

우진과 사무엘, 각자 심호흡을 한 후.

우진	여보세요.
사무엘	지금 뭐 입고 있어요?
우진	존댓말로 해?
사무엘	어. 뭐 입고 계시냐구요.
우진	저... 티셔츠랑 바지요.
사무엘	티셔츠랑 바지... 너무 섹시하네요.
우진	티셔츠랑 바지가요? (...) 취향 독특하시네요.
사무엘	혹시 젖으셨어요? 저는 오늘 홀딱 젖었어요. 머리부터 발끝까지.
우진	(사무엘의 과감함에 살짝 놀라며) 아... 저도 축축합니다.
사무엘	어디가요?
우진	어디긴요. 아시면서. 목소리가 너무 좋으셔서 듣자마자 물이 쭉쭉 나오더라구요.
사무엘	하... 다리 벌려보세요.
우진	다리요? (다리를 살짝 벌린다)
사무엘	귀 좀 빨게요?
우진	다리를 벌리게 하고 왜 귀를...
사무엘	제가 위부터 아래로 가는 걸 좋아하거든요.
우진	네... 그럼 오시죠.
사무엘	네, 왔어요. 이제 빨게요.

나란히 앉아 앞을 보고 상상하는지 한동안 조용한 두 사람. 느끼는 듯도 하고.

우진 바지 벗어보세요. 저도 빨래요.

사무엘 갑자기요?

우진 저는 아래만 좋아하거든요.

사무엘 아... 저는 바지가 없어요. 아까부터 아무것도 입고 입지 않았거든요.

우진 색기가 보통이 아니시네요. 어머 홀딱 서셨네. 언제 이렇게 섰어요?

사무엘 여보세요 하실 때부터.

우진 그럼 빨게요?

뭔가 상상하고 있는 듯 이번에도 한동안 조용한 두 사람.
우진이 슬쩍 모포 속으로 손을 넣어 사무엘 소중이에 손을 갖다 대보더니 놀라고는 손을 빼며 사무엘을 쳐다본다.
사무엘이 우진을 보고는 고개를 끄덕인다.
한동안 서로를 바라보는 두 사람.
그러더니 사무엘이 먼저 우진의 얼굴을 잡고, 우진의 입술에 자신의 입술을 갖다 댄다.
눈을 감는 둘. 한동안 입술이 붙어만 있고, 벌어지지는 않는다.
다시 떨어지는 입술.

우진 (괜히 어색한지) 아... 키스를 어떻게 하는 거였더라.

사무엘, 생각이 많은 얼굴로 있다가 굳은 결심을 한 듯 비장한 표정을 짓더니!
우진의 얼굴을 두 손으로 박력 있게 잡고는,

사무엘 해보자! 노력!

바로 우진의 입술에 입을 갖다 박는 사무엘! 키스를 시작한다.
우진, 놀라지만 이내 조심스럽게 입을 벌리고 키스에 응한다.
한동안 키스를 하는 두 사람,
할 만큼 하고 떨어져 서로를 바라본다.
우진이 활짝 웃으며 사무엘을 동지처럼 꽉 끌어안는다.

우진 술발인가?

사무엘 없지 않아 있는 듯?

만감이 교차하는 두 사람의 얼굴.

18 안면도 라암도 내포항 / 해상 펜션 2동 / 새벽

파란 새벽.

펜션에 정박해 있는 배 위로 조용조용 짐을 싣고 있는 사무엘과 우진.

사무엘과 우진의 배가 다시 육지 쪽으로 출발한다.

해상 펜션에서 점점 멀어지는 사무엘과 우진의 배.

19 우진과 사무엘의 아파트 / 침실 / 낮

각자의 싱글베드에 앉아 있는 우진과 사무엘.

우진은 폰으로 가계부 앱을 보고 있고,

사무엘은 노트북으로 협박문을 작성 중이다.

우진 우리 이번 출장에만 50만 원 좀 넘게 쓴 것 같애.

사무엘 많이 썼네...

우진 (눈 뜨며) 괜찮아. 그만큼 많이 벌면 되지. 이제 증거도 확보했겠다... 가보자.

사무엘 얼마씩 받으면 되려나? 천, 천씩 이천?

우진 그래 가지고 어느 세월에 억을 모아. 우리 이제 한탕에 오천씩은 벌어야 돼.

사무엘 오천? 너무 많은 거 아냐?

우진 뭐가 많아. 둘이 나눠서 내면 얼마 안 되지.

사무엘 여자분 쪽은 돈이 별로 없어 보이던데...

우진 그럼 형평성 있게 영애 씨 이천, 백호 씨 삼천. 합해서 오천. 어때.

사무엘 (...) 오케이.

화면에 띄워진 각각의 협박문에 이천만 원, 삼천만 원을 기입하는 사무엘,
생각이 많아 보인다.
페이드아웃.

20 산 / 등산로 / 낮

화면 다시 밝아지면, 이전 씬들에서 등장했던 장미의 묘비 앞.
웬 손가방 하나가 달랑 놓여 있다.
등산을 하는 척하면서 그쪽을 힐끔 보고는 그냥 지나쳐 올라가 버리는 사무엘,
얼마 후 전속력으로 되돌아와 가방을 들고 뛰어 내려간다!

뛰어 내려가다 문득 이상함을 느낀 사무엘,
뛰다 말고 천천히 걸으면서 가방을 살짝 열어 보는데...
손가방 안에 들어있는 것은 돈이 아니라 웬 종이 한 장이다.
사무엘, 가방을 바닥에 던져 버리고 종이를 펼쳐본다.
그것은 영애가 협박범들에게 쓴 손 편지.

사무엘 좆됐네.

그때, 산속 어딘가에서 들리는 나무 밟는 소리.
사무엘, 화들짝 놀라며 소리가 들린 쪽을 보지만, 아무도 없다.
편지 들고 다시 재빨리 뛰어 내려가는 사무엘.

영애 목소리
협박범 선생님 보십시오.
선생이 나를 어찌 알고 내 뒤꽁무니나 캐고 다녔는지 모르겠지만,
선생 인생도 참 딱하다는 생각이 듭니다.

21 영애의 기사식당 / 앞 대로변 / 밤

찰떡처럼 붙어있는 두 사람의 입술.
화면 서서히 넓어지면,

취한 두 남녀가 가로수 밑에서 껴안고 입술을 붙이고 있는 모습이 드러난다.
뜨거운 그들을 낯부끄럽다는 듯 힐끔힐끔 보면서 지나가는 행인들.

이 광경을 기사식당 안에서 유리 벽을 통해 보고 있는 두 노년 여성, '영애'와 '춘희(60/여)'.

22 영애의 기사식당 / 안 / 밤

유리문 앞에서 바깥을 보고 있는 영애와 춘희.
앞치마를 맨 춘희는 그 옆에서 이를 쑤시고 있다.

춘희 으따 맛있게도 하네.
영애 저리하믄 좋나? 남 주둥이는 막 내 주둥이랑 맛이 다르고 그러나?
춘희 몰러. 이제 사장 언니나 나나 기억도 안 나지.
영애 나는 한 번도 안 해 봤어.
춘희 머?

놀라서 영애를 쳐다보는 춘희.

춘희 아니 사장 언니. 그라믄 뽀뽀도 안 하고 아들을 우째 낳았어? 마리아여?
영애 왜 못 낳아? 건너뛰아뿌니까 해 본 적이 있나.
춘희 (안타깝게 바라보며) 허이구... 이 까도 까도 불쌍한 사장 언니야...

춘희는 혀를 차고, 영애는 계속 밖을 바라보고 있다.
기사식당 안에는 혼자 밥 먹는 남자들이 가득 차 있다.
이런 광경 위로 깔리는 영애의 목소리.

영애 목소리
나는요. 평생을 남자들을 위해 살았습니다.
남편과 아들 둘을 키우기 위해 남자만 드글드글한 식당에서 평생을 밥만 했습니다.

하지만 남편에게도 아들들에게도, 저는 그냥 밥통이었던 것 같습니다.
없으면 못 살지만 아무도 중요하게 생각하지 않는 밥통.

23 영애의 아파트 / 내부 / 밤

미꾸라지에 튀김옷을 입혀 튀기고 있는 영애.
거실에 송장처럼 앉아서 낚시 채널을 보며 쏘맥을 마시고 있는 영애의 남편에게 갖다준다.
영애가 접시를 내려놓고 남편 앞에 놓인 휴지를 치우느라 TV를 가리자 말없이 발로 영애의 엉덩이를 치우는 영애의 남편.
익숙한 듯 사라지는 영애.

〈CUT TO〉
영애가 식탁에서 멸치 똥을 따며 맥주를 마시고 있다.
나이 든 푸들 한 마리(장미/14세)가 영애 무릎에 앉아 영애 턱을 핥아주고 있다.
먹던 멸치를 장미에게 주자 맛있게 먹는 장미.

영애 목소리
나에게 관심을 가져준 건 우리 개, 장미뿐이었습니다.
오직 장미만이 내 몸에 자기 몸을 붙여줬습니다.

〈CUT TO〉
방 한구석 바닥 위에 미동도 없이 엎드려 있는 장미의 뒷모습. 장미에게 다가오는 발과 함께 들려오는 영애의 장미를 부르는 목소리.

영애(e) (부드러운 목소리) 장미야. 장미야? (공포로 놀란 목소리로 변하며) 장미야!!!

영애 목소리
그런데 얼마 전에 장미가 죽었고, 저는 완전히 무너졌습니다.
내가 완전히 인생을 잘못 살아버렸구나. 이 일을 어떡하나.

어두운 새벽. 영애 홀로 산을 오르고 있다.

오르고, 오르고.

그러다 산의 중간 돌무덤 앞에 멈춰 서 쪼그려 앉아 잡초를 뽑는 영애.

영애 목소리

눈뜨면 가슴이 답답하고 명치가 조여 와서 산을 오르고 올랐습니다.

때마침 불어오는 거센 바람. 나부끼는 영애의 옷과 머리.

그러다 영애의 앞머리 가발이 벗겨져 바람에 날아간다.

놀란 영애가 고개를 들어 가발이 날아간 쪽을 본다.

누군가의 손이 영애의 가발을 잡아챈다.

산에서 내려오고 있던 백호가 기가 막히게 날아가던 영애의 앞머리 가발을 손으로 잡은 것.

영애 목소리

그러다 그이를 만났습니다.

신이 나에게 그동안 고생 많았다고 보내준 선물처럼 제 눈앞에 나타났습니다.

그 사람은 남자도 아름다울 수 있다는 사실을 가르쳐 준 사람,

함께하면 행복할 수 있다는 것을 가르쳐 준 사람,

백호가 영애에게 다가가 가발을 내민다.

앞머리가 사라졌다는 사실에 부끄러워 고개를 들지 못하고 가발을 받아 얼른 머리에 끼우려 한다.

영애 　아이구... 감사합니다. 제가 지금 민망해서 고개를 못 들어 죄송해요. 얼굴 보고 감사해야 하는데...

이때 백호가 영애의 어깨를 톡톡 친다.

영애가 힐끔 백호를 보자, 백호는 자신의 머리를 벗으며 자신도 가발임을 보여준다.

서로의 모습을 보며 함께 웃는 영애와 백호.

영애 목소리

평생 키스 한번 못해보고 죽을 뻔했던 나에게 첫 키스를 선물해 준 사람입니다.
이 사람을 만나기 위해서 60년을 기다렸습니다.

산 정상 바위 위, 영애와 백호가 다정히 앉아 있는 뒷모습이 보인다.
영애가 문득 뒤를 돌아보며 화면 쪽을 지긋이 바라본다.

영애 목소리
그러니 방해하지 마세요.

25 우진과 사무엘의 아파트 / 부엌 / 낮

배달 용기에 담긴 순댓국을 각자 퍼먹고 있는 우진과 사무엘.
사무엘은 밥을 먹다 말고 편지를 읽고 있다.

사무엘	...돈도 못 줍니다. 될 대로 되라지요.
우진	와... 보통 아니네.
사무엘	우진. 아무래도 이분 계속 협박하는 건 아닌 것 같애.
우진	(얼마간 생각하더니 한숨 내쉰다) 그럼 묻고 더블로 가자. 백호 씨 협박문에서 금액만 바꿔. 삼천에서 오천으로.
사무엘	오천??? 야! 어느 미친놈이 그런 돈을 내놔.
우진	잃을 게 많은 미친놈이 낸다.

시원하게 배달 용기를 들고 국물을 원샷하는 우진.
쫄려서 숟가락을 내려놓는 사무엘, 우진을 걱정스럽다는 듯 본다.

26 산 / 등산로 초입 / 낮

등산로 초입에 서서 주위를 두리번거리는 백호,
잠시 큰 가방에서 피켓을 꺼내더니 번쩍 든다.
어디서 인쇄했는지 모를 시위대 피켓에는 큰 글씨로 "만납시다"라고 적혀 있다.

이따금씩 지나가던 등산객이 백호를 지나쳐가며 힐끔힐끔 쳐다본다.

27 산 / 등산로 초입 근처 / 낮

사무엘, 선글라스에 등산 모자와 스카프로 얼굴을 가린 채 등산복 차림으로 걷고 있다.
등산로 초입 힐끔 보면 백호가 피켓을 번쩍 들고 계속 서 있다.
그 앞을 그냥 지나치는 사무엘.

28 산 / 언덕 위 / 낮

사무엘, 백호 번호가 적힌 종이를 무릎 위에 펼쳐 두고 나무 뒤에 숨어 있다.
핸드폰에 별표, 이, 삼, 우물정 자를 누른 후, 번호를 치고 통화 버튼을 누른다.

백호(e) 여보세요. 누구세요. 발신번호표시제한 님 말씀하세요. (사무엘 계속 말 없자) 어어. 협박범 선생이시구먼?

말을 어떻게 할지 고민하다가 코를 막으며 목소리를 변조하는 사무엘.

사무엘 약속을 잘 안 지키시네요. 왜 거기서 계속 그러고 있습니까?
백호(e) 선생, 들어봐요. 내가 돈 줄게. 나 한 번 믿고, 일단 이리 와봐. 만나서 얘기합시다.
사무엘 일을 복잡하게 만드시네.
백호(e) 거래를 할라면 서로 간에 믿음이 있어야지... 막말로 나도 당신을 어떻게 믿어. 돈 받은 다음 폭로할 수도 있는 거 아냐.
사무엘 혹시 경찰에 신고했습니까?
백호(e) 이 사람아... 내가 왜 경찰에 신고를 하겠어. 나도 경찰 싫어하는 사람이야.
사무엘 신고했나 봐... 이 아저씨 큰일 날 아저씨네.
백호(e) 어허, 이 사람이... 아니라니까! 당신 내 말 잘 들어. 나도 당신한테 돈 주고 싶어. 돈 주려고 이러는 거야. 다-만,

방법이 좀 복잡해서 그래.

사무엘 복잡할 거 없습니다. 그냥...

백호(e) (말 끊고) 통화 길게 하는 거 안 좋아하니까. 만나. 내가 만나서 다 설명할게. 나 일하는 데 알지? 내일 밤까지 백호 석재로 와! 거기서 보자구.

전화 끊어버리는 백호.
사무엘, 당황하며 핸드폰을 바라본다.

29 산 / 등산로 초입 / 낮

백호, 전화 끊고 다시 피켓을 번쩍 들고 선다.
등산하고 내려오던 중년의 세 명의 여성 등산객 중 한 명이 조심스레 백호에게 다가간다.

행인 아저씨, 누구한테 만나자고 하시는 거예요? 저희랑 막걸리 어떠세요?

아랑곳없이 묵묵하게 꿋꿋이 피켓을 들고 서 있는 백호.

30 우진과 사무엘의 아파트 / 베란다 / 밤

우진과 사무엘, 똑같이 고무장갑을 끼고 쪼그려 앉아 베란다에 쌓인 쓰레기들을 분리수거하고 있다.
페트병과 와인병, 위스키병에 붙은 비닐들을 꼼꼼히 뜯어내는 우진.
우진에게 페트병 받아 분리수거하는 사무엘.

우진 너무 위험하긴 한데...

사무엘 그치?

우진 그래도... 여태까지 들인 노력이 있기도 하고...

사무엘 그치...

우진 아깝긴 한데, 어쩌겠어. 가지 마. 이건 너무 위험하다.

사무엘 (의외라는 듯 우진을 바라본다) 의외네.

우진 의외긴... 너가 위험하면 안 되지.

사무엘 (잠시 생각하더니) 아니야. 내가 갈게! 그 아저씨 뭔가 진정성이 좀 있었어. 돈을 크게 벌려면 모험을 해야지.

우진 (이번엔 우진이 의외라는 듯 놀라 사무엘을 본다) 그래도 될 것 같애?

생각이 많아 보이는 사무엘,
그런 사무엘을 걱정스럽다는 듯 보는 우진.

31 백호 석재 / 근처 도로 / 밤

백호 석재 근처 도로.
사무엘의 택시가 비상등을 켜고 서 있다.
사무엘이 조수석에서 내려 비장하게 백호 석재 쪽을 향해 걸어간다.
운전석에 앉아 있는 우진, 멀어지는 사무엘을 본다.

32 백호 석재 / 앞 / 밤

사무엘, 천천히 조심스럽게 백호 석재 마당 안으로 들어온다.
걷다가 엉겁결에 돌멩이 하나를 발로 차게 되는 사무엘,
놀라서 보면, 한 손에 쥘 만한 크기의 돌멩이다.
그 돌을 주워 얼른 주머니에 넣는 사무엘,
계속해서 주변을 살피며 상체를 낮추고 안으로 들어가는데...

돌연 번개처럼 복싱 자세로 가드 올리고 나타나는 백호!
사무엘에게 주먹을 날린다!
악! 단말마의 비명을 지르며 얼굴을 잡고 쓰러지는 사무엘,
급하게 일어나 방어 자세를 취하며 백호를 보면,
왕년에 복싱 좀 한 듯 복싱 자세를 취하고 있는 백호,
가드를 올리고 스텝을 밟으며 다시 공격할 틈을 보고 있다.

사무엘 아저씨. 진정하세요. 싸울 필요 없잖아요.

백호, 사무엘을 향해 몇 번 잽을 날리며 접근하더니, 라이트 훅!
사무엘은 가드를 올리고 있지만 그대로 두들겨 맞으며 비명을 지른다.
다시 멀리 떨어져 가드를 올린 채 공격할 기회를 보는 백호,
갑작스럽게 다가와 잽을 날린다!
맥없이 맞으며 또 비명을 지르는 사무엘, 나가떨어진다.
백호, 가드를 올린 채 사무엘을 보고 있으면,
입 쪽을 만지며 천천히 가까스로 일어나 앉는 사무엘,
이빨이 흔들리는지 이빨로 손을 가져가 보는데... 앞니 하나가 빠졌다.
억울하다는 듯 울먹이는 사무엘.

사무엘 약속이랑 다르잖아요!!!

만신창이가 된 사무엘, 가까스로 휘청휘청 일어나면서, 천천히 주머니에 손을 가져간다.
백호, 계속 가드를 올린 채 그런 사무엘의 행동을 유심히 본다.
사무엘, 돌연 주머니에서 돌을 꺼내 던지려는데 주먹으로 얼른 냅다 사무엘의 손을 쳐버리는 백호!
악!!! 사무엘, 또 비명을 지르고 아픈 내색을 하며 손을 탈탈 턴다.

백호 골라도 제일 약한 활석을 골랐냐. 그거 화장품 만드는 데 쓰는 돌이야, 이 새끼야.
사무엘 아저씨. 그만 때리세요. 저 이빨 빠졌어요. 아파요.
백호 무릎 꿇고 항복해!
사무엘 (순순히 무릎 꿇으며) 이 일을 저 혼자 하고 있는 줄 아세요? 내 문자 한 통이면 아저씨 인생 조지는 거예요.

백호, 그 말에 열받아 무릎 꿇은 사무엘에게 회심의 어퍼컷을 날린다.
비명 내지르며 나가떨어지는 사무엘.

백호 내 주먹은 금강석이다, 이 새끼야...
사무엘 항복했잖아요!!! 왜 항복한 사람을 때려!!!

바닥에서 신음을 내며 일어날 생각을 하지 않는 사무엘.

고급 석재들이 즐비한 백호 석재의 사무실 내부.

사무엘, 이빨 하나가 나가고, 찢어지고 멍들고 부은 얼굴로 백호의 잔에 소주를 따르고 있다.
맞은편의 백호, 사무엘에게 한 손으로 소주잔 받아서 원샷한다.
소주잔 탈탈 털어 사무엘에게 건네고 소주 따라주는 백호.
사무엘, 여기저기가 아픈지 신음을 내며 백호에게 받은 소주잔 원샷한다.
사무엘과 백호는 사무실 소파에 마주 앉아 있다.

백호 　자네도 얼마나 인생이 안 풀리면 이런 일을 하겠어. 몇 명이 같이 일하나?
사무엘 　한... 열댓 명쯤 됩니다.
백호 　그래? 그 정도면은 규모가 큰 편인가?
사무엘 　예.
백호 　우리 와이프가 시킨 게 아니라고?
사무엘 　예. 그렇습니다.
백호 　자네는 처가 있나?
사무엘 　(...) 아뇨.
백호 　몇 살이야.
사무엘 　그건 제 신상정보라서 말씀드릴 수가 없을 것 같은데요.
백호 　(끄덕이며) 그래.
사무엘 　소주 한 잔 더 드릴까요.
백호 　줘 봐.

사무엘, 백호에게 소주잔 건네고 소주 따라준다.
움직일 때마다 아픈지 신음을 내뱉는다.
백호, 소주잔 받아 다시 원샷한다.

백호 　네가 협박한 그 여자, 불쌍한 여자야.
사무엘 　(...) 죄송합니다.
백호 　그 여자는 내 사랑이 필요한 여자야. 나도 그 여자 사랑이 필요하고. 사랑이 뭐야. 사랑은 동정심이야. 근데 또 그것만 있으면 안 돼. 욕정이 같이 있어야 돼. 자네도 남자니까 알겠지만, 우리 남자들은 낯선 여자들한테 욕정을 느낀단 말야. 근데 그것만으로는 사랑이 될 수가 없어. 내가 영애한테 느끼는 건 사랑이고. 무슨 말인지 알겠어?

사무엘 예...

백호 내가 약속은 지키는 사람이야. 자네가 요구한 돈 해줄 수 있어.

사무엘 (고개 꾸벅하며) 감사합니다.

백호 근데 내가 일전에도 말했지만, 과정이 좀 복잡해. 자네가 요구한 돈을 주려면 회사 돈을 써야 돼. 그니까 나랑 계약을 하자고.

사무엘 계약이요?

백호 일을 이렇게 복잡하게 할 필요가 없는데, 어떡하겠어. 이 사업도 우리 장인이 돈을 대줘서 시작한 사업이고, 아직도 이 회사 재무 관리를 다 내 처가 해. 그래서 계약을 하자는 거야.

사무엘 무슨 계약을 말씀하시는 건지...

백호 자네, 보니까 사진을 좀 찍더만. 우리 석재들 사진을 좀 찍자고. 우리 홈페이지에다 자네가 찍어준 사진들 전시도 좀 하고, 우리 처 다니는 교회랑, 납품처랑, 뭐 여기저기 돌릴 수 있는 달력을 하나 만들 테니까.

사무엘 선생님, 다 좋은데요. 그 계약을 하려면 제 신상정보를 까야 되지 않나요?

백호 자네 아직도 나를 못 믿나?

사무엘 아뇨. 선생님은 믿는데요...

백호 나도 바람피운 거 들통나면은, 탈탈 털려서 쫓겨나는 거야. 소탐대실이잖아. 자네도 좋고, 나도 좋고. 좋은 계약 아닌가?

사무엘 그렇긴 합니다만...

백호, 자리에서 일어나 자기 책상으로 가더니, 웬 종이를 한 장 꺼내온다.
사무엘의 테이블 위에 펜과 계약서를 올려놓는다.

백호	여기다 이름 쓰는 데다 이름 쓰고, 서명만 해. 내가 자네 계좌로 바로 돈 쏴줄게. 오천이라고 했지?
사무엘	(...) 예.
백호	거기서 천만 깎자고.
사무엘	예?
백호	이 사람아. 사진이 아무리 부르는 게 값이라고 해도 오천은 너무 했잖아.
사무엘	(...) 그건 안 되겠는데요. 저 그 돈 받고 돌아가면 사장님도 위험해지세요.
백호	(사무엘을 노려보다가) 그럼 사천오백으로 해. 오백만 깎아. 자네가 얘기 좀 잘 좀 해주면 되잖아.
사무엘	(한숨 내쉰다)
백호	그래. 사천오백으로 하자고. 자네 오늘부로 대한민국에서 세 번째로 유명한 사진작가야.

사무엘, 계약서를 들어본다. 가라로 만들어진 사진작가 계약서다.

백호	(사무엘이 망설이자) 돈 벌려면 이 정도 각오는 해야지, 이 사람아.

고민하다 펜을 드는 사무엘, 하지만 쉽게 글자를 적지 못한다.

34 백호 석재 / 앞 / 밤

사무엘, 다리를 절면서 뚜벅뚜벅, 백호 석재 앞으로 나온다.
전속력으로 달려와 사무엘의 앞에 멈춰 서는 택시.
사무엘, 택시에 올라타면, 우진이 바로 택시 출발시킨다.

갓길에 정차해 있는 사무엘의 택시.
운전석의 우진, 엉망이 된 사무엘의 얼굴을 힐끔거리며 눈물을 흘린다.

사무엘 괜찮아... 울지 마.
우진 (사무엘이 말할 때 구멍 난 이를 보고 울먹이며) 어떡해, 우리 사무엘... 이까지 빠졌어?
사무엘 니가 아니라 내가 다쳐서 다행이야.

조수석 글러브 박스에서 휴지 찾아 우진에게 건네는 사무엘.
우진, 휴지로 눈물 닦는다.
주머니에서 꼬깃꼬깃 접힌 쪽지를 꺼내어 펴서 우진에게 건네는 사무엘.
우진, 접힌 쪽지를 펴 보면, 가라 계약서다.
계약서에는 사무엘의 이름이 적혀 있고 사인이 돼 있다.

우진 이게 뭐야?
사무엘 내가 해결했어. 설명하자면 긴데.
우진 (눈물 범벅된 눈이 커진다) 여보...
사무엘 안 그래도 큰 눈이 두 배로 커지네...

사무엘, 이어서 우진에게 핸드폰 화면을 보여준다.
화면 은행 입금 내역에 찍힌 43,515,000원.
우진, 그걸 보고 감동한 듯 눈물을 훔치다가...

우진 (돌연 정색하며) 근데 6,485,000원은 어디 갔어?
사무엘 이 아저씨가 갑자기 딜을 하더라고. 사천까지 깎으려고 하는 걸 내가 사천오백 선에서 간신히 막은 거야. 눈 뜨고 당할 뻔했어.
우진 그럼 백사십팔만 오천 원은 뭐야.
사무엘 아... 그건 삼쩜삼.
우진 아... 삼쩜삼...

우진, 사무엘을 보는데,
엉망이 되었지만 그 어느 때보다 야성과 활기가 넘치는 사무엘의 얼굴.

우진	지금 상황에서 이런 말 힘들겠지만, 우리 이제 일억 천만 더 해보자.
사무엘	아냐. 안 힘들어. 나 이 일이 왜 재밌지? 내가 살아있는 것 같애.
우진	돈 때려 맞아서 그래.
사무엘	(광기가 눈에 번뜩이는 얼굴로 씨익 웃으며) 더 때려 맞고 싶네.

우진은 그런 사무엘을 보며 씩 웃는다.
사무엘, 광기가 눈에 번뜩이는 얼굴이다.
우진, 다시 차 출발시킨다.
멀어지는 사무엘의 택시.
사무엘 손에 쥐어진 계약서 속 사무엘의 사인이 화면을 가득 채우며,

—끝—

Episode 4

엑스 금지

나도 순두부 같았어. 저렇게 휘청이다 보니까 이렇게 된 거야.

(부부가 어쩌다 이렇게 다치셨어요.) 먹고살다가요.

1 우진의 호텔 / 룸 내부 / 밤

깔끔한 호텔 방 내부.

호텔 현관문 벽에 기대어 키스를 나누고 있는 '수지(40대/여)'와 '초원(20대/여)'이 보인다.

키스를 나누며 신발을 벗고 실내로 들어오는 두 사람.

초원이 수지를 벽으로 밀어붙이고 잠시 입술을 떼어 숨을 고르며 수지를 바라본다.

초원 대화 좀 하자. 우리 8년 만이잖아.

수지 (애무를 이어가며) 하고 하자 하고.

초원 하고? 진짜지? 먹튀하지 마.

수지 먹튀 말고 먹먹할게. 이거 먹고 소고기도 먹고 다 먹자.

초원이 그 이야기를 듣고 멈췄던 키스를 다시 이어나간다.

그러다가 수지를 벽에 세워둔 채 바닥에 무릎을 꿇고 앉는다.

수지의 치마 사이로 손을 넣어 수지의 팬티를 내리는 초원.

한쪽 다리를 옆 의자에 올려 다리를 벌려주는 수지.

초원은 손을 치마 사이로 넣어 팔을 부드럽게 움직이기 시작한다.

수지 엾. 좀만 더 위. 어 그래 거기.

초원 여기? 여전하네 여기.

아래에서 손으로 해주고 있는 초원의 옆모습.

위에서 이를 느끼고 있는 수지.

이때 울리는 핸드폰 전화벨 소리.

수지 바로 다리를 내리고 핸드백에서 핸드폰을 꺼내러 달려간다.

초원 바닥에서 이런 수지의 동선을 바라본다.

수지 완전히 바뀌는 목소리로 핸드폰을 받고.

수지 네. (사이) 네 알겠습니다. 네.

전화를 끊자마자 바로 바닥에 팽개쳐져 있던 팬티를 다시 입는다.

초원 무슨 일 있어?
수지 시어머니 호출. 나머지는 곧 다시 하자. (윙크)
초원 갑자기?
수지 어. 어복쟁반 먹고 싶으시대.
초원 뭐? 뭔 쟁반?

어이없어하는 초원의 얼굴.

2 택시 내부 / 밤

택시 뒷좌석.
수지의 손을 잡는 초원의 손.
얼굴은 각자의 창밖을 보고 있는 수지와 초원.
초원은 맥주를 마시고 있고, 수지는 핸드폰으로 바쁘게 무언가를 하고 있다.
(어복쟁반을 주문 중)

초원 그럼 우리 다시 사귀는 건가?
수지 (화들짝 놀라며) 무슨 말이야. 나 유부녀잖아.
초원 너 오늘 나랑 잤잖아. 그럼 사귀는 거 아닌가?
수지 (택시 기사 눈치 보며) 에이... 여자끼리 어떻게 사귀어.
(목소리 낮추며) 여기 택시 안이야. 조용히 해. 그리고 말 똑바로 해. 우리 안 했어. 손만 댔지.
초원 (헛웃음 내뱉으며) 먹튀냐? 여전하네. 나쁜 년인 거.
수지 또 말 상스럽게 하네. 내가 그런 거 싫어한댔지.
초원 (목소리 낮추지 않는다) 그래, 사람 안 변하지. 내가 너한테 도대체 뭘 기대한 거냐.

이때, 고급 아파트 단지 앞에 멈춰 서는 택시.

수지 (기사에게 현금 오만 원 건네며) 기사님. 저는 여기서 내릴 테니까 아까 드린 주소에 이 친구 좀 내려주세요.
(차 문 열고 내린다)

초원 (따라 내리려 하며) 나도 여기서 내릴래. 얘기 마저 해.
수지 (그런 초원 막으며) 여긴 우리 집이고, 넌 니네 집 가야지.
초원 나도 내릴 거야.

초원, 수지의 말을 무시하고 막무가내로 수지를 따라 차에서 내려 버린다.
수지, 한숨 푹 내쉬며 조수석 창문 쪽으로 와서 기사 쪽을 본다.

수지 기사님, 저희 그냥 여기서 다 내릴게요. 죄송해요. 잔돈은 괜찮습니다.

수지, 입구 앞에 서 있던 배달 기사에게서 어복쟁반 포장을 받아 들고 들어가려는데,
이때 수지를 붙드는 초원.

초원 너 나한테 연락하면서 아무런 각오도 안 했어? 난 너 만나러 오기 전에 1년 만난 여친 정리했어.
수지 왜 그랬어, 부담스럽게?
초원 너 진짜 미친년이냐? 왜 이렇게 나를 막 대해?
수지 또 화난다고 그렇게 맘대로 지껄이지? 그러고 나서 집 가면 울면서 사과할 거잖아. 내가 널 몰라?
초원 나 이제 니가 알던 애 아니거든? 이번엔 내가 먼저 너 버릴 거야. 너 나한테 다시는 연락하지 마!
수지 연락할 건데? 니가 받지 마.
초원 잘난 척하지 마. 이런 좋은 집에 살려고 사기 치며 사니까 행복해?
수지 아니 안 행복해. 근데 괜찮아. 어차피 어떻게 살든 다 안 행복하니까.
초원 사기꾼.

택시 다시 서서히 출발하고, 싸우는 두 사람의 모습 점점 멀어지는데...
택시 기사가 사이드미러로 그들을 보고 있다. 그는 다름 아닌 사무엘.
사이드미러를 보는 사무엘의 의미심장한 표정.

3 오프닝 시퀀스

오프닝 음악이 깔리면서, 차창 너머 흘러가는 서울의 밤 풍경 이미지들이 펼쳐진다.
환락가를 지나고, 빌딩숲을 지나고, 한강 다리를 건너는 시선.
이 시선은 택시의 손님 좌석에 앉아 차창 너머를 구경하고 있는 우진의 것이다.
검은색 선글라스를 끼고 운전하고 있는 사무엘의 모습도 차창 너머로 보인다.

서울의 밤 도로를 달리는 사무엘의 택시.

LTNS

LONG TIME NO SEX

Episode 4: 엑스 금지

4 우진과 사무엘의 아파트 / 현관 / 낮

힘을 잔뜩 준 채로 현관문에 똑같은 자세로 몸을 바짝 붙이고 있는 우진과 사무엘, 둘이 구령에 맞춰 동시에 몸으로 현관문을 밀고 있다.

사무엘　　하나, 둘, 셋!

우진과 사무엘, 사무엘의 구호에 맞춰 온 힘을 다해 현관문을 밀어보지만 꿈쩍 않는 현관문.

우진　　(헉헉거리며) 도대체 왜 안 열려.
사무엘　　(같이 헉헉대며) 미치겠네. 한 번만 더 해 보자. 자, 하나, 둘, 셋!

다시 사무엘의 구호에 맞춰 동시에 몸으로 현관문을 미는 우진과 사무엘!

5 우진과 사무엘의 아파트 / 복도 / 낮

현관문을 가릴 정도로 가득 세워져 있는 생수통들.
우진과 사무엘이 몸을 부딪칠 때마다 들썩이다가 마침내 생수통 몇 박스가 엎어지며 문이 열린다.

우진과 사무엘, 문을 더 열고 드디어 집을 탈출해 나와 문을 가리고 있던 많은 양의 생수 묶음들을 보고 놀란다.

우진 물 때문에 갇혀 있었던 거야? 무슨 물을 이렇게 무덤처럼 많이 시켜!
사무엘 이게 뭐야... 나 이만큼 안 시켰는데? (사무엘이 급히 핸드폰을 꺼내 무언가를 확인한다)
우진 그럼 누가 시켰는데?
사무엘 (폰을 보다) 아... 이거 내가 숫자를 잘못 보고 시켰네... 아이고... 택배 기사님 엄청 힘드셨겠다.
우진 너 진짜 왜 그르냐. 이것들 집에 둘 데도 없어.
사무엘 일단 옮기자.
우진 나 늦어.
사무엘 나도 늦어. 그래도 반이라도 옮겨 두고 가자.
우진 진짜!!!

사무엘이 생수 박스를 집안으로 나르기 시작한다.
우진도 짜증을 내며 이를 도와 나른다.
사무엘이 문 안에 서 있고, 우진이 밖에서 생수 박스를 하나씩 문 안 사무엘에게 전달하는 방식을 금방 찾아내 한 팀이 되어 나른다.
아직 복도에 놓여있는 생수통 묶음. 비닐이 찢겨 있고, 그 근처에 의문의 빨간 액체가 손가락 자국으로 묻어있다.

6 백호 석재 / 내부 / 밤

백호 석재 한편에 작게 설치된 촬영용 스튜디오.
백호 석재의 수석 하나가 스튜디오 바닥에 놓여있다.
조명이 바뀌면서 수석의 명암이 생기고, 그림자가 생겨난다.

백호 석재의 각종 수석들이 놓여있는 사진 스튜디오.
키/필/백의 조명을 다 갖춰 놓고 그중 하나의 조명 스탠드에 올라가 있는 사무엘, 조명 앞에 붙어있던 실크를 떼고 나서 카메라를 들고 수석을 겨냥하며 사진을 찍는다.

뭔가 신나 보이는 사무엘.

그때, 벨소리 울리자 두리번거리다가 소리가 나는 쪽을 찾는 사무엘.
멀리 백호의 책상 위에 오래된 전화기 놓여있다.
사무엘, 두리번거리며 책상으로 다가와 수화기를 들고는 아무 말도 하지 않는다.
백호의 목소리 들린다.

백호(e)	어. 사진가 양반. 작업은 잘 되고 있고?
사무엘	네. 뭐 잘 되고 있습니다.
백호(e)	이는 새로 해 넣었고?
사무엘	네. 해 넣었습니다.
백호(e)	잘했네. 나이가 든다는 게 말이야. 그렇게 여기저기 가짜를 달고 다니게 된다는 거야.
사무엘	(...) 예.
백호(e)	거기 사진 찍으라고 놔둔 돌들 말고, 다른 돌들은 건드리지 마. 훔쳐 갈 생각도 하지 말고. 내 금광석 주먹맛 알 거 아냐.

뚝 끊기는 전화. 사무엘도 어이없어하며 수화기를 내려놓는다.
근처에 전시된 수석들을 바라보는 사무엘,
그중 제일 작은 수석 하나를 집어 주머니에 넣는다.

7 우진의 호텔 / 로비 / 밤

야구복을 입은 고교 야구팀 한 팀의 인원이 호텔 로비를 채우고 있다.
양손 가득 치킨과 피자 봉지를 든 한 무리의 남학생들이 호텔 문을 열고 우르르 들어오자,
로비에 있던 남학생들이 '와!'하며 시끄럽게 반긴다.

프런트에 서서 그들을 보고 있는 우진과 준호.
우진은 멍하고, 준호는 인상이 구겨져 있다.
우진의 프런트 안쪽에 내팽개쳐져 있는 블랙리스트 수첩.

준호 누나 저 단체 손님들 언제까지 있대요?

우진 일주일.

준호 어떡해... 요즘 메이드 형 맨날 울어요. 걔네가 너무 먹어대서 방들이 죄다 쓰레기통이래. 악마들.

우진 그러게, 어떡하냐... 내 손님 업데이트가 안 되고 있네.

준호 네?

무슨 말인가 고개를 갸우뚱하는 준호. 멍한 우진.

8 우진과 사무엘의 아파트 / 내부 / 낮

부엌 가스레인지 앞에서 가자미를 익히고 있는 사무엘, 불 앞에서 더운지 땀을 삘삘 흘리고 있다.
우진도 더워서 헐벗고 있다시피 식탁에 앉아 핸드폰을 들여다보고 있다.
식탁 위에는 아직 덜 차려진 식사. 밥 두 공기와 볶음김치, 김치찌개.
사무엘, 가자미를 뒤집다 말고 우진을 본다.

사무엘 에어컨 좀 켜자. 나 더운데.

우진 참아내. 일도 없는데 전기세가 올랐어.

사무엘 갑자기?

우진 겨울에 가스비 올리더니 여름에 전기세 올리고 이게 뭐 하자는 짓이야. 돈 없으면 추워서 뒤지든 더워서 뒤지든 하라 이건가.

곧 다 구운 가자미를 접시에 담아 식탁 위에 올려놓는 사무엘, 우진의 맞은편에 앉는다.
밥 먹기 시작하는 우진과 사무엘.
생선 살을 열심히 발라 먹는다.

우진 밥상에 단백질 하나 올리는 거 빡세다.

사무엘 가자미 어때. 맛있지.

우진 맛은 있네.

〈CUT TO〉

손 선풍기를 목에 걸고 설거지를 하고 있는 우진.
사무엘은 식탁에 앉아 부채질하며 우진의 블랙리스트 수첩을 뒤적거리고 있다.

사무엘 백상봉. 파트너 매일 바뀌는 단골. 유부인지 추정 불가.
우진 그 수첩이 이제 영양가가 별로 없네...
사무엘 (한 장 넘기며) 왕철기. 2인 신청해 놓고 3인이 씀.
더러운 놈. 불륜인지 추정 불가. 이 수첩 은근 재밌다.
우진 그나저나 다음 일을 빨리 잡아야 에어컨 켜고 살 텐데.
사무엘 (곰곰 생각에 잠긴다) 그...
우진 응?
사무엘 쯧, 아냐.
우진 말해! 뭔데!
사무엘 사실... 내가 얼마 전에 택시에서 누굴 태웠는데.
우진 (수도 끄고 사무엘을 보며) 불륜이구나!
사무엘 (찝찝한 표정으로 끄덕끄덕)
우진 왜. 돈 없어 보였어?
사무엘 아니. 돈은 많아 보였는데.
우진 내비 기록 그대로 있지?
사무엘 응. 두 쪽 다 있어.
우진 왜 진작 말을 안 했어!

계속 어딘가 찝찝한 사무엘의 표정.

9 수지 아파트 / 앞 / 낮

수지와 초원이 택시에서 내렸던 그 자리에 서 있는 우진과 사무엘.
프리미엄 아파트 단지 앞에 서 있는 그들의 모습이 작아 보인다.

사무엘 여기서 그 사람을 어떻게 찾지? 계속 이렇게 죽치고
있으면 잡혀갈 것 같은데.
우진 돈은 많겠네.

잠시 막막해하는 두 사람.

우진　그쪽 주소도 있댔지?

사무엘　있긴 한데...

우진　가난한 쪽부터 접근해 봐야지 뭐. 항상 그랬잖아.

사무엘　우리 이번 건은 그냥 접을까. 난 솔직히 이번 커플은 좀 꺼려져. 그 둘 물고 뜯고 싸우고 헤어진 거 같던데... 끝난 관계일 수도 있어.

우진　불륜이 그렇게 쉽게 끝나나?

10　초원의 자취집 / 앞 / 밤

초원, 한 손에 닭가슴살 소시지를 들고 먹으면서,
취했는지 비틀비틀 위태롭게 계단을 오르고 있다.

사무엘　술 많이 먹었네... 어어어? 넘어진다. 넘어진다.

초원의 집 계단이 보이는 위치에 서서 이를 지켜보고 있는 우진과 사무엘.

우진　저 사람 맞지?

사무엘　응. 맞는 것 같아.

우진　확실해?

사무엘　응. 확실한 것 같아.

우진　똑바로 말해. 그런 것 같아, 그래?

사무엘　(...) 99퍼센트?

우진　1퍼센트는 뭐야.

사무엘　저 사람이 쌍둥이일 가능성?

〈CUT TO〉
초원, 이번에는 한 손에 컵라면들이 잔뜩 들어있는 편의점 봉투를 들고 비틀비틀 위태롭게 계단을 오른다.

그 위로 자막: 6일 후

6 Days Later

우진　　지금 일주일째지. 아무도 안 만난 게.

사무엘　　그렇지. 상대랑은 그때 택시에서 싸우고 진짜 헤어졌나 본데.

우진　　많이 힘든가 보네.

역시 초원의 집 계단이 보이는 위치에 서서 이를 지켜보고 있는 우진과 사무엘.

사무엘　　저 사람이 이 관계에서는 을이니까. 상대가 전형적으로 나쁜 남자 스타일인 것 같았어.

우진　　연애할 때 갑을관계 생기는 거, 경제적 격차랑 연관이 있다니까.

사무엘　　사람이 저렇게 휘청일 수가 있구나...

〈CUT TO〉

초원, 또 취했는지 비틀비틀 위태롭게 계단을 오르다가 힘든지 계단에 주저앉아 버린다. 괜히 핸드폰 꺼내서 보다가 서럽게 울며 눈물 닦는 초원.

그 위로 자막: 9일 후

9 Days Later

초원의 집 계단이 보이는 위치에 서서 이를 지켜보고 있는 우진과 사무엘. 둘 다 지쳐있다. 사무엘은 어느덧 안대를 벗었다.

사무엘　　그냥 다시 만났으면 좋겠다.

우진　　나도 꼭 다시 만났으면 좋겠다. 그래야 우리가 돈을 벌지.

사무엘　　(짜게 식어 우진을 본다)

우진　　뭐.

사무엘　　헤어지려고 저렇게 휘청이는데... 그냥 두자...

우진　　(골똘히 생각하다가) 이번 주말까지만 기다려보자.

사무엘	우진은 언제부터 그렇게 독했어?
우진	나도 순두부 같았어. 저렇게 휘청이다 보니까 이렇게 된 거야.

11 액션스쿨 / 내부 / 낮

트레이닝복을 맞춰 입은 무리들이 스턴트 교육을 받고 있다.
그 무리들 속엔 초원도 있다.
각자 일대일로 팀을 이루어 액션 합을 맞추는데,
초원, 능숙하게 상대 남자를 제압하고 암바를 건다.
남자 교육생, 풀어달라며 탭을 하지만 초원은 놔주지 않는다.

강사가 헐레벌떡 달려와 초원을 떼어 놓자,
남자 교육생은 어깨 쪽을 만지며 고통을 호소한다.
그때서야 놀라며 남자 교육생이 걱정된다는 듯 보는 초원.

강사	너 왜 그래? 요즘 왜 이렇게 정신이 딴 데 가 있어. 무슨 일 있어?
초원	죄송합니다.
강사	초원이 너는 다 좋아. 그럼 뭐해! 힘 조절을 이렇게 못 하는데. 조절이 안 되는 힘은 없는 것보다 못 해. 알겠어?
초원	네.
강사	대역 배우도 배우야. 그럼 연기를 해야지. 이렇게까지 힘을 쓸 일이야?
초원	(고개 숙이고 들지 못 한다)
강사	위치로!

다시 일대일로 마주 보는 교육생들.

12 액션스쿨 / 외부 / 낮

우진과 사무엘, 건물 유리창 너머로 초원을 훔쳐보고 있다.

사무엘 포기할까. 잘못 건드렸다가 뼈도 못 추릴 것 같은데.
우진 우리가 건들 사람은 저 사람이 아니야... 걱정하지 마.

체격 좋은 남자 강사 둘이 걷다가 우진과 사무엘을 보며 멈춰 선다.

남자강사 등록하러 오셨어요?
사무엘 (쫄아서 얼어붙었다가) 고민하고 있는데요...

이때 초원이 우진과 사무엘 앞을 뛰어 지나간다.
놀라서 초원을 쳐다보는 우진과 사무엘.
후다닥 걷는 것도 아니고 뛰는 것도 아닌 속도로 초원을 따라가는 우진과 사무엘.
뒤에서 그런 우진과 사무엘을 이상하다는 듯 쳐다보는 남자 강사 둘.

〈CUT TO〉
바이크 헬멧의 윈드 실드 너머로 초원의 얼굴이 보인다.
윈드 실드 닫고 바이크 출발시키는 초원.
초원의 뒤로 따라붙는 사무엘의 택시.

13 도로 / 낮

액션스쿨 근처 도로

바이크를 타고 도로를 달리고 있는 초원. 가죽 재킷에 진을 입고 부츠를 신고 있다. 운전 솜씨가 안정적이고 능숙하다.
그 뒤를 따라붙는 사무엘의 택시.

소월로

초원의 바이크 지나가고, 사무엘의 택시 그 뒤를 따른다.

14 교회 / 앞 / 낮

교회 주차장으로 진입하기 위해 늘어서 있는 차들.
사무엘, 택시 안에서 교회 주차장 쪽을 보는데,
주차장에 차가 너무 많아 진입할 수조차 없다.
사무엘 앞에 늘어선 차들 사이에서 초원의 바이크가 튀어나와 교회 주차장으로 올라간다.
그걸 보던 우진, 얼른 택시에서 내려 초원을 따라 뛰어간다.
교회 앞에 바이크를 대충 주차해 두고 헬멧도 벗지 않은 채 계단을 올라가는 초원.
우진, 멀리서 그런 초원을 보다가 초원을 뒤따른다.

15 교회 / 예배당 / 낮

신도들이 조용히 목사님의 설교를 듣고 있는 예배 시간.
예배당 문이 활짝 열리고, 헬멧을 쓴 초원 등장한다.
신도들의 시선에는 아랑곳없이 성난 황소처럼 예배당 내부를 걸어 다니다가
드디어 수지를 발견하는 초원.
초원, 멈춰 서서 수지를 바라본다.
수지, 그런 초원을 발견하고 놀랐다가 다시 시선을 자연스럽게 목사에게로 돌린다.
수지의 남편, 시어머니, 시아버지로 보이는 수지의 가족들도
초원을 이상하다는 듯 한 번씩 쳐다본다.
초원, 자연스럽게 수지의 바로 뒷자리에 앉는다.
우진도 초원 뒷자리에 앉는다.

다시 한번 열리는 예배당 문.
이번엔 사무엘이 죄인처럼 고개를 숙이고 들어온다.
두리번거리다가 헬멧을 벗는 초원을 발견하고, 우진도 발견한다.
사무엘 쪽을 보고 있는 우진.
사무엘, 눈치껏 맨 끝자리에 앉아 습관처럼 진지하게 기도를 한다.

목사의 설교를 듣는 수지의 안색이 창백하다.
남편에게 귓속말로 뭐라 말하고는 조용히 자리에서 일어나 예배당 밖을 빠져나가는 수지.
초원이 곧 수지를 따라 나가고, 머지않아 우진도 자리에서 일어난다.

나가며 기도하는 사무엘의 옆구리를 쿡 찌르는 우진.
사무엘은 기도를 마저 한 뒤 우진을 따라나선다.

16　　교회 / 새신자실 / 낮

새신자실 앞

바닥에 놓여있는 폰.
녹음 버튼이 눌려 있고, 문 너머로 들려오는 수지와 초원의 대화가 녹음되고 있다.
닫혀있는 새신자실 문 앞에 쪼그려 앉아 있는 우진.

새신자실 내부

새신자 교육 등을 위해 마련된 작은 공간.
수지는 문을 잠근 후 문에 기대어 서서 초원을 노려보고 있고,
초원은 수지의 반대편에 멀리 떨어져서 헬멧을 들고 가쁜 호흡으로 수지를 보고 있다.

수지　　이거 스토킹이야. 알지?
초원　　나 기도하러 온 건데.
수지　　어쩌려고 여기까지 왔어...

초원이 슬쩍 창가 쪽으로 이동하며 수지와의 거리를 좁힌다.

초원　　(...) 나 안 보고 싶었어?
수지　　(말을 잇지 못한다)
초원　　내가 너 때문에 또 이렇게 될 줄 몰랐네. 연락 왔을 때 그냥 쌩깔걸.
수지　　(한숨 내쉰다) 그냥 쌩까지.
초원　　너를 다시 만나면 안 됐나 봐. 병이 도진 것 같애. (인상을 찌푸리며 한쪽 손을 가슴팍에 가져간다) 요즘 일도 손에 잘 안 잡히고, 잠도 잘 못 자겠고, 밥도 잘 못 먹겠어. 이러다 망가져서 죽겠다 싶더라고. 그래서 왔어.

수지　　　　나도... 요즘 밥 잘 못 먹어.

초원, 불타는 듯한 눈빛으로 수지를 보다가,

초원　　　　키스하고 싶어.

수지　　　　여기 교회야.

초원　　　　그럼, 안는 건 괜찮아?

수지 한동안 초원을 노려보다가 초원이 서 있는 창가로 다가간다.
그리고 초원을 데리고 창가와 창가 사이에 끌고 가 안는다.
얼마간 그러고 있는 초원과 수지.

초원　　　　언니... 우리 힘들게 만났는데 싸우지 말고 잘 만나자...
　　　　　　내가 잘할게...

새신자실 외부

교회 외벽으로 난 창문 두 개.
그 너머로 수지의 뒷모습이 어렴풋이 보인다.
껴안고 있는 수지와 초원.
사무엘, 창문이 보이는 위치의 계단에 서서 폰으로 영상을 찍고 있는데,
잘 보이지 않자 폴짝폴짝 뛰어본다.

새신자실 내부

수지, 초원에게 입을 맞춘다.
키스하며 자연스럽게 창문 앞에 벗어나는 수지와 초원.

새신자실 외부

창문 너머로 간신히 보이던 수지와 초원이 자취를 감춘다.
사무엘, 안 되겠는지 포기하고 계단을 뛰어올라간다.

새신자실 앞

사무엘, 새신자실이 있는 소강당의 유리문을 열고 고개를 내민다.
새신자실 문 앞에 쪼그려 있던 우진, 그런 사무엘을 보고 깜짝! 놀란다.
폰을 주워 들고 문밖으로 나오는 우진.

사무엘 밖에선 잘 안 보여. 녹음은 잘 됐어?
우진 했긴 했는데 잘 들릴지 모르겠네...
사무엘 아 이 커플 어렵다, 어려워.
우진 이제 너는 가서 움직여! 부자들은 집 밖에 나왔을 때가 기회야. 집 들어가면 답 없어. 오케이?
사무엘 오케이.

17 교회 주차장 / 낮

사람들과 벤츠 앞에 서서 지나다니는 사람들과 인사를 나누고 있는 수지 시모와 시부, 수지의 남편 은태, 수지.
우진과 사무엘, 교회 주차장으로 진입하기 전 구석에 택시를 정차해 놓고 그들을 지켜보고 있다.
사무엘은 폰으로 미친 듯이 그들 사진을 찍고 있다.
수지 남편 은태가 차 안에 올라타자, 재빨리 운전석으로 올라타는 우진.
사무엘, 계속 사진을 찍다가 덩달아 조수석으로 올라탄다.

18 수지 아파트 근처 도로 / 낮

벤츠를 뒤따르고 있는 사무엘의 택시. 우진이 운전 중이다.

주차장 입구의 차단기가 자동으로 올라가고 벤츠가 안으로 들어간다.
사무엘의 택시, 곧 따라 들어가려는데, 차단기가 내려와 가로막는다.
사무엘, 잽싸게 택시 문 열고 지하 주차장을 향해 뛴다!
어쨌든 차를 빼야 하니 비상등을 켜고 천천히 후진하는 우진.

19 수지 아파트 / 지하 주차장 / 낮

전속력으로 뛰어 내려온 사무엘, 숨이 차다.
하지만 다행히 주차 중인 벤츠를 발견한다.
자연스럽게 벤츠 근처로 다가가 아무 차 앞에나 서서 자기 차인 척하는 사무엘.

수지의 식구들이 주차장에서 연결된 아파트 입구로 향하자,
사무엘도 자연스럽게 그들을 따라붙는다.
수지가 현관문 자동 잠금장치에 카드를 대자 문이 열리고,
사무엘도 그 뒤로 따라 들어간다.
수지의 식구들과 함께 엘리베이터까지 같이 올라타는 사무엘.

20 수지 아파트 / 엘리베이터 / 낮

각각 38층과 42층의 엘리베이터 버튼을 누르는 손.
머지않아 다른 손이 들어와 49층 버튼을 누른다.

49층 버튼을 누른 손은 사무엘의 손이다.
수지네 식구들과 함께 엘리베이터에 올라타 있는 사무엘.
엘리베이터 안에는 침묵만 감돈다.
38층에 도착하자 내리는 시부모들.

수지 폭 쉬세요.
시부 오냐.

엘리베이터 다시 올라가고, 수지와 은태, 사무엘만 남겨졌다.
42층에 도착하자 내리는 수지와 은태.
엘리베이터 문이 닫히지 않도록 버튼을 누른 채로 수지와 은태가 향하는 집을 확인하고,
호수를 캐치하는 사무엘, 핸드폰으로 이를 찍는 데 성공한다.
목표를 성취한 사무엘, 엘리베이터 문을 닫는다.

21 비누 공방 / 내부 / 낮

장갑을 끼는 손.
눈금이 그려진 계량컵 안에 뿌려지는 검은 가루.
흰 가루가 이미 뿌려져 있는 투명 보울 위로 뿌려지고.
누군가의 손이 예리한 과도를 들고, 거대한 직사각형 덩어리를 일정한 간격으로 썬다.
고급스러운 비누의 조각들이 나오고,
비누들이 담긴 고급스러운 상자 뚜껑을 닫고,
'두 집안의 화합을 축복합니다'라는 스티커를 붙여 포장을 완성한다.
이런 종이박스가 여러 개가 쌓여 있다.

작업을 마치고 목이 뻐근한지 목운동을 하는 수지.
화학실에 있을 법한 정제수통과 각종 알 수 없는 병들이 진열장에 놓여있는 비누 공방 내부.

비누 공방 창 너머로 사무엘이 팔짱을 끼고 지나간다.
곧 다시 반대 방향에서 지나가는 사무엘.

22 비누 공방 / 외부 / 낮

틈틈이 비누 공방 안을 힐끗거리며 비누 공방 앞을 반복해서 왔다 갔다 걷고 있는 사무엘.
비누 공방 옆에 가만히 서 있는 우진.

우진 돈이 많은데 왜 이런 공방을 하지?
사무엘 취미 아닐까?
우진 비싼 취미네. 유지비가 얼마야.
사무엘 여기 건물주일 수도?

23 수지 시댁 / 내부 / 낮

부엌

부엌 안쪽 긴 테이블 창가에 앉아 안경을 쓰고 아메리카노를 마시며 노트북으로 집중해서

글을 쓰고 있는 '현숙(수지 시모)'
노트북 화면에는 어딘가에 보낼 기고문을 작성 중이다.
곧 그의 딸 '정선(수지 시누이)'이 부엌에 호다닥 뛰어 들어온다.

정선	왔어. 왔어.
현숙	그러니?

현숙이 노트북을 닫고 일어나 딸이 사라진 쪽으로 이동하면,
부엌 테이블 앞 식탁에서 분주히 일하고 있는 수지가 보인다.
근처 평양냉면 맛집에서 사 온 어복쟁반이 세팅되어 있고, 포장기에 담긴 평양냉면을
번쩍이는 놋그릇에 옮겨 담고 있는 수지.

거실

거실 바닥에 캐리어들이 네 개가 줄지어져 있다.
캐리어를 하나씩 오픈해서 가족들에게 보여주고 있는 예랑.
예랑의 맞은편 소파 쪽에 앉아서 그걸 보고 있는 정선과, 수지의 시부, 현숙.
수지는 소파와 부엌 사이에 있는 소파 의자에 앉아 웃음을 머금은 채 이를 보고 있다.
한 캐리어에는 모피코트, 한 캐리어에는 에르메스 백, 한 캐리어에는 고급 그릇 세트.
하나같이 최고급 물건들이다.
현숙이 에르메스 백과 함께 들어있던 나무 기러기를 집어 들며.

현숙	고급이라도 다 같은 고급이 아니야. 정말 하나하나가 정성이네요.
정선	(예비 신랑에게) 우리 간소하게 하기로 했잖아. 이러면 우리가 부담스럽다구...
예랑	줄이고 줄인 게 이거야. 더 드리고 싶다는데 간신히 말렸어.
정선	에이, 참... 감사하긴 한데... (부모를 본다)

이때 현숙이 뒤를 돌아보며 손가락으로 간단히 신호를 보내자,
수지가 바로 일어나서 부엌 쪽에서 종이가방들을 들고 나와 예랑에게 건넨다.

현숙 별거 아닌데 성의. 우리 집 찾은 손님들한테 기념으로 나눠드리고 있어요. 가져가서 어른들하고 친구들한테 나눠주세요.

예랑 아유, 뭘 이런 걸 다... 귀한 것 같은데요...

현숙 우리 며느리가 직접 만든 수제 비누인데, 최고급 재료만 써요. 우리도 이제는 산 비누를 못 써요.

예랑 와... 처남댁께서 금손이시네요. 정말 감사합니다.

예랑에게 쑥스럽다는 듯 미소 지으며 꾸벅 인사하는 수지.
현숙이 다시 돌아보며 손짓을 하자 수지가 바로 부엌으로 가서 준비해 둔 식탁 테이블의 식탁보를 걷는다. 놋그릇에 예쁘게 담긴 평양냉면 4개와 일회용 버너 위에 올려진 어복쟁반이 보인다.
가스버너에 불을 붙이는 수지의 손.

뒤 부엌 창고

여전히 앞치마를 메고 있는 수지, 실외기가 있는 비좁은 창가에 마련된 작은 의자에 앉아 핸드폰 문자를 확인하며 전자담배를 급하게 피우고 있다.
그때, 문 너머 부엌 쪽에 사람들이 들어오는 소리가 들리더니 말소리가 들리기 시작한다.
귀 기울이는 수지.

현숙 (V.O) 아니, 해보자는 거야 뭐야. 이렇게 해놓고 애 낳으라 마라 너 휘두르려고 할 텐데.

정선 (V.O) 엄마처럼?

현숙 (V.O) 니 오빠는 의사야. 의사는 원래 열쇠 세 개 받고 보내는 게 법으로 정해져 있어. 나는 신식이라 3억만 받은 거고.

뒤 부엌

좁고 긴 부엌에 서서 작당 모의를 하듯 대화 중인 현숙과 정선.

정선 3억? 와... 이번에 우리는 1억 보냈지?

현숙 넌 박사고, 갠 간호사였어. 의사랑 간호사랑 겜이 되니?
정선 그래도 박사 며느리한테 뭐, 엄마처럼 하시겠어.
현숙 얘. 뉴욕에서 박사 딴 사람도 휘두르는 게 대한민국 시댁이야.
정선 그럼 어떡해...

냉장고로 걸어가는 현숙.
냉동실에서 큰 락앤락 통을 하나 꺼내 온다.

현숙 이거면 되겠네.
정선 그게 뭐야?

현숙이 큰 락앤락 통을 열자 고급스러운 작은 나무 상자가 나오고, 그걸 열자 금 기러기 두 마리가 목에 비단을 두른 채로 놓여 있다.

정선 그걸 거기다 왜 넣어놨어?
현숙 생각을 해 봐라. 도둑들이 냉동실은 안 뒤질 거 아니니?
정선 그렇겠네. 엄마 장난 아니다. 근데 그게 뭔데?
현숙 니네 오빠 장가갈 때 며느리 쪽에서 보낸 예단.
정선 돌려막기 하자고?
현숙 다 그렇게 해. 너 이거 비밀로 해야 돼.

현숙이 금 기러기 한 마리를 들어 정선에게 보여준다.

현숙 얘, 얘 엉덩이 좀 봐라. 아주 포동포동하니 귀엽지? 그것이 백 돈이라 이거야.
정선 백 돈? 백 돈이면 얼만데.
현숙 국산 중형 세단 한 대는 뽑지?
정선 와... 새언니 삥 제대로 뜯겼었네.
현숙 요즘 자식 키우는 데 얼마가 드는 줄 알어? 의사 만들려면 더 들어. 막상 자식새끼 결혼시키려고 하면 본전 생각나는 거고. 그럼 다 강도 되는 거야, 이것아.

정선 (...) 그래도 그렇지... 언니가 보낸 걸...

현숙 어차피 내 건데 무슨 상관이야. 이거 니네 시댁에 보내면 우리가 이긴다?

뒤 부엌 창고

어느덧 문 근처까지 다가와 대화를 엿듣고 있는 수지. 두 눈을 시퍼렇게 뜨고 주먹을 꽉 쥔다.

복싱 미트를 낀 손에 글러브를 낀 손이 들어와 주먹질을 한다.
수지와 초원만 있는 휑한 훈련장.
초원이 미트를 낀 손을 펼쳐 대주고 있고, 수지가 분노의 주먹질을 하고 있다.

초원 손목 말고 어깨 힘으로.

수지 (시키는 대로 해보는 듯하다)

초원 그러취. 그냥 휘둘러. 참지 마. 휘둘러!

수지 마구 치다가 으아아아 소리 지르면서 주먹질을 마구 한다.

수지 (다시 시작되는 주먹질) 시댁! 꺼져! 으아아아!

초원과 수지, 바이크를 타고 서울의 야경이 보이는 소월로를 안정감 있게 달린다.
수지는 뒤에서 초원을 꼭 끌어안고 있다.
한 덩어리로 보이는 두 사람.
그 뒤를 쫓는 사무엘의 택시.

초원, 빨간색 불이 켜 있는 신호등 앞에서 기어를 변속하며 바이크를 멈춘다.
그래도 계속 초원을 꼭 끌어안고 있는 수지.
떨어져서 따라오던 사무엘의 택시도 오토바이 옆 차선으로 이동하며 멈춰 선다.

그때, 신호가 녹색으로 바뀌고, 초원이 바이크에 기어를 넣고 출발한다.
바이크보다 출발이 늦은 사무엘의 택시.

외부

각종 운동 도구들이 놓여있는 옥상 마당.
초원과 수지, 집 안에서 담배처럼 생긴 것 한 대를 나눠 피우고 있다.
열린 옥탑방 창문 너머로 재를 털며 하얀 연기를 뱉는 두 사람.

어때? 느낌 와?
모르겠는데?
이 귀한 걸 그렇게 낭비하면 어떡해. 한 모금 빨면 바로
나한테 넘겨.
(한 모금 빨고 넘기며) 어디서 구했대?
그런 것까진 알 거 없고. 간신히 구한 거야. 너 좋으라고.
이거하고 하면 그렇게 좋다더라?
해봤나 보네?
아니? 오늘 한 번 해보려고.
많이 대범해졌네. 우리 초원이.

화면 아래로 내려가면, 창문 밑에 잔뜩 쪼그린 채 앉아 있는 우진과 사무엘,
재가 떨어지지만 참고 있다. 소리가 날까 입을 막고 숨도 쉬지 않고 있다.
수지, 다 피웠는지 재를 털며 창문을 닫고 창문 앞에서 떠나는데..

(킁킁거리며 속닥) 이거 담배 냄새 아니지.
(킁킁거리며 속닥) 어. 아냐.
(속닥) 이거 그거네. 우리 신혼여행 갔을 때 했던 거.
미친 새끼들.
(속닥) 맞네. 그거네. 부럽다...
(속닥) 이제 곧 뭐든 건지겠네. 잘 찍자.

사무엘 (속닥) 난 도저히 못 찍겠어. 니가 찍어.
우진 (속닥) 아, 맞다. 너 젠틀맨이지?
사무엘 (실실 웃으며) 흐흐.
우진 (속닥) 냄새 맡고 취했어? 조용해,

우진이 폰을 꺼내려 하자 그걸 보고 뭐가 웃긴지 혼자서 조용히 낄낄 웃기 시작하는 사무엘.
우진이 걱정스럽다는 듯 그런 사무엘을 보다가 창가로 이동해 사진을 찍기 시작한다.
안에서 들려오는 목소리들.

수지(v.o) 오늘 구석구석 다 빨아줄게. 니 몸에 내 침이 안 묻는 곳이 없게.
[illegible] 그동안 어떻게 참고 살았대. 여자 킬러께서.
[illegible] 죽는 줄 알았어. 그래서 연락했잖아.

우진이 집중해서 사진을 찍고 있다.

우진 (혼잣말로 속삭이며) 나이스샷.

우진이 열심히 사진 찍는 동안 사무엘은 골똘히 어딘가를 보고 있는데,
그의 시선 끝에는 창가 구석에 놓인 종이에 말린 풀떼기 두 개가 놓여 있다.
슬쩍 그것에 손을 뻗어 자신의 주머니로 가져오는 사무엘.

이때 갑자기 문이 열리는 소리가 들리고, 사진을 찍다 놀란 우진이 사무엘을 끌고 후다닥 옥탑방 계단 아래로 사라진다.

27 초원이 자취집 / 앞 / 밤

초원 집 계단이 잘 보이는 통행로 계단에 걸터앉아 초원 집을 주시하고 있는 우진과 사무엘.
옥탑방 옆 계단을 쿵쾅거리며 내려오는 수지.
뒤를 따라 내려오는 초원.

초원 진짜 갈 거야?

수지 응. 가야 돼.

계단을 다 내려와서 수지를 붙잡고 돌려세우는 초원.

초원 나 뭐 하나만 물어보자. 너 남편 사랑해?
수지 사랑하지. 내 남편 현금으로 3억짜리야. 예단으로 그 정도 썼거든. 근데 어떻게 안 사랑해. 사랑해야지.

수지 초원을 뿌리치고, 가던 길을 간다.
수지의 뒷모습을 향해 소리치는 초원.

초원 너 지금 나가면 다시는 나 못 볼 줄 알아.
수지 알겠어.

계단 위에 숨어서 이를 보고 있는 우진과 사무엘.

우진 또 헤어졌어?
사무엘 왜케 헤어져...
우진 헤어져도 상관없어, 이제. 증거 샷 건졌거든.

우진과 사무엘의 시선으로 보이는 초원,
반소매 티셔츠 차림으로 우두커니 계속 서 있다.

28 수지의 아파트 / 주차장 / 밤

아파트 주차장에 주차를 하는 수지의 벤츠.
곧 운전석에서 대리기사가 차에서 내리고 인사를 꾸벅하고 간다.
수지 바로 내리지 않고, 핸드백에서 향수를 꺼내어 몸 여기저기에 뿌린다.
그때 운전석 문이 벌컥 열리더니 웬 남성이 탄다.
수지, 놀라서 꺅하고 비명을 지른다.

그러자 수지 쪽으로 고개를 돌리는 남성, 수지의 남편 은태가 수지를 바라보고 있다.

은태　브라보! 향수 냄새가 진동을 하네.

수지, 화들짝 놀란 가슴을 진정시키며 애써 웃음 짓는다.
가운 차림으로 수지의 앞에 나타나는 은태, 위스키병을 들고 있다.

수지　아우, 깜짝이야. 뭐 해 여기서.
은태　당신이야말로 여기서 뭐 하는데.
수지　나? 나... 그러게 나 여기서 뭐 하냐.
은태　대리는 뭐야. 당신 술 마셨어?
수지　아... 한 모금 했어. 딱 한 모금.
은태　술 못 마시잖아 당신. 누구랑 마셨는데?
수지　나 대학교 때 친구.
은태　친구 누구?
수지　있어... 소원이라고...
은태　소원? 첨 듣는 이름인데.
수지　옛날 친구야.
은태　그래? 근데, 집 들어오면서 무슨 향수를 그렇게 뿌려.
뭐, 숨기고 싶은 냄새가 있나?
수지　뭔 소리야. 나 원래 향수 좋아하는 거 알잖아.
은태　(위스키 한 잔 마시고) 너도 알지? 너 요즘 이상한 거.
수지　내가 뭘...
은태　(한숨) 내가 이거 물어볼지 말지 정말 고민 많았는데...
그냥 물어볼게.
수지　뭔데.
은태　너. 혹시 바람피우니?
수지　(화들짝) 뭐?
은태　너 남자 생겼냐고. 요즘 자주 늦고... 자주 웃고. 없던
생기가 돌잖아.
수지　남자? (안도) 에이... 남자는 무슨. 남자 안 만나.
은태　정말 남자 생긴 거 아니야?

수지 남자? 하늘에 맹세코 남자, 절대 아니야.

은태 하나님 앞에서 맹세할 수 있어? 우리 아들 걸고 맹세할 수 있어?

수지 하나님 앞에서 맹세할게. 우리 아들 걸고 맹세할게.

은태 (수지 눈을 들여다보며) 정말이네. 눈빛에 흔들림이 없네.

수지 그럼.

은태 (흐뭇하게 고개 끄덕이며) 올라갈까?

은태와 수지가 차에서 내린다. 그리고 함께 엘리베이터로 걸어간다.
걸어가던 수지, 잠시 뒤를 돌아보며 화면 쪽을 보고는 어쩔 수 없다는 표정을 짓고는 남편 은태와 함께 사라진다.

29

수지와 초원이 찍힌 사진들이 컬러 프린트기에서 프린트되어 나오고 있다.
프린트기 앞에 서서 이미 출력된 협박문을 보고 있는 우진.
사무엘은 거실 컴퓨터 책상에 앉아 있다.
Suji-Choweon 폴더 안에 '음성 녹취록'과 '사진' 폴더를 만들고, 지금까지 모은 파일들을 드래그해서 옮기는 사무엘.

사무엘 이 정도면 될라나.

우진 충분해. 근데 마지막에 이 문장 하나 추가해 볼까? 천 원이라도 부족할 시, 똑같은 서류가 바로 시댁과 치과로 배달될 예정이다.

사무엘 (...) 오케이.

우진 좋아, 좋아.

사무엘, 협박문.hwp 파일을 열어 협박문에 새로운 문장을 적어 넣는다.
사무엘이 모니터에 집중한 채 우진에게 말한다.

사무엘 우진.

우진 왜.

사무엘 우리 오늘 노력 좀 해볼까?

우진 노력? 갑자기?

사무엘 어. 내가 뭐 쫌 준비했거든.

우진 뭐. 돔페리뇽이라도 샀어?

사무엘 (하찮게 비웃으며) 돔페리뇽? 내 참.

사무엘이 주머니에서 힘겹게 무언가를 꺼내려 한다.
뭐지 싶어 주머니만 보는 우진.
사무엘, 주머니에서 그것을 빼 든다. '그것'이 든 비닐봉지.

(씩 웃으며) 아까 슬쩍 쌔볐지. 이거하고 하면 그렇게 좋대.

야...

우진의 놀란 얼굴.

〈CUT TO〉
활짝 열린 거실 창. 가끔 불어오는 바람에 커튼이 살랑살랑 너울대고 있고,
에어컨이 빵빵하게 돌아가고 있다.
다 핀 '그것'의 꽁초 두 대가 물컵에 담겨 있다.

비좁은 소파에 딱 붙어있는 우진과 사무엘.
우진은 식빵 봉지를 통째로 들고 식빵을 뜯어 먹고 있고,
사무엘은 우진의 무릎을 베고 누워 미친 듯이 웃고 있다.

우진 (피식 웃으며) 뭐가 그렇게 웃겨!

사무엘 (계속 낄낄대며) 아 웃긴 걸 어떡해! 겁니 웃겨... 너 지금 식빵 한 봉지 다 먹었어! (이 뒤로 계속 낄낄댄다)

우진 (덩달아 낄낄대며) 알 바임?

사무엘 아 너 먹는 게 왜 이렇게 웃기지? 우리 이렇게 웃는 거 진짜 오랜만이다!

우진　야, 근데 약발 떨어지기 전에 노력하기로 한 거 해야지. 하자매.

사무엘　뭐?

우진　섹스.

사무엘　(빵 터지며) 아 섹스래! 겁니 웃겨... 또 말해봐, 또! 뭐라고?

우진　미친... 섹스!

사무엘　아 미치겠다, 섹스래! 겁니 웃겨! 섹스가 뭐야?

우진　섹스가 뭐냐고? 알려주지.

우진, 식빵을 먹다 말고 사무엘을 귀엽다는 듯 보더니 사무엘의 목덜미를 미친 듯이 혀로 애무하기 시작한다.

간지러워서 자지러지듯이 웃는 사무엘.

그리고 사무엘의 성기에 손을 가져가서 조몰락거린다.

우진　아이고 말랑말랑... 말랑도 해라. 얘가 일어날 생각을 안 하네.

사무엘　우진 나 왜케 어지럽지? 나 잠자리가 보여!

진지하게 계속 사무엘을 애무하는 우진, 갑자기 애무하다 말고 식빵을 한 번 더 뜯는다.

우진　이거 하고 섹스하면 좋다매. 흐흐.

사무엘　(계속 낄낄 웃으며) 평상시에도 하는 사람들한테만 좋은 거고 우리같이 안 하는 사람들은 뭘 해도 안 되나 봐!

우진　이거까지 했는데도 섹스가 안 되는 거면 우리 그냥 망한 거 아닌가?

사무엘　우리? 우리 진작에 망했지~! 몰랐어?

우진　알았지. 너는 모를 줄 알았지.

사무엘　망했어 우리. 인생 폭.망. 대출에 범죄에 섹스까지 폭망.

사무엘, 그런 우진을 보며 눈물까지 흘리며 웃다가 갑자기 헛구역질을 한다.

휘청거리며 일어나더니 고개를 좀비처럼 오른쪽으로 기울이곤 화장실로 향한다.

화장실에서 사무엘이 구토하는 소리.

우진 아, 허기져 시발.

남은 식빵 하나를 꺼내 입에 물고 식빵 봉지를 던져버리는 우진.

30 우진과 사무엘의 아파트 / 부엌 / 낮

초췌한 얼굴로 커피를 내리고 있는 사무엘.
커피를 잔에 담아 식탁에 앉아 있는 우진에게 건넨다.
우진, 말없이 커피 마시고, 사무엘도 눈치를 보며 커피를 마신다.
서로 머쓱해서 말이 없는 두 사람.

사무엘 어제... 그...
우진 다신 하지 말자.
사무엘 응.
우진 서류는 다 준비했지? 실수 없이 하자.
사무엘 응!

식탁 위 준비된 서류봉투.

31 비누 공방 / 앞 / 낮

비누 공방 문틈에 꽂혀 있는 서류봉투.
수지가 공방에 출근하며 이를 발견한다.
갸우뚱하며 봉투를 문틈에서 뽑아서 들어가는 수지.
공방 안에 들어가서 봉투를 열어보고는 놀라더니,
곧 핸드폰을 꺼내어 어디론가 전화를 한다.

32 액션스쿨 / 외부훈련장 / 낮

액션스쿨 외부. 액션 촬영 테스트를 하고 있다.

초원, 차의 조수석에 매달려가다가 차가 급정거하며 멈춰 서자 바닥으로 굴러떨어진다.
옆으로 데구르르 구르다 멈추는 초원.

액션감독 잘했어! 한 번 더 가보는데, 이번에는 몇 바퀴만 더 굴러보자. 다람쥐처럼!

초원, 힘겹게 일어나 다시 원래 위치로 돌아간다.
다시 차의 조수석에 매달리는 초원,
자동차가 아까보다 더 빠른 속도로 도로를 달리다 급정거하면서 멈추면, 초원이 떨어져 데구르르르르 구른다.
액션 감독이 초원에게 달려간다.

액션감독 안 다쳤어?
초원 말짱합니다. 괜찮았어요?
액션감독 좋아, 좋아. 현장에서 이대로만 하면 돼.

멀리서 이 광경을 심각한 얼굴로 보고 있는 수지.

33 액션스쿨 / [illegible]

수지와 초원 구석에 마주 보고 서 있다.
초원, 어깨 쪽을 다쳤는지 스트레칭을 한다.
눈을 시퍼렇게 뜨고 초원에게 웬 협박 서류를 건네는 수지.

초원 이게 뭐야?
수지 몰라?

초원, 서류를 열어보고 눈이 휘둥그레진다.

초원 우리 사진이네?
수지 (...)
초원 (몇 장 더 보더니 실소하며) 사천만 원? 이 새끼들 내가

찾아서 죽일게. 걱정하지 마. (비닐봉지에 든 '그것'
사진 보며) 이것도 찍었네?

(말없이 초원을 관찰 중)

짐작 가는 사람 없어?

있지.

누구. 시댁? 남편?

너.

(...) 나? 에이 장난이지?

너인지 아닌지 확인하러 온 거야.

(실망한 낮은 목소리로) 너 진짜 너무한다. 어떻게 그런
생각을 할 수가 있냐.

합리적 의심이지. 그동안 나한테 당한 거 많잖아.
너 돈도 필요하고... 그날도 나 엿 맥이려고 일부러 그거
준 거 아니야?

그걸 지금 말이라고 하냐?

하긴, 니가 이런 짓 했어도 했다고 잘도 얘기하겠다.
내가 생각이 짧았네.

아무리 놀랬어도 그렇지 씨발 어떻게 날 의심하냐. 다른
인간도 아니고 니가!

너든 아니든, 그냥 이렇게 우리 관계 끝내는 걸로 하자.

나 진짜 아니라니까?!!

그래. 아니겠지,

내가 이 새끼들 반드시 찾아서 증명할게. 헤어지든 말든
시팔, 이건 너무 억울해서 미쳐버릴 것 같네?

그냥 다신 내 앞에 나타나지 마. 내 인생 꼬지 말고.
어떻게 보나 우린 너무 위험한 관계야.

수지, 초원에게서 서류 뺏어 들고는 자리 뜬다.
골목에 혼자 남겨지는 초원, 악다구니를 쓰며 욕설을 내뱉는다.

34 비누 공방 / 내부 / 밤

기러기 모양의 실리콘 몰드에서 굳은 비누를 꺼내는 수지.
두 개의 기러기 모양의 비누에 금색을 칠한다.
완성된 금 기러기 비누 한 쌍을 바라보는 수지.

35 수지 시댁 / 낮

거실에서 시모가 네다섯 명 정도 되는 인원과 함께 앉아 찬송가를 틀고 찬송을 부르고 있다.
사람들 옆에는 수지네 비누 공방 종이 가방을 하나씩 옆에 두고 있다.
수지, 부엌에서 도라지 정과와 멜론, 망고 등을 능숙하고 아름답게 플레이팅 한다.
플레이팅한 접시를 다과상에 올려놓는 수지, 다과상을 들고 거실로 나간다.
찬송하는 사람들 앞에 다과상을 조심히 내려놓는 수지.
시모가 찬송을 부르며 수지에게 눈인사를 하고, 신도들도 같이 수지에게 인사를 한다.
수지, 수줍게 인사를 끝내고, 일어나 거실을 빠져나간다.
그리고 슬쩍 뒤 부엌으로 들어간다.

뒤 부엌

찬송가 소리가 들려오고, 수지는 냉동실 문을 연다.
시모가 꺼냈던 통을 열고, 그 안에 궤짝도 연다.
금 기러기를 한 마리 빼내고, 자신의 앞치마 주머니에 들어 있던 가짜 금 기러기를 집어넣는다.
그리고 나머지 한 마리도 같은 과정으로 바꿔치기를 한다.
냉동실 문을 오래 열어둬서 울리는 삐―삐 소리.
찬송가를 부르던 현숙이 힐끔 부엌 쪽으로 보며 계속 노래를 부른다.
수지는 얼른 원래대로 궤짝을 덮고 보자기로 감싼 후 뚜껑을 덮고 냉동실 문을 덮는다.
그리고 아무 일도 없다는 듯 현숙과 찬송가 부르는 무리 앞을 지나간다.

36 소월로 / 밤

수지와 초원이 바이크를 타고 달리던 소월로.
보행로에 우진과 사무엘이 2화에서 이용했던 거사퀵 스쿠터가 번호판이 뜯겨진 채로 폐차처럼 놓여있다.

수지의 차가 비상등을 켜며 보행로 가까이 멈춰 선다.
차에서 버킨백을 들고 내리는 수지,
스쿠터 위에 버킨백을 올려놓고, 다시 차에 올라타 시동 걸고 사라진다.

머지않아 보행로 너머 계단 아래 숨어 있던 우진과 사무엘,
오토바이 헬멧을 쓴 채로 계단 위로 올라온다.
우진이 가방을 챙겨 들고 메는 사이에 사무엘이 오토바이에 재빨리 올라타며 시동을 건다.
우진이 뒷좌석에 타자마자 오토바이 출발시키는 사무엘.

스쿠터를 타고 껴안은 채로 도로를 달리고 있는 사무엘과 우진.
헬멧을 쓰고 있어 보이진 않지만 왠지 신나 보인다.

우진	사무엘! 이번엔 제대론 것 같은데? 묵직하네?
사무엘	묵직해?
우진	응! 무게감이 달라. 집에 가서 열어보자!
사무엘	와!!! 이게 진짜 또 되네?!!

환호성을 지르는 우진과 덩달아 환호성 지르며 스쿠터를 타고 달리는 사무엘의 모습.
바이크를 탄 초원, 일부러 속도를 내지 않고 멀리서 스쿠터를 따라붙고 있다.

39 도로 / 밤

도로

도로 신호등의 불빛이 녹색에서 빨간색으로 바뀐다.
횡단보도 앞에서 정차하는 사무엘, 백미러를 확인해 보는데...
그 순간, 백미러 안으로 들어오는 초원의 바이크.
이를 본 사무엘, 놀라서 우진에게 말한다.

사무엘 뒤에 초원 씨 붙었어. 좆됐다.

우진 (놀라 뒤돌아보고는) 쟤가 왜 저기 있어?

사무엘 꽉 붙잡아!

급하게 스쿠터 유턴시키는 사무엘!
유턴하자마자 골목으로 들어가 버리고,
초원도 유턴하며 얼른 따라붙는다.

좁은 길

좁은 길을 질주하는 사무엘과 우진의 스쿠터.
우진은 뒤에서 사무엘을 꼭 껴안고 있다가 고개 돌려 뒤를 본다.
미동 없이 여유롭게 스쿠터를 따라오고 있는 초원.

우진 쟤 계속 따라와!

또 코너를 꺾어 도망치는 사무엘의 스쿠터.
금방 따라붙는 초원의 바이크.

(1) 좁은 길

사무엘과 우진의 스쿠터를 뒤에서 쫓고 있는 초원의 시점.
사무엘과 우진의 스쿠터가 골목에서 골목으로 꺾고, 또 골목에서 골목으로 꺾는다.
그 뒤를 집요하게 따라붙는 초원.

(2) 좁은 길-도로

사무엘과 우진의 스쿠터가 골목을 벗어나 도로변으로 나간다.
차들이 별로 없는 서울의 2차선 도로.

사무엘의 스쿠터, 느리게 달리는 차를 추월하며 위태롭게 나아간다.
스쿠터를 따라 덩달아 차를 추월하려는 초원, 하지만 맞은편에서 달려오던 차에 막힌다!
차가 지나가자 지체 없이 앞 차를 추월해 버리는 초원,
사무엘의 스쿠터 바로 뒤쪽으로 금방 따라붙는다.

(3) 도로

스쿠터의 기름 게이지가 바닥이 났다.
그것을 확인하는 사무엘.
초원, 사무엘과 우진의 스쿠터가 망설이는 게 보이자 속도를 올려 스쿠터 바로 옆으로 붙는다.
스쿠터에 바이크를 자꾸 갖다 대며 위협 운전을 하는 초원!

초원 세워! 죽기 전에 세워!

사무엘, 그런 초원의 바이크 때문에 자꾸 옆으로 밀리고, 맞은편에서 달려오는 차가 경적을 울리며 간발의 차로 사무엘의 스쿠터를 비껴간다!

초원, 레버를 당겨 간단하게 스쿠터를 추월해 버린다.
사무엘의 스쿠터를 뒤에 두고 속도를 줄이며 뒷바퀴를 들었다가, 양옆으로 이리저리 흔들며 묘기를 부리는 초원.

사무엘 우진, 오토바이 멈출 테니까.
우진 왜!
사무엘 이러다 둘 다 죽어! 그냥 오토바이 버리고 양쪽으로 갈라지자! 그게 더 유리하겠어!
우진 오케이!

사무엘, 달리다가 돌연 스쿠터를 멈춘다. 끼이익!
우진, 내리자마자 반대 방향으로 뛰기 시작하는데,
웬일인지 스쿠터에서 내리지 않고 초원을 노려보는 사무엘, 레버를 당기며 다시 출발한다!

뒤가 조용해진 게 이상한지 속도를 줄이며 백미러를 보는 초원,

전속력으로 다가오는 사무엘의 스쿠터가 보인다!
고개를 기웃하며 천천히 달리는데, 사무엘의 스쿠터가 어느새 초원의 뒤로 따라붙었다.
겁 없이 초원의 바이크를 향해 위협 운전을 하는 사무엘!
초원, 사무엘의 기세에 당황하여 잠시 주춤하더니, 사무엘의 몸을 발로 차 버린다.
그러자 중심을 잃고 휘청이는 사무엘 얼굴에서 극도의 공포스러운 얼굴이 고속으로 보여진다.
그러다 결국 옆으로 고꾸라 넘어지는 사무엘, 데굴데굴 구르다 멈춘다.

바이크 돌리면서 레버를 당겨 바퀴를 헛돌게 하는 초원.
RPM 게이지가 오르고 바닥에서 흰 연기가 피어오른다.
다시 레버를 당겨 엎어져 있는 사무엘을 지나쳐 달린다.

질주하던 초원의 바이크, 속도를 줄이며 뛰고 있는 우진의 옆으로 바짝 붙는다.
우진은 더운지 헬멧을 벗고 뛰고 있다.
바이크 속도를 우진의 달리기 속도에 맞추는 초원.
우진, 포기하지 않고 한참 달리다가 속도가 점점 줄어들고... 결국 욕하며 멈춰 선다.
헥헥대며 숨을 고르는 우진.
초원, 천천히 바이크 세우고 내려 우진을 마주 보고 선다.
헬멧을 벗어서 바닥에 던져버린다.
초원보다 키가 큰 우진, 쫄지 않고 초원의 앞에 당당하게 선다.

우진 어쩔 건데.
초원 일단 좀 맞고 시작하자.
우진 뭐?
초원 나 여자라고 안 봐준다?

초원, 말 끝나자마자 우진의 얼굴을 향해 있는 힘껏 주먹을 날린다.
어찌나 세게 때렸는지 비명을 지르면서 나가떨어지는 우진.
우진, 자빠진 채로 고개를 들자 맞았던 파워에 비해 얼굴이 깨끗하다.
반사적으로 자신의 코에 손을 갖다 대며 피가 나는지 확인하는데,
피가 없음을 확인하고는 씨익 웃는다. 그때 입에서 피가 흐른다.
무언가 잘못된 것을 느낀 우진, 입에서 뭘 굴리더니 뱉는데, 어금니가 하나 빠져나온다. 자신의 어금니를 보고는 초원을 노려보는 우진.

우진　　도른년아. 뭘 처먹고 살아서 이렇게 힘이 쎄!!!

초원, 쓰러진 우진에게 다가가 머리끄덩이를 잡고 일으켜 세운다.

초원　　이제 시작이야. 어금니 꽉 싸물어.

초원이 머리끄덩이를 잡은 채로 가차 없이 우진의 얼굴에 주먹질을 한다.
한 대, 두 대, 세 대.

우진　　(손 들고 얼굴을 가리며) 잠깐만! 잠깐만요! 제발 잠깐만요!

초원, 또 때리려던 주먹을 멈춘다.
초원에게 머리채를 잡혀 있어 얼굴이 보이지 않지만 살려고 절박하게 외치기 시작하는 우진.

우진　　잘못했습니다. 제발 그만 때리시고 대화로 풀어주세요.
초원　　대화? 너 같은 인간이랑 내가 대화를 해?
우진　　정말 잘못했습니다. 그냥 다 돌려드릴게요. 그러니까 그만하세요.
초원　　그래. 돌려줘.

우진, 꼭 안고 있던 가방을 초원에게 건넨다.
우진에게 가방 건네받고 주머니에서 핸드폰을 꺼내어 어딘가로 전화하는 초원.
우진의 머리끄덩이는 계속 초원에게 잡혀있다.

수지(e)　　여보세요.
초원　　언니! 나 잡았어, 언니 협박한 새끼들.
나 아니라고 했잖아! 내가 언니 돈도 돌려받았어!
수지(e)　　(한숨 내쉬며) 그 사람들 그냥 보내줘. 가방도 그냥 주고.
초원　　그게 무슨 말이야... 이 새끼들 완전 악질이야.
수지(e)　　그냥 보내줘.
초원　　(한숨 푹 내쉬며) 아니? 난 이 새끼들 죽일 건데?

우진, 놀라서 초원을 바라본다.
초원 전화에 집중하기 위해 우진의 머리끄덩이를 놓고 두 손으로 전화를 받는다.
우진, 힘이 풀려 바닥에 주저앉는다.

40 수지 시댁/부엌/밤

수지가 시댁 부엌에서 야경을 보며 통화를 하고 있다.
현숙이 노트북을 하던 그 자리이다.

수지 그 가방에 든 거 뭔 줄 알아? 금이야. 백 돈짜리 두 개. 우리 아빠가 나 시집 보내면서 시댁에 해준 거야. 근데 그게 엉뚱한 데 갈 뻔했다? (헛웃음 내뱉으며) 그래서 그냥 걔네 줘버렸어.

초원(e) 그 귀한 걸 왜 얘네한테 줘야 되는데!

수지 인간은 자기 잘못에 대한 대가를 치러야 되는 순간이 있어. 나도 바람피운 잘못에 대한 대가를 치르는 거고, 우리 시댁도 잘못했으니 대가를 치러야지. 한 번에 다 치른 거야.

초원(e) 도대체 무슨 소리야.

수지 그동안 너 의심해서 미안해. 그리고 너 마음고생시킨 것도 미안하고.

초원(e) 언니... 아, 진짜... 나 언니랑 헤어지면 안 돼...

수지 우리, 오늘부터 제대로 사귀자. 이게 나쁜 거라면 나쁘게 살래.

초원(e) (갑자기 복받치는) 정말로? 정말이야?

수지 보고 싶다. 그 사람들이랑 그 가방이랑, 다 두고 빨리 와.

초원(e) 응. 언니. 갈게. 당장 갈게.

수지 전화를 끊자, 현숙과 정선이 때마침 부엌으로 들어온다.
냉동실에서 금 기러기가 들어있는 락앤락 통을 꺼내 둘이 다시 사라진다.

수지 (활짝 웃으며) 잘 다녀오세요 어머님.

그들의 뒷모습을 바라보며 활짝 웃고 있는 수지의 얼굴.

41 도로 / 밤

40씬과 이어지는 상황.
전화 끊는 초원, 감격스럽다.
얼마간 감격에 빠져 있다가 우진을 노려보면,
우진, 얼른 무릎을 꿇고 바로 머리를 조아린다.
눈물을 닦으며 가방을 다시 우진 앞에 던져 버리는 초원.

초원	이거 먹고 떨어져. 니들 한 번만 다시 우리 앞에 나타나면 그땐 진짜 죽어. 알았어?
우진	(...)
초원	알았어, 몰랐어. 대답 안 해?
우진	네.

초원, 바닥에 떨어져 있던 헬멧을 쓰고, 바이크에 다시 올라탄다.
시동 걸고 급하게 출발한다.

맞아서 얼굴이 엉망이 된 우진, 긴장이 풀리며 몸이 덜덜 떨리기 시작한다.
초원이 바이크를 타고 떠나자 허겁지겁 바닥에서 일어나 가방을 들고 사무엘을 찾아 다리를 절며 걷기 시작한다.

어느덧 쓰러져있는 사무엘의 앞에 도달한 우진,
사무엘의 앞에 쪼그려 앉아 사무엘을 흔들어 깨우려 한다.

우진	사무엘. 사무엘!!!
사무엘	(...)

우진 부랴부랴 주머니에서 폰 꺼내 119로 전화 거는 우진.

우진 여기 교통사고가 났거든요? 남편이 다쳤는데 의식이 없어요... 빨리 좀 와주세요. 아... 여기 주소가요.

그제야 주위를 둘러보는 우진.
사람의 인적이라곤 없는 한적한 도로.
그런 우진의 모습과 엎어져 있는 사무엘, 부서진 스쿠터가 멀리서 작게 보인다.

42 응급실 / 밤

응급실 침대 두 칸에 나란히 누워 있는 우진과 사무엘이 부감으로 나란히 보인다.
사무엘은 의식이 없고, 우진은 눈만 껌뻑이고 있다. 곧 의사들이 나타나 사무엘을 수술실로 이동시키고, 우진 혼자 덩그러니 누워있다. 곧 우진 쪽에도 간호사들이 다가와 다친 얼굴에 거즈를 닦으며 치료를 하기 시작한다.

우진 제 남편은 괜찮을까요?
간호사 경미한 뇌진탕이라 응급수술하면 괜찮으실 거니 걱정 마세요.
우진 다행이네요.
간호사 천만다행이죠. 부부가 어쩌다 이렇게 다치셨어요.
우진 (초점 나간 눈으로) 먹고살다가요.

우진의 한쪽 눈에서 눈물 한줄기가 흐른다. 텅 빈 얼굴을 타고 흐르는 눈물.

43 동네 금은방 / 낮

시계도 팔고, 반지도 파는 동네 금은방.
금 기러기 두 마리가 전시대 위에 빛나고 있고, 그 옆에 수지의 버킨백이 열린 채로 놓여있다.
후드를 뒤집어쓰고 선글라스까지 쓰고 있는 우진.
코에는 붕대가 붙어있고, 한쪽 눈가에는 긁힌 상처가 있다.

사장 금 장사 40년 하면 눈이 저울이야. 딱 봐도 100돈이네.
우진 100돈이요?

사장	지금 시세면 100돈이면 (계산기 두드리더니) 한 이천팔백은 나오겠네.
우진	이천팔백밖에 안 돼요?
사장	(버킨백을 눈으로 가리키며) 이거도 파는 거야?
우진	네?
사장	상태 좋네. 이거까지 합치면 사천은 나오고.
우진	(깜짝 놀라며) 가방도 잘 아세요?
사장	와이프가 가방 팔거든. 하여튼 지금은 금 팔 생각 안 하는 게 좋아요. 요즘 금값이 많이 오르고 있으니까 더 오르면 팔아.

알 수 없는 우진 얼굴.

44 병원 입원실 / 낮

머리에 붕대를 감고 있는 사무엘, 입원실 침대에 우울하게 누워있다.
잠시 곰곰이 생각하더니 침대 머리맡 안에 두었던 핸드폰을 꺼내어 어딘가로 전화를 건다.
한참 신호가 가고, 누군가 받는 소리가 들린다.

사무엘	오랜만이네요.
상대방(e)	(우는 소리)
사무엘	연락 못 해서 미안해요. 많이 기다렸어요?
상대방(e)	큰일 난 줄 알았잖아요...
사무엘	나 진짜 죽을 뻔했어요. 근데 그 순간에 당신 생각이 나더라구요.
상대방(e)	(우는 소리)
사무엘	우리... 만날래요?

눈시울이 붉어진 사무엘의 진지한 얼굴. 처음 보는 얼굴이다.

-끝-

Episode 5

불구경

원 플러스 원이더라구요. 저도 은혜는 갚아야죠.

그냥 청소 같이 했을 뿐이잖아요.

1 민수의 집 / 안방 – 거실 / 아침

남자의 입술에 여자의 입술이 대충 붙었다 떨어진다.
이곳은 안방 침실.
포마드를 발라 깔끔한 커트 머리에 안경을 끼고 앞치마를 한 '민수(여/30대)',
협탁 위에 알약 한 개와 물컵을 올려둔다.
침대에서 잠들어있던 '동국(남/30대)', 곡소리를 내며 일어나 눈을 감고 민수가 두고 간 약을 간신히 먹는다.

〈CUT TO〉
거실에 앉아 캐리어 가방에 속옷, 양말, 여러 옷가지들을 곱게 개어 넣고 있는 민수의 모습이 안방 문 너머로 보인다.
동국은 안방 침대에 앉아 핸드폰을 보며 팬티 안에 손을 넣고 있다.

동국 뭘 그렇게 많이 넣어. 5일 동안 그거 다 입지도 못해.
민수 혹시 모르잖아.
동국 당신 요즘 무슨 일 있어?
민수 응? 왜?
동국 집이 웬일로 이렇게 지저분한가 해서? 그렇게 청소 좋아하는 사람이.
민수 그래? 그냥 좀... 요즘 청소가 재미가 없네. (사이) 당신 아직이야?
동국 (잠시 아래쪽을 보고) 응, 아직이네.
민수 우리도 그냥 시험관 알아볼까?
동국 왜? 섹스 없이 애 갖는 거 임신 기계 되는 것 같고 이상하다며.
민수 그랬는데, 이게 더 이상한 것 같아서.
동국 (갸우뚱) 그래? 뭘까? 뭐가 이상한 걸까?
민수 아니... 우린 주말에만 보는데 당신 이것만 하고 가고... 좀 동물들 같잖아. 당신은 괜찮아?
동국 난 좋은데?
민수 아... 그래?

동국　　응. 당신은 안 좋아? 나 안 사랑해?
민수　　사랑하지...
동국　　근데 뭐가 문제야. 사랑하고, 섹스하고, 2세 계획도 하고. 완벽한데! (사이) 어?!!
민수　　왜.
동국　　여보. 왔어. 왔어.
민수　　왔어?
동국　　응! 될 것 같애!

민수, 옷을 개다 말고 일어나 안방으로 들어온다.
롱치마 안에서 팬티만 얼른 내리고, 화장대 서랍장에서 젤을 꺼내, 급하게 성기 부분에 바른다.
침대에 누워 있는 동국 앞으로 다가와 뒤돈 채로 치마를 펄럭 젖히며 동국 위에 앉는다.
그러고는 몸을 위아래로 움직이기 시작하는 민수.

동국　　오늘 느낌 좋다. 나 5일 동안 씨 잘 모아왔어.
민수　　고생했네.
동국　　조금만 더 하면 쌀 것 같애. 한 5분 더 가능하겠어?
민수　　응. 운동한다 생각하지 뭐.

몸을 기계적으로 움직이며 권태로운 표정을 짓는 민수.

〈CUT TO〉
민수, 거실 테이블에 턱을 괴고 앉아 있다.
핸드폰만 만지작거리고 있다.

저 요즘 청소가 싫어졌어요.
얘기 나누고 싶은데... 보고 싶은데...

썼다 지워버리는 문자.
폰을 테이블 위로 던지다시피 내려놓고는 머리를 움켜쥐는 민수.
그때 테이블 위에서 울리는 진동 소리.
민수, 화들짝 놀라 핸드폰 집는다.

핸드폰 액정 화면에 떠 있는 이름을 보고 놀람과 반가움이 뒤섞이는 민수의 얼굴.

액정에 떠 있는 이름은 '무엘'.

2 오프닝 시퀀스

오프닝 음악이 깔리면서, 차창 너머 흘러가는 서울의 밤 풍경 이미지들이 펼쳐진다.
환락가를 지나고, 빌딩숲을 지나고, 한강 다리를 건너는 시선.
이 시선은 택시의 손님 좌석에 앉아 차창 너머를 구경하고 있는 우진의 것이다.
검은색 선글라스를 끼고 운전하고 있는 사무엘의 모습도 차창 너머로 보인다.

서울의 밤 도로를 달리는 사무엘의 택시.

LTNS
LONG TIME NO SEX
Episode 5: 불구경

3 병원 / 병실 / 밤

다른 환자들은 잠들어 있는 불 꺼진 병실.
침대에 걸터앉아 있는 사무엘, 팔뚝에서 링거 바늘을 뽑는다.
어느덧 사무엘, 거울 앞으로 와서 선다.
거울을 보며 머리를 매만지는 사무엘, 긴장되어 보인다.
미니어처 향수를 뿌리고 병실 밖으로 나가는 사무엘.

4 병원 / 앞 / 밤

지나가는 차들을 훑으며 누군가를 기다리고 있는 현재의 사무엘.
곧 택시가 사무엘 앞에서 멈춰 선다.
택시 다시 출발하면, 웬 여자와 사무엘이 마주 보고 있다.
여자는 앞 씬의 민수이다.

사무엘 오랜만이네요.
민수 괜찮아요? 이렇게 나오면 안 되는 거 아니에요?
사무엘 괜찮아요. 차는 크게 다쳤는데 저는 머리만 살짝 다쳤어요. 다행히 뇌에는 지장이 없대요.
민수 다행이다...
사무엘 미안해요. 갑자기 연락해서.
민수 그런 말 안 하셔도 돼요. 기다렸어요.
사무엘 저 정말 죽는구나... 싶었는데, 그 순간에 후회가 되더라고요. 그만두자고 하지 말걸.
민수 (...)
사무엘 우리 그냥 다시 시작할까요?
민수 (눈가가 촉촉한) 무엘 씨.
사무엘 우리가 망설일 이유가 뭐가 있죠? 잘못한 거 없잖아요.
민수 (고개를 끄덕이며) 잘못한 거... 없죠.

여자를 애틋하다는 듯 보며 미소 짓는 사무엘,
그런 두 사람의 모습이 멀리서 보인다.

5 우진과 사무엘의 아파트 / 복도 / 밤

현관문 시점

현관문에 나 있는 작은 구멍의 돋보기를 통해 왜곡돼 보이는 아파트 복도.
어떤 남자의 형체가 현관문을 그냥 지나쳤다가 다시 돌아온다.
얼마간 가만히 서 있더니 구멍에 눈을 확! 갖다 댄다.
확대되어 보이는 남자의 눈.

복도

우진, 장을 본 마트 봉지를 들고 복도를 걷다가 누군가를 발견하고 멈춰 선다.
우진의 코에는 붕대가 붙어있고, 한쪽 눈가에는 긁힌 상처가 있다. (5화 내내 유지)
우진과 사무엘의 집 문 앞에 서서 어슬렁거리고 있는 정체불명의 남자가 보인다.

우진 누구세요?

소리를 듣자마자 우진의 반대편으로 전광석화의 속도로 도망치는 남자!
당황하는 우진, 얼른 집 앞으로 가보는데,
현관문에는 유성 매직으로 크게 낙서가 되어 있다!

“뿌린 대로 거두리라”

경악해서 몸이 굳는 우진.
주변을 두리번거리며 폰 꺼내 급하게 사무엘에게 전화를 걸지만,
전화를 받지 않는 사무엘.

6 병원 / 병실 / 밤

병실의 환자들이 침대에 누워 잠을 청하려 하는 시각.
조심스럽게 병실 문 열고 들어오는 우진, 의아해하며 어딘가를 본다.
비어있는 사무엘의 침대.
사무엘의 침대에서 보다가 빠져 있는 링거 주사 바늘을 발견하는 우진,
침대에 걸터앉아 다시 사무엘에게 전화를 건다.

우진 왜 이렇게 전화를 안 받아...
사무엘(e) 어. 무슨 일이야? 나 이제 슬슬 자려고.
우진 잔다고?
사무엘(e) 오늘따라 좀 일찍 졸리네?
우진 (...) 병원이라고?
사무엘(e) 그럼 병원이지.
우진 알겠어...

사무엘의 침대에 우두커니 걸터앉아 통화를 하고 있는 우진의 모습 어딘가 쓸쓸해 보인다.
전화를 마치고 초조하게 입술을 뜯으며 눈에 광기가 돌기 시작하는 우진.

7 정아 피자집 / 내부 / 밤

동네에 한 개씩 있는 작은 피자 체인점.
가게 앞에는 오토바이 배달 기사들이 몇 명이 대기 중이고,
피자 가게 내부 조리실에서는 우진 언니인 정아가 정신없이 피자 도우를 패고 있다.
우진은 빈 테이블에 앉아 피자를 먹으며 소주를 마시고 있다.

우진 어이가 없네. 감히 거짓말을 들켜?

정아 그냥 하는 거짓말 없다. 알지?

우진 근데 그건 아닐 거야. 나는 나를 못 믿어도 사무엘은 믿어.

정아 으이구... 너는 무슨 믿을 게 없어서 남자를 믿어대니? 언니를 봐라...

우진 야! 니 전남편들이랑 사무엘은 다르지.

정아 다를 줄 알지? 퍽이나 다르겠다. 니네 안 한 지도 오래됐대매. 그게 신호야.

우진 걔가 뭐가 있어서 바람을 피워... 가난뱅이 주제에.

정아 니 형부들 중에 가난뱅이 아닌 사람 있었니? 저거 아주 방안퉁수야.

우진 내가 오바하는 걸 수도 있어.

정아 너나 나나 참 남자 복 없는 것도 엄마 유전인가 봐? 아버지라고 하나 있던 그 사람은 보통 쓰레기였니? 아직도 살아 있는 거 아닌가 몰라. 살아있으면 사람 좋은 얼굴로 허허 웃으면서 여자 등골이나 빼먹고 있겠지.

우진 (...)

정아 나는 니가 만났던 남자들 중에 임박서방이 젤 맘에 안 들었어. 꼭 우리 아버지처럼 사람 좋게 생겨가지고, 속은 알 수 없고. 책임감 없고.

우진 말이 심하다... 어따 갖다 붙이는 거야.

정아 가족이니까 맞는 말해주는 거야. 나는, 그 뭐시기 기석인가 뭔가. 젤 번지르르하던 놈 있지, 왜. 그놈이 젤 나았어.

우진 언니. 걔가 제일 쓰레기였어!

정아　　걔 인성 난 모르겠고, 애가 얼마나 호방했니. 나 지갑도 사줬지, 여기 개업할 때 화환도 보내줬지. 그런 게 사랑이야. 말만 나불대는 거? 그건 사랑이 아니라 사기야.

우진　　니가 남자 보는 눈이 그 모양이니까 이혼 두 번 한 거 아냐.

정아　　야! 지금 내가 문제니? 니가 문제지. 너도 내 꼴 나기 전에 정신 똑바로 차려. 가만히 앉아서 우리 남편은 아닐 거야, 아닐 거야 하다가 좆되는 거야. 뒤통수 맞고 질질 짜지 말고 감시해.

소주 한 잔 원샷하는 우진.

8　　우진과 사무엘 아파트 / 현관 앞 / 낮

"뿌린 대로 거두리라"가 적혀 있는 현관문에 에프킬라가 뿌려진다.
우진이 현관문의 낙서를 에프킬라로 열심히 지우고 있다.

〈CUT TO〉
현관문 천장 쪽에 설치된 도어캠.
폰과 연동되는 스마트 도어캠이다.
우진, 현관문에서 어느 정도 떨어졌다가 다시 걸어와 현관문 앞에 서자,
폰에서 움직임을 감지한 알람이 온다.
폰을 꺼내 들고 도어캠에 비치는 자신의 모습을 보는 우진.

9　　병원 / 앞 / 낮

병원 앞에 캐리어를 들고 서 있는 사무엘.
곧 사무엘 앞으로 사무엘의 택시가 비상등을 켜고 멈춰 선다.
사무엘이 자연스럽게 트렁크 쪽으로 걸어가자 트렁크가 열리고, 캐리어를 싣는 사무엘.
트렁크를 닫고 운전석 쪽으로 걸어가 차 문을 연다.
운전석 쪽에 앉아 있던 우진이 사무엘을 올려다본다.

사무엘 내가 할게.
우진 왜?
사무엘 운전하고 싶어서.

우진, 의아해하며 운전석에서 내리고, 그 자리에 사무엘이 탄다.
우진은 늘 그랬듯 뒷좌석에 타고,
출발하는 택시의 뒷모습.

10 우진의 호텔 / 앞 / 낮

우진의 호텔 앞으로 들어오는 사무엘의 택시, 깜빡이를 켜고 정차한다.
뒷좌석에 앉아서 얼마간 내리지 않는 우진.

우진 이렇게 바로 일해도 돼? 좀 쉬지.
사무엘 오래 쉬었잖아. 빨리 쉰만큼 벌어야지.
우진 왜 이렇게 힘이 넘치지 오늘 퇴원한 사람이? 뭐 기분 좋은 일 있어?
사무엘 (피식 웃으며) 기분 좋을 일 있었으면 좋겠네.

우진, 그런 사무엘을 의구심 어린 눈으로 보다가 차에서 내린다.
호텔로 들어가려다가 돌아서서 택시 조수석으로 다가오는 우진.
사무엘이 창문 내린다.

사무엘 왜.
우진 어디로 가?
사무엘 (?) 어디로 가냐니? 택시 기사가 도로로 나가지?
우진 좋은 데 가나 했지.
사무엘 나참. 갈게. 밥 잘 챙겨 먹고 일해.
우진 너두.

우진, 얼마간 사무엘을 본다.
사무엘, 택시 출발시킨다.

앞으로 나아가며 멀어지는 사무엘의 택시를 의심스러운 눈초리로 바라보는 우진.

11 우진의 호텔 / 로비 / 밤

호텔 프런트에서 근무 중인 우진과 준호,
로비 어딘가를 골똘히 보고 있다.

준호	누나. 저 남자 저 보는 거 맞죠. 뭐야, 뭐야. 뭔데.
우진	아니. 나 보는 것 같은데? 쌔하다.

로비의 소파에 앉아 프런트 쪽을 뚫어져라 보는 웬 남자가 멀리서 보인다.
탄력 있는 몸을 가진 훤칠하고 준수한 남자.

준호	어머머. 왜 저렇게 빤히 쳐다보지.

돌연 자리에서 일어나 호텔 밖으로 나가는 남자.
그때 우진의 폰에서 도어캠 알람이 울린다.
폰을 꺼내 보는 우진.

도어캠 영상에 '민수'가 서 있는 게 보인다. 우진에게는 그냥 낯선 여자.
우진이 폰을 가까이 당겨서 자세히 얼굴을 뜯어본다.
곧 현관문이 열리며 사무엘이 밖으로 나오고, 민수와 웃으며 인사를 나누는 게 보인다.
다정하게 도어캠 영상 밖으로 빠져나가는 사무엘과 민수.
우진, 바로 사무엘에게 전화를 건다.

사무엘(e)	여보세요?
우진	어, 어디야? 밥 먹었어? 저녁 먹을 시간인데?
사무엘(e)	어, 나 지금 손님 태울 것 같애. 이따 전화할게.

사무엘, 바로 전화 끊는다.
자기 폰을 어이없다는 듯 바라보는 우진, 얼마간 그러고 있더니 무슨 결심인가를 한 듯,

우진　　준호야.

준호　　갑자기 그렇게 비장하게 제 이름 부르지 말아 주실래요?

우진　　앞으로 3일만 누나 시간대까지 일해주라.

준호　　에이... 그건 좀 너무했다. 그만큼 일하는 건 인권유린이에요.

우진　　내가 돈 더블로 쳐줄게.

준호　　(콧구멍 실룩대며) 하여튼 잘 해... 인권유린 콜.

우진　　고마워.

결의에 찬 우진의 얼굴.

12　우진과 사무엘의 아파트 / 사무엘방 / 낮

우진, 사무엘의 방에 쪼그려 앉아 무언가를 뒤지고 있다.
우진의 옆에는 작은 쓰레기통이 있고,
바닥에는 온갖 작은 쓰레기들이 널브러져 있다.
새콤달콤 캐러멜 봉지들, 구멍 난 양말, 휴지 조각들, 약봉지들, 찢어진 종이들.

〈CUT TO〉
우진, 사무엘의 책장을 뒤지다가 〈너만 번아웃이냐, 나도 번아웃이다〉를 꺼낸다.
책을 열어보는데, 만 원짜리 지폐 몇 장만 들어있다.

사무엘의 책상으로 가서 앉는 우진,
두리번거리다가 책상 위에 쌓여있는 책들을 발견하고,
책들을 한 권 한 권 펼쳐본다.
그 책들 중 한 권 〈내향인이 살아남는 법〉에서 사진 한 장이 떨어져 나온다.
사진을 주워 보는 우진.
그것은 다름 아닌 민수의 사진이고, 사진 뒤에는 작은 메모가 적혀 있다.

> "당신은 저에게 큰 위로가 되고 있어요.
> 사진이 예쁘게 잘 나오신 것 같아서 드립니다."

우진, 사진을 들여다보며 피가 거꾸로 솟는 걸 느끼는 듯.

우진　　(헛웃음 내뱉으며) 부치지 못한 편지...

13　렌터카 업체 / 낮

비슷한 크기의 준중형 승용차들이 진열된 렌터카 주차장.
서류철을 들고 있는 렌터카 직원과 우진이 걷고 있다.
우진, 벤츠 AMG A CLASS 앞에서 멈춰 선다.

우진　　(앞서가는 직원을 향해) 저기요. 이 차는 마력이 어때요?

앞서 걷다가 돌아보더니 되돌아오는 직원.

렌터카직원　　마력이요?
우진　　네.
렌터카직원　　실례지만 왜 자꾸 마력 얘기를 하시는지 여쭤봐도 될까요?
우진　　그럼 안 되나요? 차는 마력 아닌가요?
렌터카직원　　렌터카 업체에서 마력 얘기하시는 분은 보통 잘 없어서요...
우진　　그냥 제가 마력 좋은 차를 좀 몰아보고 싶어서요.
렌터카직원　　(기계적인 말투와 급 썩은 얼굴로) 그럼 잘 보신 겁니다. 이 차는 작아 보여도 힘이 장사예요. 근데 그만큼 좀 비싸세요.
우진　　힘이 어느 정도로 장산데요? 웬만한 차는 다 제낄 수 있어요?

대답 없이 우진을 진상 보듯 쳐다보는 렌터카 직원.
우진, 벤츠 AMG A CLASS를 계속 살펴본다.

〈CUT TO〉

렌터카 업체에서 빠져나오는 벤츠, 코너를 꺾더니 부아앙 소리를 내며 엄청난 속도로 사라진다.

14　우진과 사무엘의 아파트 앞 / 밤

깜빡이는 비상등 불빛.
우진이 빌린 렌터카다.
아파트 앞에 비상등을 켜놓고 렌터카를 정차해 두고 있는 우진.

머지않아 차단봉이 열리고 사무엘의 택시가 나온다.
사무엘의 택시가 가는 방향의 반대 방향으로 주차되어 있던 우진의 렌터카, 능숙하게 방향을 돌려 사무엘의 택시를 따라간다.

15　거리 / 우진 차 내부 / 밤

도로의 갓길에 비상등을 켠 채로 정차해 있는 사무엘의 택시.
우진, 사무엘의 택시와 멀찍이 떨어진 곳에 비상등을 켜놓고, 렌터카 안에서 사무엘 택시를 바라보고 있다.

젊은 남녀 커플이 우진의 차 옆으로 지나쳐가더니 사무엘의 택시 쪽으로 걸어간다.
우진의 시선이 그들을 따라간다.

16　거리 / 밤 (과거)

우진의 시선으로 보이는 젊은 남녀 커플이 동일한 옷을 입은 우진과 사무엘의 과거 모습으로 바뀌어 있다.
거리를 나란히 걷고 있는 우진과 사무엘. 둘 다 기분 좋게 취했다.
사무엘은 지금과 크게 다르지 않은 모습이지만 우진은 지금과는 전혀 다른 모습과 분위기.

사무엘　　나 차 살까?
우진　　차 있으면 좋지.

사무엘　　여자 친구 생기면 차 사려고 했거든.
우진　　(피식) 오... 그래? 차 살 일이 있을 것 같애?
사무엘　　글쎄... 아직 모르겠네? 살까, 말까?
우진　　뭐, 니 맘이지. 알아서 해.

사무엘이 조금 삐친 듯하자 웃으며 사무엘의 팔에 팔짱을 끼는 우진.
금세 다시 얼굴 밝아지고 의기양양해지는 사무엘.

사무엘　　근데, 전 남친 어떤 사람이었어?
우진　　평범한 남자였어. 바람 잘 피우는.
사무엘　　쓰레기네... 잘 헤어졌다. 그런 사람 때문에 힘들어하지 마. 그러기엔 네가 너무 아까워.
우진　　생각도 하기 싫어.
사무엘　　우진. 나는 여태까지 니가 받은 상처 다 낫게 해주고 싶어. 진심이야.
우진　　내가 너 믿어도 되겠어?
사무엘　　(잠시 고민하더니) 응. 믿어도 돼.
우진　　신중하게 생각해 보고 대답해. 나 의외로 상처 잘 받는 타입이거든.
사무엘　　응. 신중하게 대답한 거야. 나도 너 믿어도 돼?
우진　　응. 대신 앞으로 둘 다 서로한테 솔직하기. 마음 변한 것 같으면 마음 변했다고 말하고, 그만 만나고 싶으면 그냥 그만 만나자고 말하자. 그럼 그런 말이 나오지 않는 이상은 서로 안심할 수 있잖아.
사무엘　　그래, 좋다. 다 말할게. 뭐든지.

어느덧 멀리 세워져 있던 사무엘의 택시 뒷자리에 타는 우진과 사무엘.

17　　도로 / 택시 내부 / 밤 (과거)

택시 내부. 라디오에서 1화의 사무엘과 우진이 듣던 음악이 흐르고 있다.
우진의 손을 부드럽게 쓰다듬고 있는 사무엘의 손.

우진과 사무엘, 택시 뒷좌석에 붙어 앉아 있고, 우진은 창밖을 보고 있다.

우진	나 좀 추운데 자켓 좀 벗어줄래?
사무엘	추워?

사무엘, 얼른 재킷을 벗어 우진에게 준다.
우진은 그 재킷으로 사무엘의 하반신을 이불처럼 덮더니 손을 그 안으로 넣는다.
사무엘, 놀라지만 태연한 척 택시 기사의 눈치를 살핀다.
계속 창밖을 보며 핸드잡을 하는 우진.
사무엘의 표정이 가관이다.

18 원룸촌 / 앞 / 밤 (현재)

한적한 원룸촌에 멈추는 사무엘의 택시.
택시 뒷좌석에서 내리는 아까의 그 젊은 남녀 커플,
다정하게 손잡으며 같이 한 원룸 건물로 들어가고...
뒤쪽 어딘가에서 차의 라이트를 끄고 이를 보고 있는 우진.
사무엘의 택시가 출발하자, 우진도 뒤따른다.

19 사무엘 미행 몽타주 / 밤

네온사인으로 빛나는 도심을 달리는 사무엘의 택시와 그 뒤를 따르는 우진의 차.
서울의 여기저기 풍경들이 보인다.

20 고가 진입로 맞은편 도로 / 밤

1화 9씬의 고가 진입로.
사무엘의 택시가 고가 아래 정차하고 있다.
우진의 차는 고가 맞은편 도로에 정차하고 있다.
우진, 차 안에 앉아 사무엘의 차를 지켜보고 있는데...
오토바이 탄 경찰이 다가와 창문을 똑똑 두드린다.
창문을 내리는 우진.

경찰	여기 차 대시면 안 됩니다. 빼세요.
우진	조금만 있으면 안 될까요? 제가 긴급한 사정이 있어서 그래요.
경찰	안 됩니다. 빼세요.
우진	그럼 10분 있다 갈 테니까, 그냥 딱지 끊어 주세요.
경찰	구두 경고로 끝내려고 했는데 원하신다면야... 그럼 딱지 끊겠습니다?
우진	네. 끊으세요.

경찰이 당찬 우진의 태도에 당황하며 딱지를 끊고 우진에게 준다.
우진의 시선은 고가 밑 사무엘의 택시에 고정해 있다.
경찰에게 딱지를 받아 아무 데나 던져버리는 우진.

21 고가 진입로 아래 / 사무엘의 택시 / 밤

사무엘, 택시 운전석에 앉아 캐러멜을 까서 먹고 있다.
라디오에서 음악이 흘러나오고 있다.
음악이 디졸브 되면서, 다른 분위기 있는 음악이 나오기 시작하고...
눈이 커지는 사무엘, 음악에 심취한다.
다이얼을 돌려 볼륨을 키우는 사무엘.

그때, 택시 앞 차창에 뿌려지는 흰 거품.
앞 차창을 전부 거품이 막아버린다.

22 셀프 세차장 / 밤 (과거)

음악 계속 이어지고...
앞 차창의 거품이 고압 세차 건에서 쏟아져 나오는 물줄기로 씻겨져 나가면,
셀프 세차장에서 세차 중인 사무엘의 모습이 보인다.

사무엘, 고압 세차 건을 들고 택시를 향해 분사하고 있다. 그러다가 어딘가를 힐끔 보면,
바퀴 달린 버킷 두 개를 바닥에 끌고 있는 여성. 민수다.

이를 유심히 보는 사무엘의 택시 옆 바닥에도 세차 버킷 두 개가 놓여있다.
민수 역시 버킷을 열고 세차용품을 꺼내다가 사무엘을 힐끔 본다.

〈CUT TO〉
쪼그려 앉아 휠 클리너를 타이어에 뿌리고 있는 사무엘.
그때 다가오는 다리.
사무엘이 고개를 들면 민수가 서 있다.

민수	다름이 아니라, 제가 지금 휠 클리너가 떨어져서 그러는데... 정말 죄송하지만 제가 다만 얼마라도 비용을 좀 드리고, 잠깐 빌려 쓸 수 있을까요?
사무엘	아, 네. 휠 클리너 있습니다.

사무엘이 일어나며 손에 들고 있던 휠 클리너를 민수에게 보여준다.

민수	어? 마프라네요.
사무엘	마프라를 아시네요.
민수	그럼요. 저는 이 제품이 제일 좋더라구요.
사무엘	(입이 귀에 걸리며) 이걸 아신다니... 세차에 진심이군요.
민수	네. 쫌.
사무엘	반갑네요.
민수	혹시 제가 얼마를 드리면 될까요?
사무엘	에이, 아니에요! 그냥 가져다 쓰시고 돌려만 주세요.
민수	그럼 제가 너무 죄송한데요... 어떻게 보상을 해드려야 할 것 같은데?
사무엘	괜찮아요. 같은 세차인으로서 이런 상황 충분히 이해합니다.
민수	마음 넓으시다...

〈CUT TO〉
각자의 자리에서 세차를 하고 있는 사무엘과 민수의 모습.

민수는 쪼그려 앉아 휠 클리너를 휠에 뿌리며 닦고 있고,
사무엘은 세차용 극세사 타월로 앞 유리를 닦고 있다.
다른 타이밍에 서로를 힐끔 보는 민수와 사무엘.

사무엘, 타월을 펼쳐서 택시 앞 유리를 닦는데 끝까지 닿지 않아 파닥거린다.
그때 반대편에서 사무엘의 타월을 잡는 손.
그 손은 민수의 것이다.
사무엘의 반대편에서 웃으며 사무엘을 보는 민수.

민수	이러면 물 자국 없이 말끔하게 닦여요. 가시죠.
사무엘	감사합니다.

민수와 사무엘, 같은 세차 타월의 끝과 끝을 잡고 유리를 닦는다.
미소를 숨기려 하지만 어쩔 수 없이 새어 나오는 사무엘과 민수의 미소.

23 우진과 사무엘의 아파트 / 복도 / 낮 (과거)

사무엘과 우진, 복도를 걷다가 집 앞에서 멈춰 선다.
우진이 문 열고 들어가고 사무엘이 따라 들어가려는데,
그때 마침 사무엘과 우진의 뒤편에서 걸어오다 그들을 지나치는 민수와 동국.
그 찰나 민수와 사무엘이 눈을 마주친다.
사무엘, 민수에게 살짝 묵례하며 집 안으로 들어가고,
민수 역시 그런 사무엘에게 미소를 지어 보이며 살짝 묵례한다.

24 우진과 사무엘의 아파트 / 내부 / 복도 / 낮 (과거)

사무엘, 거실에 무릎 꿇고 앉아 손으로 걸레질을 하고 있다.
두 손으로 바닥을 박박 문질러 닦는다.
그때, 띵동! 초인종 벨소리.
사무엘, 걸레질을 하다 말고 일어나 인터폰 영상을 확인해 보니 민수다.
집 앞에 서 있는 민수.

〈CUT TO〉

사무엘, 의아한 표정으로 문을 열어 보니 민수가 있다.

마프라 휠 클리너를 하나 들고 서 있는 민수.

민수	안녕하세요. (휠 클리너 사무엘에게 건네며) 저번에 이거 빌려주신 게 감사해서요. 제 거 사는 김에.
사무엘	아이고... 이러지 않으셔도 되는데요...
민수	원 플러스 원이더라구요. 받으세요. 저도 은혜는 갚아야죠.
사무엘	(마지못해 받으며) 네! 그럼 감사히 받아서 잘 쓰겠습니다.
민수	받아주셔서 제가 감사하네요. 그나저나 옆집에 사는 분이셨다니... 너무 놀랐잖아요, 저.
사무엘	그러게요, 저도 깜짝 놀랐어요!
민수	그쵸... 무슨 이런 우연이 다 있대요?

자리를 뜨지 않고 있는 사무엘을 보는 민수. 초대를 바라는 눈치.

사무엘	그럼 오며 가며 인사드릴게요. 감사했습니다.
민수	아, 네. 또 인사해요.
사무엘	네, 감사합니다!

사무엘, 꾸벅 인사하며 문 닫는다.

마프라 들고 피식 웃으며 현관 앞을 떠나는 사무엘.

〈CUT TO〉

사무엘이 현관문을 떠나자마자 다시 띵동! 초인종 소리.

다른 옷을 입은 사무엘, 현관문으로 다시 다가와 문을 열면,

터질 듯 캔맥주들이 가득 담긴 비닐봉지를 들고 있는 민수가 서 있다.

사무엘	어?
민수	안녕하세요? 혹시 맥주 좋아하세요?

사무엘　　(...) 맥주요?

민수　　얼마 전에 제 친구가 맥주를 사 왔는데, 애가 무슨 손이 그렇게 큰지... 이만큼이나 남아버린 거 있죠? 혼자 마시긴 너무 많더라구요.

사무엘　　아... 마침 목이 타긴 했는데... 이걸 제가 또 그냥 받아도 될지...

민수　　받으세요 빨리. 저 너무 무거워요.

사무엘　　아. 네. (마지못해 민수의 맥주 봉투 건네받으며) 그럼 잘 마시겠습니다.

자리를 뜨지 않고 있는 사무엘을 보는 민수. 초대를 바라는 눈치.

사무엘　　그럼... 다음에 또 뵐게요. 감사합니다.

사무엘, 꾸벅 인사하며 문 닫는다.
봉투를 들어 안에 내용물을 보는데, 영수증이 나온다.
오늘 날짜로 적힌 영수증.
사무엘, 고개를 기웃하며 봉투를 들고 현관문 앞을 떠난다.

〈CUT TO〉
사무엘이 현관문을 떠나자마자 다시 띵동! 초인종 소리.
다른 옷을 입은 사무엘, 현관문으로 다시 다가와 문을 열면,
민수가 랩으로 싼 수박 반 통을 손에 들고 서 있다.

민수　　안녕하세요? 이거 좀 드시라고요.

사무엘　　아이고... 또요?

민수　　이게 뭐라구요... 이웃끼리 나누는 거죠.

사무엘　　자꾸 주시는데 자꾸 마다하면 재수 없으니까 그냥 감사히 잘 받겠습니다.

사무엘, 수박 반 통을 건네받는다.
그런데 역시 자리를 뜨지 않고 있는 민수, 초대를 바라는 눈치.

이번엔 사무엘 너머 집 안쪽을 아예 힐끔힐끔 본다.

사무엘	아. 잠깐 들어오시겠어요?
민수	그래도 될까요?
사무엘	네. 들어오세요.

민수, 사무엘의 집 안으로 들어간다.
들어가며 현관문 말발굽 스토퍼를 내려놓는 사무엘.

〈CUT TO〉
거실 바닥에 놓인 소반 위에 올라와 있는 수박.
구상나무 모양인지 스페이드 모양인지 예술로 썰어져 있다.
사무엘과 민수는 수박을 사이에 두고 마주 앉아 있다.

민수	와... 수박을 어떻게 이렇게 써세요? 너무 잘하신다...
사무엘	(으쓱) 감사합니다. 인터넷 보고 따라 해 본 거예요.
민수	제 남편은 과일을 썰어줘야만 먹는데.
사무엘	(피식) 제 아내도 과일은 썰어줘야만 먹습니다. 드시죠.

민수의 눈에 보이는 사무엘과 우진의 결혼사진.

민수	제가 수박을 진짜 좋아하는데, 저희는 주말부부라 집에는 주로 저 혼자 있다 보니 수박 한 통은 사치더라구요.
사무엘	아... 주말부부시구나. 저도 수박 참 좋아하는데, 저희도 2인 가구라 잘 안 사게 되더라구요. 덕분에 먹네요.

민수, 거실을 더 둘러보다가 바닥에 그대로 놓여 있는 걸레를 발견한다.

민수	청소 중이셨나 봐요?
사무엘	네.
민수	저도 항상 걸레질은 손으로 하는데.

사무엘 그쵸. 그래야 제대로 닦이죠?

민수 확실히 뭘 좀 아시는 분이네요... 실은 세차장에서 투버킷 쓸 때 알아봤어요. 보통 내공이 아니신 거.

사무엘 부정하지 않겠습니다. 저 주부 9단쯤 돼요. 근데 만만찮으신 분 같던데요.

민수 뭐 저도 좀 해요. 근데 남편이 이렇게 깔끔하셔서 아내분이 좋으시겠어요.

사무엘 제 아내는 집이 그냥 저절로 깨끗해진다고 생각하는 것 같은데요?

민수 제 남편은 집에 청소기가 어디 있는지도 몰라요.

사무엘 아. 성함이 어떻게 되세요?

민수 저요? 저는 민수요.

사무엘 민수 씨구나. 저는 사무엘입니다.

민수 (웃으며) 아, 무엘 씨.

빈 그릇에 쌓이는 수박 껍질들.
갑자기 코를 킁킁대는 민수.

민수 근데, 무엘 씨 집엔 악취가 없네요. 신기하다. 바로 옆집인데... 저희 집 하수구에서는 자꾸 악취가 올라와서 신경질 나 죽겠어요. 여름이라 그런가.

사무엘 아 악취 때문에 힘드시구나. 저도 우리 아파트가 오래돼서 여름마다 악취 때문에 연구 많이 했는데... (자신감 넘치는 얼굴로) 그러던 어느 날 저는 비법을 터득했습니다.

민수 (안경을 올리며) 어떻게요?

사무엘 설명하기 좀 복잡한데... 제가 해결해 드릴까요?

25 민수의 집 / 내부 (과거)

부엌

사무엘, 바닥에 엎드려 싱크대 하부장 안으로 몸을 반이나 집어넣고, 싱크대 하단부 바닥에 연결되어 있는 호스의 캡을 돌리고 있다. 민수는 그 옆에 서 있다.

사무엘	배수구마다 과탄산소다와 뜨거운 물 넣고 다 해 봤는데도 악취가 올라오셨죠.
민수	네. 맞아요. 저도 집에 구멍이란 구멍마다 그거 다 했는데도 안 되더라구요.
사무엘	여기 호스에 악취제거 캡이 이렇게 덜렁거리고 있으셔서 그런 겁니다. 이걸 이렇게 꼭 끼워 주면 훨씬 냄새가 덜 하실 거예요.
민수	아... 제가 수동적이었네요. 여기까지 내려오지도 않고.
사무엘	이렇게 배우시면 되죠.

손 털고 일어나는 사무엘.

사무엘	근데 아까 보니 화장실이 정말 깨끗하시던데, 혹시 청소 팁이 있으세요?
민수	저 같은 경우는 변기나 욕조는 치약으로 닦아내구요. 거울 얼룩은 린스로 닦아내구요.
사무엘	오... 치약과 린스. 꿀팁이네요. 저는 화장실 청소가 제일 어렵더라고요.
민수	(잠시 생각하다가) 혹시, 저희 서로 청소 도와주는 거 어때요? 서로 노하우나 정보 교환도 하고. 한 주는 저희 집, 한 주는 무엘 씨 집, 이렇게 서로 번갈아 가면서 도와주면 저희 둘 다 부담이 줄 것 같은데.
사무엘	(좋아서 콧구멍은 커지지만 속내를 감추며) 청소 메이트? 좋은 생각인 거 같은데요.

그런 사무엘을 보며 미소 짓는 민수. 음악 In.

(1) 사무엘 집 – 화장실

함께 사무엘의 집 화장실을 청소 중인 민수와 사무엘.
민수는 고무장갑을 낀 채로 휴지를 락스에 적셔 곰팡이 난 타일 벽에 붙이고 있고, 사무엘은 치약을 묻힌 칫솔로 변기를 닦고 있다.
민수, 방향을 바꾸다 쪼그려 앉은 사무엘의 엉덩이를 힐끔 본다.
사무엘의 툭 튀어나온 튼실한 엉덩이.

(2) 민수 집 – 거실

민수 집 거실에 있는 책장을 청소 중인 사무엘과 민수.
사무엘은 바닥에 앉아 가나다순으로 책들을 분류하고 있고,
민수는 젖은 걸레와 분무기를 들고 쪼그려 앉아 바닥 칸의 책장 안 먼지를 꼼꼼히 닦아내고 있다.
사무엘이 앞에 있는 민수의 엉덩이를 힐끔 본다.
민수의 툭 튀어나온 튼실한 엉덩이.

(3) 민수 집 – 부엌

아이패드에서 음악이 흐르고 있고...
함께 민수의 집 부엌을 청소하고 있는 민수와 사무엘.
냉장고에 있던 물건들이 다 밖으로 나와 있고, 민수와 사무엘은 둘 다 싱크대에 나란히 서 있다.
둘 다 맨손으로 설거지 중이다.
민수가 그릇에 세제를 묻혀서 건네면, 건네받아 물로 헹구는 사무엘.

민수 제가 손이 안 예쁜 게, 설거지를 항상 맨손으로 하거든요. 손에 뽀드득하는 느낌이 나야 제대로 닦인 것 같아서.

사무엘 그쵸, 설거지는 맨손으로 해야죠. 저도 손이 두껍고 뭉뚝해서 이쁘진 않아요.

민수 어떻게 이렇게까지 비슷하지?

사무엘 그쵸? 진짜 신기할 지경이네요... 혹시 손에 습진 안 생기세요?

민수 (사무엘에게 손 보여주며) 저도 한때 습진으로 고생 좀 했었죠.

사무엘 와! 근데 손이 정말 깨끗하시네요? 저는 아직도 손 습진 연고 바르는데.

민수 저는 연고 대신 유황크림 발라요. 연고는 너무 세더라고요.

사무엘 그러시구나... 이렇게 꿀팁 하나 또 얻어가네요.

민수에게서 세제 묻은 그릇을 건네받다가 민수의 맨손을 잡게 되는 사무엘!
당황하지만 아무렇지도 않은 척 다시 설거지를 한다.
그런 사무엘에게 살짝 밀착하는 민수.
두 사람은 팔과 팔이 닿는다. 사무엘이 살짝 떨어진다.

(4) 사무엘 집 – 침실

침대가 놓인 안방.
벌거벗은 매트리스의 윗부분 왼쪽과 오른쪽 모서리에 사무엘과 민수가 각각 엎드려 덮개를 씌우고 있다.
둘의 엉덩이가 닿을락 말락 하다가 살짝 맞닿고, 놀란 사무엘이 살짝 엉덩이를 뗀다.
곧 다시 민수의 엉덩이가 다가가 다시 맞닿고, 사무엘은 또 살짝 엉덩이를 뗀다.

침대 아랫부분 모서리 양쪽으로 이동하는 사무엘과 민수.
다시 엉덩이가 맞닿고 이번에는 사무엘이 엉덩이를 피하지 않고 가만히 있는다.
모서리에 덮개를 다 끼우고도 계속 끼우는 척하는 민수.
어딘가 상기된 사무엘의 얼굴.
맞닿아 있는 둘의 엉덩이.

27 민수의 집 / 거실 / 낮 (과거)

동국, 안방 문 열고 나와 민수를 찾는다.

거실 테이블에서 일하고 있는 민수.

동국	여보. 혹시 내 책 디엔에이 책 봤어? 안방 협탁 위에 뒀던 것 같은데.
민수	내가 협탁 위에 책 놓지 말랬잖아... 책장. 가나다순.

거실 책장을 둘러보다 금세 책을 찾는 동국,
책을 빼내 들고 민수를 본다.

동국	책 정리를 도서관처럼 해놨네. 장난 아니다. 당신 청소 천재 아니야?
민수	내가 좀 하지.

민수가 뿌듯해하며 동국을 본다.

28 우진과 사무엘의 아파트 / 침실 / 아침 (과거)

깨끗하게 정돈 되어 있는 침대.
지친 얼굴로 퇴근해서 들어오는 우진. 옷을 대충 벗고 침대에 눕는다.
침대가 너무 깔끔해서 기분 좋은 우진이 외친다.

우진	자기야.

잠옷을 입고 있는 사무엘, 안방 문 너머로 고개를 내민다.

사무엘	왜? 옷 갈아입혀 달라고?
우진	아니. 이불이 바스락거려서 너무 기분이 좋아.
사무엘	그래? 풀 한번 먹여봤어.
우진	아 진짜 너무 좋다!
사무엘	(멋쩍게 씩 웃으며 우진을 보며 뿌듯해한다)

안방 – 베란다

에탄올을 분무기에 담는 인서트.
유리창에 분무기로 뿌려지는 에탄올.
각자 손에 수면 양말을 끼는 사무엘과 민수.
유리문을 사이에 두고 거실 쪽에는 민수가, 베란다 쪽에는 사무엘이 마주 서서 유리를 닦고 있다.
사무엘이 유리를 닦는 자세 그대로 똑같이 흉내 내며 닦는 민수.
사무엘이 어려운 자세로 유리를 닦자, 민수도 거울처럼 똑같이 어려운 자세를 따라 한다.
이번엔 민수가 다리를 벌리고 쭈그리고 앉아 어려운 자세로 유리를 닦고,
사무엘도 따라서 훌륭히 해낸다.
반바지를 입어서 사무엘의 다리 근육이 잘 드러나고, 민수는 이를 슬쩍 본다.
마찬가지로 반바지를 입은 민수 역시 허벅지가 잘 드러나고, 사무엘 역시 이를 슬쩍 본다.
화들짝 놀라며 시선 돌리는 사무엘.
민수. 그런 사무엘의 시선이 기분 나쁘지 않다. 묘하게 미소 짓는다.

그때, 현관문 비밀번호 누르는 소리!
놀라서 서로를 쳐다보는 사무엘과 민수.
곧 현관문 열리는 소리가 들린다.
경악해서 몸이 굳은 채로 가만히 있는 사무엘과 민수.

현관 – 거실 – 안방

현관에서 신발을 벗고 들어오는 것은 동국.
현관에는 사무엘의 슬리퍼가 놓여있다.
안방 문 열고 나와 현관 앞으로 걸어오는 민수, 사무엘의 신발을 보고 놀라지만,
다행히 이를 보지 못하고 안으로 들어오는 동국.

민수 (최대한 아무 일 없는 듯) 아니, 당신이 평일에 웬일이야?

동국　　　써프라이즈.

민수　　　무슨 일 있어?

동국　　　당신 진짜 놀랐네. 당신 보고 싶어서 왔지... 내가 내 집 오는 게 이상한 일인가?

민수　　　(동국을 막아 세우며) 거짓말하지 말고. 빨리 말해.

동국　　　당신 가임기 끝물이잖아. 우리 좀 더 분발해야 될 것 같아서. 오늘 반차 내고 왔어.

민수를 피해 안방 문 열고 들어가는 동국, 침대에 걸터앉는다.
민수가 따라붙는다.
다행히 어디로 숨었는지 흔적도 보이지 않는 사무엘.

민수　　　그럼 오늘 다시 내려가?

동국　　　응. 며칠간 씨 열심히 모아왔어.

민수　　　당신 무슨 씨 뿌리는 기계야?

동국　　　에이... 뭘 그렇게 차갑게 얘기해. 씨 뿌리려면 얼굴도 봐야 되고... 대화도 좀 나눠야 되고...

안방 – 베란다

베란다 세탁기 틈에 숨느라 끼어 있는 사무엘이 이들의 대화를 듣고 있다.

민수(e)　　　(살짝 인상 찌푸리더니) 그래. 약 준비해 줄까?

동국(e)　　　나 오늘은 약 안 먹고 한 번 해볼까?

민수(e)　　　아, 그러면 내가 너무 힘들잖아... 나 오늘 일 다 안 끝났어.

동국(e)　　　오케이!

이때 사무엘의 핸드폰 진동이 울리고, 사무엘이 화들짝 놀라 주머니의 핸드폰을 찾는다.

안방

민수와 동국에게도 들리는 핸드폰 진동 소리.
민수, 그 소리에 놀라고, 동국이 베란다 쪽을 본다.

민수	핸폰을 세탁기에 뒀나 보다.
동국	세탁기 돌리려고 했나 보네?
민수	응.
동국	참... 세탁기 자주 돌려. 그럼 당신은 세탁기 돌리는 기계야?

곧 끊기는 진동 소리.
안심하는 민수.

안방 베란다

베란다 세탁기 옆 빈 공간에 몸을 최대한 웅크리고 숨어 있는 사무엘.
핸드폰을 손으로 꽉 쥔 채, 땀을 뻘뻘 흘리고 있다.

부엌 – 안방 – 베란다

부엌에서 물컵과 약을 챙겨 와서 동국에게 건네는 민수.
무심결에 주는 대로 받아먹는 동국,
민수는 초조한 기색을 감추고 있다.

동국	좀만 기다려.
민수	어. 나 마저 하던 것만 할게.
동국	응.

슬쩍 동국의 눈치를 보며 베란다 문 열고 나가는 민수.
세탁기 옆으로 살짝 삐져나온 사무엘의 웅크리고 있는 등이 보인다.
안도의 한숨 내쉬는 민수.

〈CUT TO〉
동국, 침대 위에 기절한 채로 누워있다.

민수, 동국을 불러 보지만 대답이 없자 얼른 베란다로 간다.
베란다 문을 열고 들어와 사무엘의 등을 쿡쿡 찌르는 민수.
사무엘, 미동이 없다.
민수가 한 번 더 쿡쿡 찌르자 간신히 일어나는 사무엘,
민수를 보며 조용히 안도의 한숨을 내쉰다.
그리고 까치발로 걸어 나와 잠든 동국을 통과해서 안방을 빠져나와 현관으로 간다.
아무것도 모르고 잠들어있는 동국.
부엌에는 민수가 꺼낸 수면 유도제 통이 놓여있다.

30 우진과 사무엘 아파트 / 복도 / 낮 (과거)

허겁지겁 탈출한 사무엘과 뒤따라 나온 민수.

민수 죄송해요. 너무 놀라셨죠.
사무엘 네. 정말 큰일 날 뻔했네요.
민수 큰일 안 났잖아요...
사무엘 (깊은 한숨 후) 혹시 수면제 먹이신 거예요?
민수 네... 무엘 씨한테 못 볼 걸 보여드릴 수는 없잖아요.
사무엘 (더 깊은 한숨) 우리 이제 그만두죠. 청소.
민수 (...) 왜요?
사무엘 민수 씨도 아시잖아요.
민수 제가 뭘 알아야 하는데요? 우리가 뭐... 잘못한 건가요? 그냥 청소 같이했을 뿐이잖아요.
사무엘 저 숨었잖아요. 민수 씨는 남편분한테 수면제까지 먹이셨고. 이건 아닌 거 같아요.

사무엘, 씁쓸하게 돌아서서 자신의 집으로 들어간다.
남겨진 민수 눈에 눈물이 고인다.

31 셀프 세차장 / 밤 (과거)

셀프 세차장에서 세차를 하고 있는 민수.

괜히 두리번거린다.
그때 세차장으로 들어오는 사무엘의 택시.
민수가 반가운 마음을 누르며 손 들고 인사하는데,
사무엘의 택시는 그대로 후진을 해서 세차장 밖을 나가 버린다.
충격받는 민수의 얼굴.

32　　우진과 사무엘의 아파트 / 앞 / 밤 (과거)

아파트 단지 인서트.
밤의 아파트 단지에 울려 퍼지는 음악 소리.

33　　민수의 집 / 거실 – 베란다 / 밤 (과거)

민수의 텅 빈 거실. 어디선가 음악이 흘러나오고 있다.
음악이 나오는 곳은 안방 베란다 쪽이다.
안방 베란다에 쭈그리고 앉아 있는 민수가 있다.
블루투스 스피커를 창밖에 바짝 붙여 두고,
사무엘과 닦던 안방과 베란다 사이의 창문을 괜스레 손으로 매만지는 민수.
쓸쓸한 얼굴로 창밖을 본다.

34　　우진과 사무엘의 아파트 / 거실 / 밤 (과거)

사무엘, 부엌에서 파를 써느라 눈물을 흘리고 있다.
어디선가 들려오는 음악 소리에 칼 내려놓고 귀를 기울인다.
음악 소리를 따라 거실을 지나 거실 베란다로 나가는 사무엘,
방충망을 열고 얼굴을 밖으로 내민다.
애절한 얼굴로 옆집을 넘어 들어오는 음악 소리를 듣는 사무엘.

35　　고가 진입로 / 사무엘 택시 내부 / 밤

앞에서 선행되던 음악이 이어지다 끝나고...
다시 22씬의 연속 상황.

택시의 운전석에 누워있는 사무엘, 어디선가 전화가 걸려 오자 운전석 올리며 일어난다. 전화를 받는다.

사무엘	여보세요.
민수(e)	(가라앉은 목소리로) 무엘 씨.
사무엘	네, 민수 씨. 무슨 일 있으세요?
민수(e)	뻔뻔하게 이런 부탁드려도 될지 모르겠는데... 제가 갑자기 너무 춥고, 열이 끓고 그래서요... 몸살 같은데... 보니까 집에 약도 없고... 누구 부를 수 있는 사람도 없고... 무엘 씨 생각이 나서요. 미안해요.
사무엘	많이 안 좋으세요?
민수(e)	네. 안 좋네요. 혹시 이따가 퇴근하고 집 들어오실 때 약국에 한 번만 들러주실 수 있을까요? 약값은 꼭 제가 돌려 드릴게요.
사무엘	지금 제가 가겠습니다. 어차피 오늘은 마치려고 했어요.

매우 걱정이 되어 사색이 된 사무엘의 표정.

36 고가 진입로 맞은편 도로 / 우진 차 내부 / 밤

우진, 같은 자리에서 계속 사무엘의 택시를 보고 있다.
아까 그 경찰이 오토바이를 타고 다시 우진의 차를 향해 온다.
우진은 자동적으로 창문을 내린다.

경찰	차 빼세요.
우진	정말 죄송한데 10분만 더 있으면 안 되나요?
경찰	아까도 그렇게 말씀하셨던 것 같은데요. 여기 주차장 아닙니다. 차 빼세요.
우진	너무하시네...
경찰	지금 공무집행 방해하시는 겁니까?
우진	그럼 딱지 한 번만 더 끊어주시면 안 될까요? 진짜 10분만 더 있다가 갈게요.

경찰 (고개를 절레절레) 이거 마지막입니다?

경찰, 또 딱지를 끊는다.
그때 우진의 시선으로 보이는 사무엘의 택시,
고가 진입로 아래쪽에서 나와 어디론가 출발하는 게 보인다.

우진 빨리요.

경찰은 후딱 딱지를 끊어 주고, 우진은 이번에도 딱지를 받고 바로 옆 좌석에 버리고는
급하게 차 출발시킨다.
남겨진 경찰, 갸우뚱하며 우진의 차를 져다 본다.

경찰 저렇게 살고 싶다.

37 도로 / 약국 앞 / 밤

약국 앞에 비상등을 켜둔 채 세워진 사무엘의 택시.
곧 약국에서 나오는 사무엘의 손에는 약봉지가 들려 있다.

렌터카 안의 우진, 의아해하며 그런 사무엘을 본다.
곧 출발하는 사무엘 택시, 뒤따르는 우진의 렌터카.

38 우진과 사무엘 아파트 / 주차장 / 1층 현관 / 밤

사무엘의 택시가 아파트로 진입하는 게 보인다.
우진, 의아해하며 렌터카 몰고 따라서 아파트로 진입한다.

주차장으로 들어오는 사무엘의 택시, 빈 곳에 주차를 한다.
뒤따라 들어오는 우진의 렌터카, 아무 곳에나 화려한 솜씨로 주차를 해버린다.
얼른 차에서 내려 사무엘의 택시 쪽을 보는 우진.

사무엘, 운전석에서 내려 어디론가 급하게 뛰어간다.

우진, 몸을 숨기며 그런 사무엘을 미행하는데...
머지않아 우진과 사무엘이 사는 동 입구 안으로 들어가는 사무엘.
우진은 이 상황이 의아하기만 하다.

39 우진과 사무엘 아파트 / 1층 현관 / 밤

엘리베이터가 1층에 도착한다.
사무엘, 엘리베이터에 올라탄다.

우진이 현관 앞에 당도했을 무렵, 사무엘이 엘리베이터에 올라타고 있다.
사무엘을 부르려다 말고,
혹시 몰라 비상구 쪽을 바라보는 우진.

40 우진과 사무엘 아파트 / 비상구 계단–6층 복도 / 밤

우진, 어느덧 비상구의 5층 계단에 올랐다.
흐트러짐 없는 모습으로 계속 달려서 올라가는 우진.
6층에 도착하여 비상구 문을 열고 복도로 나간다!
엘리베이터를 확인하는 우진.
엘리베이터는 5층을 지나고 있는 것을 확인하고 몸을 비상구 문 안쪽으로 숨긴다.
곧 엘리베이터 문 열리는 소리가 들리고, 우진이 고개를 조심스럽게 내밀어 확인하니
사무엘이 집 쪽 복도로 몸을 꺾고 있다.

우진 조심스럽게 그쪽으로 따라가 복도 끝 벽에 숨어서 조용히 숨을 헐떡이며 이를
지켜보는데, 곧 우진의 폰에서 알람이 울린다.
우진, 폰을 꺼내 확인해 보면, 사무엘이 집 앞을 걸어가는 모습이 도어캠 영상에 잡힌다.
하지만 집 앞에서 멈추지 않고 그냥 지나쳐 걸어가는 사무엘.

우진, 의아해하며 고개를 들어 보면,
사무엘은 조금 더 걷더니 바로 옆집에서 발걸음을 멈춘다!
옆집의 초인종을 누르는 사무엘.
응답이 없자 문을 두드린다.

사무엘 민수 씨... 민수 씨... 접니다. 사무엘.

얼른 폰 카메라를 열어 사무엘의 영상을 찍기 시작하는 우진.
옆집 문을 열고 나오는 것은 민수다.
아픈 와중에도 반갑게 미소 짓는 민수.
약봉지를 민수에게 건네며 민수의 집으로 들어가는 사무엘.
민수의 집 현관문이 닫힌다.

복도 끝에 서서 동영상 촬영을 마치는 우진.
천천히 복도를 걸어와 민수의 집 앞에 선다. 숨이 가쁘다.
얼마간 그렇게 서 있는 우진.
갑자기 돌아서서 뛰기 시작한다.
시끄럽고 혼란스러운 음악 In.

41 주유소 / 밤

기름통에 채워지고 있는 기름.
우진, 무언가에 홀린 듯한 얼굴로 주유소에서 기름통에 기름을 셀프 주유하고 있다.

42 우진과 사무엘 아파트 / 6층 복도 / 밤

민수의 집 현관문에 뿌려지는 기름.
그리고 우진과 사무엘의 집 현관 앞에도 가서 기름을 뿌린다.
기름통에 기름이 동나자 바닥에 내려놓는 우진.
우진, 얼마간 그렇게 서 있다가 주머니에서 라이터를 꺼낸다.
부싯돌에서 서성이는 우진의 손.
현관을 죽일 듯이 노려보고 있는 우진의 눈.
축축이 젖은 두 집의 바닥, 각 현관문들에서 떨어지고 있는 휘발유 방울.
곧 우진의 손이 움직인다.

—끝—

Episode 6

Long Time No Sex

너는 서야 할 때 서는 법을 모르는 게 문제야.

내가 가질 수 없으면, 아무도 못 가져!

복도

사무엘, 꽃 한 다발을 들고 우진의 오피스텔 문 앞으로 걸어온다.
머리를 포마드로 넘겼고 정장 차림에 구두까지 신었다.
폰으로 얼굴을 살펴보고 머리를 매만지는 사무엘, 문을 두드린다.

사무엘 진이 씨... 진이 씨... 접니다. 사무엘.

얼마 후, 문이 열리고 나오는 것은 우진이다.
우진을 보며 멋쩍은 듯 웃는 사무엘.

우진 좀 늦으셨네요? 음식 다 식었어요.
사무엘 아... 죄송합니다. 연락받고 급하게 오느라...
우진 집에서 온 거 맞아요? 뭘 그렇게 차려입고 왔어요?
사무엘 (우진에게 꽃 건네며) 일단 이거부터...
우진 (꽃 받으며) 에이... 그냥 오시라니까.
사무엘 그래도 빈손으로 오기가 뭣해서요.
우진 그러고 있을 거예요? 들어오세요.
사무엘 아. 네. 그럼 실례하겠습니다.

사무엘, 집 둘러보면서 안으로 들어가고...

오피스텔 내부

통창이 있는 원룸 오피스텔.
우진과 사무엘, 침대 앞에 기대어 앉아 맥주를 마시고 있다.
발그레한 둘의 얼굴.

사무엘 우진 씨.
우진 네.

사무엘 혹시, 제가... 손 좀 잡아봐도 될까요?

우진 그런 걸 뭘 물어봐요.

사무엘 싫어하실 수도 있으니까...

우진 앞으론 물어보지 말고 그냥 잡으세요. 이게 뭐라고. 자.

우진, 사무엘에게 손 내민다.

우진의 손을 잡는 사무엘, 쑥스러워하며 한동안 가만히 우진의 손을 잡고만 있다.

우진 물어보지 말고 막 함부로 덮치셔도 돼요.

사무엘 (쑥스러워 어쩔 줄 몰라 하다가) 우진 씨는 어떻게 그런 말을 그렇게 잘하세요?

우진 왜요? 별로예요?

사무엘 아뇨, 좋아서요... 저는 잘 그러질 못해서.

우진 사무엘 씨는 원래 그렇게 숙맥이에요?

사무엘 저는 원래 좀 신중한 편이에요. 혹시 제가 답답하신가요?

우진 아뇨. 너무 좋은데요? 원래 다른 사람끼리 만나야 된대요. 그래야 서로의 부족한 부분을 채워줘서 완벽한 한 팀이 된다더라구요.

사무엘 그럼 우린 천생연분인 거네요.

우진, 사무엘의 손을 쓰다듬는다.

우진의 손길을 듬뿍 느끼는 사무엘.

사무엘 우진 씨. 혹시... 키쓰...

사무엘의 입술에 입술을 확 갖다 대는 우진! 사무엘을 덮친다.

화면 아래로 사라지는 우진과 사무엘.

키스 나누는 소리.

더블 침대 위에 한 이불을 덮고 나란히 누워 멀뚱멀뚱 천장을 보고 있는 우진과 사무엘.
만족스럽지 않은 얼굴의 우진, 눈알을 돌려 그런 우진의 눈치를 보는 사무엘.

그 위로 자막: 60개월 후
60 Months Later

우진, 이불 속에서 사무엘의 성기를 향해 손을 가져간다.
조몰락조몰락거리는데 조금씩 다시 발기하기 시작하는 사무엘.

우진 어?
사무엘 된다!
우진 오셨다! 모시자!

우진, 재빨리 사무엘의 위로 올라가서 사무엘의 귀를 애무한다.
사무엘도 우진의 가슴 쪽으로 고개를 들이민다.

우진 (사무엘 다시 손으로 눕히며) 생략해도 돼!
사무엘 오케이! 가자!

우진, 바로 삽입으로 넘어가는데,
한 번, 두 번, 세 번, 네 번... 천천히 움직이자 바로 다시 사그라드는 그것...

사무엘 아... 오늘따라 이게 왜 이러지...
우진 (...) 괜찮아. 탈모약 때문에 그런가.
사무엘 그런 것 같아. 조금만 있다가 다시 해볼까?
우진 너무 애쓰지 마. 오늘 니가 안 되는 날인가 보네.
사무엘 그러게. 미안해. 약을 끊을까.
우진 아니야, 신경 쓰지 마. 머리숱... 중요하잖아.
사무엘 너무 중요하지...
우진 그냥 날씨라고 생각하자.

맑은 날도 있으면 흐린 날도 있는 거지.

〈CUT TO〉

한 이불을 덮고 등을 돌리고 누워있는 우진과 천장을 보고 누워있는 사무엘.

그 위로 자막: 90일 후

90 Days Later

사무엘　오늘 해도 될까?

우진　그거 자꾸 물어보지 말라고... 하고 싶으면 그냥 덮치라니까?

사무엘　니가 욕구가 있는지 없는지 정도는 물어볼 수 있지.

우진　덮쳐서 물고 빨고 하다 보면 없던 욕구도 생길 수 있는 거지.

사무엘　아... 그래? 나 그럼 그냥 덮친다?

우진　(한숨 내쉬며) 나 오늘은 좀 피곤하네. 그리고 내일 오전 출근이야.

사무엘　아하.

우진　넌 내일 뭐 할 거야.

사무엘　(...) 내일은 베란다 청소 좀 하고, 장 좀 볼까 하는데.

우진　이번 달 생활비 안 모자라지?

사무엘　응. 아직 괜찮아. 요즘 많이 피곤하지?

우진　(돌아누우며) 응. 요즘 너무 피곤하네. 자자.

사무엘　난 잠이 좀 안 올 것 같네. 편하게 잘래?

우진　(...) 뭐 하게.

사무엘　어. 나 컴퓨터 좀 하다 잘게.

사무엘, 침실 밖으로 나간다.

한숨 내쉬는 우진.

〈CUT TO〉

사무엘의 방문을 노크하는 우진, 슬립 원피스를 입고 있다.

그 위로 자막: 60일 후

60 Days Later

우진	뭐 해?
사무엘(v.o)	어! 그냥 있어!
우진	나 문 연다?
사무엘(v.o)	어!

우진, 문 열고 자신의 모습을 사무엘에게 보여준다.

컴퓨터 책상 의자에 앉아 하겐다즈 아이스크림을 퍼먹으며 레트리버 영상을 보고 있던 사무엘, 놀라 휘둥그레진 눈으로 우진을 본다.

우진	어때?
사무엘	(...) 옷이네? 산 거야?
우진	샀어.
사무엘	응. 이쁘다.
우진	우리 안 한 지 반년이 넘은 거 알아?
사무엘	벌써 그렇게 됐어? 시간 참 빠르네.
우진	이제 날씨가 슬슬 갤 때도 되지 않았나?

우진, 사무엘을 보면,

다시 컴퓨터로 시선을 돌리고 있는 사무엘.

우진	노력 좀 해보자. 방으로 와.
사무엘	응!

우진, 사무엘의 방문 앞에서 떠나는데...

혼자 남은 사무엘, 한숨 내쉬며 고개를 숙여 자신의 그것을 바라본다.

〈CUT TO〉

어느덧 더블 침대가 아닌 싱글 침대 두 개가 놓여있는 안방.

각자의 침대에서 등을 돌리고 누워있는 우진과 사무엘.

둘 다 눈만 멀뚱멀뚱 뜨고 있다.

우진　　솔직히 너 이제 나 여자로 안 보이지.

사무엘　　그런 거 진짜 아니야. 너 여전히 섹시해.

우진　　(몸 일으켜 세우며) 니 말이랑 몸이 너무 다르니까. 뭘 믿어야 될지 솔직히 잘 모르겠어.

사무엘　　(덩달아 몸 일으켜 세우며) 진짜 답답한 건 나 아닐까?

우진　　(째려보며) 너만 답답할 것 같애? 내가 오죽 답답했으면 이런 것까지 입고 그러겠어. 안 하던 짓 하는 게 얼마나 힘든지 몰라? 이거 입고 니 방문 두드리는 거 나도 힘들었어.

사무엘　　넌 서던 게 안 서는 게 얼마나 힘든지 알아? 내가... 아프고 싶어서 아픈 게 아니잖아... 약 때문에 그런 거라는데... 좀 참아줄 수 없어?

우진　　언제까지 참으라고. 차라리 이혼을 해.

사무엘　　너는 그런 말을 어떻게 그렇게 쉽게 해.

우진　　됐다. 너 혼자 있는 거 좋아하지? 혼자 실컷 있어.

우진, 침대에서 확 일어나 밖으로 나간다.
혼자 남겨지는 사무엘, 한숨을 푹 내쉰다.

3　　우진과 사무엘의 아파트 / 거실 / 밤

불 꺼진 아파트 거실.
우진, 베란다 앞에 서서 창밖을 보고 있다.
밖은 뷰랄 게 없고 아파트의 불빛들뿐이다.
이를 바라보고 있는 건조한 우진의 표정.
눈에서 눈물이 한줄기 흐르자 얼른 닦아내는 우진.
입고 있던 슬립 원피스를 벗어 던지고, 실내 건조대에 걸려 있던 티와 바지를 잡히는 대로 입고 나가버린다.

잠시 후, 사무엘이 자기 방에서 나와 현관을 바라보면 현관 등이 꺼진다.

4 오프닝 시퀀스

오프닝 음악이 깔리면서, 차창 너머 흘러가는 서울의 밤 풍경 이미지들이 펼쳐진다.
환락가를 지나고, 빌딩숲을 지나고, 한강 다리를 건너는 시선.
이 시선은 택시의 손님 좌석에 앉아 차창 너머를 구경하고 있는 우진의 것이다.
검은색 선글라스를 끼고 운전하고 있는 사무엘의 모습도 차창 너머로 보인다.

서울의 밤 도로를 달리는 사무엘의 택시.

LTNS

LONG TIME NO SEX

Episode 6: LONG TIME NO SEX

5 우진과 사무엘 아파트 / 6층 복도 / 밤

5화 마지막 씬에서 이어지는 상황.
문고리에서 떨어지는 휘발유 방울.
두 집의 현관문에 휘발유가 잔뜩 묻어있다.
축축하게 젖은 두 집의 바닥.
아파트 복도에 흘려있는 휘발유가 복도 끝까지 이어지는데...
우진, 휘발유가 끊겨있는 복도 끝에서 라이터를 들고 서 있다.
라이터를 잡은 손이 부들거린다.
망설이다 복도 난간으로 가서 서는 우진,
짧은 순간 얼굴에 회한이 스쳐 지나간다.
곧 온 힘을 담아 라이터를 아래로 내리꽂듯이 던져버리는 우진.

1층 현관 지붕 위에서 펑! 하고 터지는 라이터.
라이터가 터지면서 나는 불꽃이 우진의 눈에 반사돼 보인다.
라이터가 터진 1층 현관 지붕 위를 흥미롭다는 듯 내려다보는 우진.

6 우진의 호텔 / 로비 / 낮

준호, 프런트 데스크에서 아이스 아메리카노를 빨대로 빨아 마시며 누군가를 걱정스럽다는 듯 보고 있다.
고개를 절레절레 젓는다.
호텔 로비 소파에 앉아 노트북을 보고 있는 우진.
자세히 보니 협박문을 작성 중이다.

> 금요일 12시 30분
> 현금 3000만원을 백팩에 넣은 후
> 당신이 사는 아파트 10X동 현관 지붕 위에 던져 넣고 사라져라

7 우진과 사무엘의 아파트 / 우편함 / 낮

민수의 집 우편함에 서류봉투를 꽂고 지나가는 우진.
사무엘과 우진이 협박할 때 주로 쓰던 봉투다.
곧 민수가 나타나 우편함에서 기분 좋게 봉투를 꺼내어 간다.

8 민수의 집 / 거실 / 낮

민수, 작업 테이블에 앉아 봉투를 열어본다.
미소 지으며 봉투 안에 사진들을 꺼내는데, 사진들을 넘겨보다 표정이 굳는다.

같은 집으로 들어가는 사무엘과 민수의 사진들, 그리고 민수의 남편 동국이 아파트 앞을 나오는 사진들까지!

민수, 당황하며 봉투 안을 더 살펴보는데, 종이 한 장이 있다.
종이 한 장을 꺼내 보자 컴퓨터로 작성된 협박문이 나온다.

> 금요일 12시 30분
> 현금 3000만원을 백팩에 넣은 후
> 당신이 사는 아파트 10X동 현관 지붕 위에 던져 넣고 사라져라

그렇지 않으면 당신의 배우자와 사진 속 남자의 배우자에게
당신의 불륜 사실을 폭로하겠다
경찰에 신고할 시에도 폭로하겠다
내가 당신의 일거수일투족을 지켜보고 있다는 것을 명심해라
아주 가까이에서

9 우진과 사무엘 아파트 / 복도 / 낮

고요한 현관 지붕 위.
그 위에는 짝 잃은 슬리퍼 한 짝, 짝 잃은 목장갑 한 짝 등 방치된 지 오래되어 보이는 물건들이 널려 있다.
화면이 위로 올라가면 3층 복도에 서서 현관 지붕 위를 내려다보고 있는 우진이 보인다.

그 위로 자막: 금요일
Friday

화면 계속 위로 올라가고, 6층에 다다르면 곧 후드티를 뒤집어쓴 민수, 백팩을 메고 자기 집 문 열고 나와 복도를 걸어간다.
복도 끝에 멈춰 서서 난간 밑쪽을 한 번 본다.
백팩을 벗어 던지려다 말고 곧 엘리베이터 방향으로 꺾어 사라지는 민수.

어느덧 백팩을 메고 2층 복도로 들어와서 서는 민수.
마침 아파트 주민이 민수를 지나쳐간다.
아파트 주민이 지나갈 때까지 기다렸다가 냉큼 백팩을 벗어 1층 현관 옥상으로 던져버리는 민수, 곧 뒤도 안 돌아보고 엘리베이터 쪽으로 사라진다.

다시 6층 복도에서 나타나는 민수, 아래를 내려다보다가 다시 집으로 들어간다.
3층 복도에서 현관 지붕을 내려다보고 있던 우진의 핸드폰 알람이 울린다.
핸드폰에는 민수가 자신의 집 앞을 지나가는 게 보인다.
핸드폰을 집어넣고, 어디서 가져왔는지 낚싯대를 들고 아래를 향해 낚싯줄을 힘껏 던지는 우진.

1층 현관 지붕 위에 떨어져 있는 백팩 위로 낚싯바늘이 떨어진다.

백팩 위에서 헤매는 낚싯대 바늘, 간신히 백팩에 걸린다.
끌려 올라가는 백팩.

3층에서 낚싯대 릴을 감고 있는 우진.
백팩이 우진의 손에 들어왔다.
우진, 백팩을 메고 복도를 유유히 빠져나간다.

10 우진과 사무엘의 아파트 / 낮

백팩을 멘 우진, 낚싯대를 들고 집으로 들어온다.
사무엘, 거실에서 빨래를 개고 있다가 우진을 본다.
우진은 낚싯대를 현관에 대충 세워놓고는 메고 있던 백팩을 바닥에 털썩 내려놓으며 비장한 얼굴로 사무엘을 본다.

사무엘	웬 백팩? 못 보던 거네?
우진	봤던 거 아니고?
사무엘	뭔 소리야. 어디 갔다 와?
우진	일.
사무엘	일? 오늘 휴일 아냐?
우진	그 일 말고. 우리가 하던 일.
사무엘	우리 그 일은 당분간 쉬는 거 아니었어?
우진	그럴려고 했지. 근데 웬 호구가 눈앞에 나타나더라구.
사무엘	너... 혼자 그 일 하고 있었어? 그 힘든 일을 왜 혼자 했어.
우진	(사무엘 뚫어져라 보며) 너 걱정 돼서.
사무엘	그래서 이번엔 누구였는데?
우진	있어. 택시 기사.
사무엘	택시 기사? 택시 기사한테서 돈을 뜯어온 거야?
우진	아니? 택시 기사 내연녀. (사무엘을 뚫어져라 보며) 그 기사는 돈이 별로 없더라고.
사무엘	내연녀는 돈이 좀 있는 사람이었나 보네? 어떤 사람인데?

우진 어떤 사람이긴... 바람피우는데 그냥 썅년이지. 아. 특이한 게 하나 있었다.

사무엘 뭔데?

우진 우리 아파트 살더라?

사무엘 (살짝 표정 굳으며) 우리 아파트?

우진 응. 왜 움찔하지?

사무엘 (우진의 눈치를 살피며) 우리... 아파트라고?

우진 내연녀 남편은 포항에서 연구원 하면서 주말에만 왔다 갔다 하는 것 같고, 멀쩡하게 생겼더라고. 많이 외로웠나? 왜 능력 있는 남편 놔두고 택시 기사랑 바람을 피웠지?

사무엘 (얼굴이 잿빛이 된다) 너 지금 나랑 뭐 하자는 거야.

우진 나? 나 그냥 니가 물어보는 말에 대답하고 있는 건데? 솔직하게?

사무엘 그러니까... 그 택시 기사가... 나니?

우진 (비웃으며) 어.

사무엘 너 증거 있어? 증거라고 할 만한 게 있을 리가 없을 텐데?

우진 증거? 있지. 둘이 버젓이 같이 집에 들어가던데? 그거면 빼박 아닌가? 이번 미행은 너무 쉬웠어. 왜냐면 내가 고생할 필요도 없었던 게... (눈빛 돌변하며) 바로 우리 옆집이잖아, 이 씹쌔끼야...

사무엘 (한동안 뭐라 말하지 못하다가) 너 아무래도 안 되겠다. 정신 상담 좀 받아봐야겠다. 다른 사람도 아니고 나를 미행했어? 그것도 모자라서 아무 죄 없는 사람까지 협박했어? 너 완전 잘못 짚었어... 너 이번에 진짜 큰 사고 친 거야...

우진 (고함 발사) 사고는 니가 쳤지!!!

사무엘, 우진의 뒤에 있는 백팩 쪽으로 간다.
우진은 발로 백팩을 밟는다.

우진 그렇게 궁금해? 내가 돈을 벌었을지, 안 벌었을지?

사무엘 (...)

우진 나도 진짜 궁금하다. 여기 뭐가 들어 있을까? 나도 아직 안 열어봤거든. 만약에 진짜 돈이 들어있으면... 우리 어떡하냐?

사무엘 너 이딴 짓거리하기 전에 먼저 나한테 물어볼 생각은 안 해봤어?

우진 안 해봤겠냐? 근데 니가 할 말이 너무 뻔하던데?

우진, 백팩을 들고 식탁에 올려놓는다.
그리고 백팩의 지퍼를 잡는다.

우진 이거 같이 보면 되겠네. 이 안에 뭐가 들었는지.

사무엘 장담하는데, 거기 돈 안 들었어. 우리 아무 사이도 아니거든. 어떡하냐? 돈 못 벌어서? 아무리 옆집이라도 나름 고생 좀 했을 텐데.

우진 오케이. 그럼 열자.

우진, 백팩의 지퍼를 내리고 손을 집어넣는다.
두근두근. 백팩을 뚫어져라 보는 사무엘.
곧 돈다발을 들고 꺼내는 우진의 손.
사무엘, 돈다발을 보고 놀란다.

우진 돈이 나오네? 그것도 졸라 많이?

사무엘 (놀라 당황하며) 아니... 돈이 왜 나오지?

우진 돈이 나올 만하니까 나오겠지.

사무엘 너 도대체 뭐라고 협박했길래 그 사람이 돈을 줬어...

우진 내가 뭘 뭐라고 협박해. 우리가 맨날 쓰던 협박문 그대로 복붙했는데?

사무엘 (한숨 내쉬며) 너는... 악마야.

사무엘, 백팩에 손을 뻗자,

우진이 팔을 뻗어 이를 저지한다.

우진	내가 벌어온 돈에 손대지 마. 내 거야.
사무엘	(바닥을 보고 한숨을 푹 내쉬더니 고개 들며) 갈 데까지 가보자는 거지? 그래. 갈 데까지 가보자.
우진	우리가 지금 더 갈 데가 있나?
사무엘	(얼마간 우진을 가만히 보다가) 우진. 너 나한테 이럴 자격 있어? 너 왜 그렇게 떳떳해?
우진	뭔 소리야. 그냥 빌어도 모자랄 판에.
사무엘	나 그날 다 봤어.
우진	뭘.
사무엘	2년 전에 너 가출했던 날.

우진, 무언가 생각났다는 듯 동공이 흔들린다.

11 우진과 사무엘의 아파트 / 복도 계단 / 밤 (과거)

우진, 복도 계단을 내려가며 통화를 하고 있다.
신호음 몇 번 울리고 받는 우진의 언니, 정아.

언니(e)	어.
우진	언니. 뭐 해?
언니(e)	나. 니 형부랑 뭐 좀 하고 있어, 잠깐만? (목소리 확 바뀌며 전화 너머로) 그건 내 거야!!! 아니지, 내 카드 12개월 할부로 산 거잖아. 이 집에서 니가 가져갈 수 있는 게 별로 없을걸? (다시 톤 바뀌어서) 응. 그래 왜 전화했어?

계단을 내려가다 난간에 기대어 서는 우진.

우진	언니 형부 어디 가?
언니(e)	어디 가. 영원히.

우진 언니... 또 이혼해?

언니(e) 이걸 내가 또 할 줄 몰랐지 나도. 내가 남자 보는 눈이 더럽게 없어서 만나는 새끼마다 개똥밭이다. 넌 무슨 일이야.

우진 나 그냥 전화했지. 그냥.

언니(e) (또 전화 너머로) 그거 손대지 말라고, 확 씨! (톤 바뀌며) 우진아 언니가 내일 전화할게.

끊기는 전화. 멀리 보이는 우진의 모습 쓸쓸해 보인다.

12 우진과 사무엘의 아파트 / 놀이터 앞 / 밤 (과거)

우진, 놀이터 앞 벤치에 앉아 맥주 마시며 폰으로 전화번호 목록을 뒤적거린다.
폰 화면에 미영이, 율도, 진아 등 친구들로 보이는 이름들이 보인다.
미영이의 프로필 사진은 돌 지난 아기 사진, 율도의 프로필 사진은 부부와 강아지가 함께 찍은 사진, 진아의 프로필 사진은 여행지에서 찍은 커플 사진.
그중 보이는 '개'라는 이름.
한동안 손가락을 왔다 갔다 서성거리다가 통화 버튼을 눌러버리는 우진.
신호음이 울리는 소리가 들리자마자 다시 취소 버튼을 누른다.
문자로 '실수로 잘못 눌렀어'라고 치고 있는데, '개'로부터 전화가 걸려 온다.
우진, 고민하다가 전화 받는다. 말없이 폰 귀에 댄다.

기석(e) 롱 타임 노 씨.

우진 (...)

기석(e) 너 나 보고 있냐?

우진 뭔 지랄이야.

기석(e) 아니, 오빠 서울 온 거 어떻게 알았어?

우진 싸고 있네. 실수로 잘못 누른 거야.

기석(e) 아... 싸고 싶다. 그랜드 하얏트 천육십구호로 와. 모처럼 얼굴이나 보자. 여기 야경 죽여.

우진 이 새끼 이거 여전하네... 내가 거길 왜 가냐? 꿈 깨.

기석(e) 마침 돔페리뇽이 있는데?

우진　　내가 아무리 미친년이어도 너는 안 봐, 너는 개쓰레기니까.

우진, 전화 끊어버린다.

13　　하얏트 호텔 스위트룸 / 내부 / 밤 (과거)

서울 야경이 훤히 내려다보이는 호텔 스위트룸.
우진은 창가에 서서 이를 내려다보고 있다. 뭔가 생각하더니 휙 돌아선다.

우진　　야경 다 봤으니까 갈래.

소파 위엔 기석이 공연 후 받은 꽃다발과 선물들이 쌓여있고,
소파 테이블 위에는 돔페리뇽이 우뚝 서 있다.
소파에 앉아있는 '기석(40대/남)'.

기석　　비 온대. 좀 앉았다 가.
우진　　비 오기 전에 갈 거야.
기석　　비 오면 여기 야경 더 운치 있다. (눈썹을 씰룩이며) 알잖아, 너도.
우진　　(노려본다)
기석　　예쁘지나 말든가 미친년아.
우진　　(피식 웃으며 소파에 앉는다) 나 지금 못생겼거든? 완전 쌩얼인데?
기석　　넌 원래 쌩얼 깡패야 이 년아...
우진　　욕 하지 마, 미친놈아...
기석　　(피식 웃으며) 오랜만에 나 욕하는 거 들으니까 좋지. 너 욕 좋아하잖아.
우진　　지랄 쌈 싸 먹는 소리 하고 있네. 꺼져, 씨발놈아.
기석　　아... 너무 좋다. 야, 너만큼 욕 찰지게 하는 여자들이 왜 이렇게 없냐? 나도 니 욕 그리웠어.

기분 좋아진 기석, 돔페리뇽을 깐다.
팡! 하고 빠져나오는 코르크 마개.
기석, 돔페리뇽을 병째로 몇 번 들이켠다.

기석	(씨익 웃으며) 너도 그리웠던 거 다 알아, 이 년아. 개가 똥을 끊지.
우진	나 유부녀야.
기석	이제 둘 다 유부니까 페어플레이네.
우진	안 할 건데. 난 너 같은 쓰레기 새끼랑은 다르거든?
기석	넌 내 과야, 이 거짓말도 못 하고 센 척만 하는 귀여운 년아... 세상이 너 귀여운 거 몰라줘서 힘들지?

우진, 원형 테이블 의자로 와서 앉아 티 나지 않게 운다.
그런 우진에게 돔페리뇽 들고 다가오는 기석,
우진의 옆으로 바짝 다가온다.

기석	결혼 생활이 원래 힘든 거야. 이제 내가 좀 이해가 되냐?
우진	(파묻힌 채로 울먹이며) 너는 그냥 쓰레기라니까...
기석	알겠어 알겠어, 나 개새끼야. 사람들 개새끼한테 기대서 잘 울더라. 울어, 괜찮아.

우진은 그대로 엎드려 엉엉 운다.
그런 우진의 손을 잡아주는 기석.

기석	진아. 오빠가 옛날에 너 많이 힘들게 한 거 알아. 근데 오빠가 너만 사랑할 수 있는 사람 아닌 거 너도 알았잖아. 나도 이런 내가 싫은데 어쩌겠어. 내 피가 이런 걸. 너 오빠 솔직한 거 알지? 오빠 너 많이 그리웠다? 너만큼 나랑 잘 맞는 애가 없더라고.
우진	(기석 손 뿌리치며) 이 미친 새끼야... 너는 아직도 나랑 자고 싶냐?
기석	어.

우진 (자리에서 벌떡 일어나며) 시발 너는 섹스밖에 모르냐?
이 발정난 새끼야.

기석 씨발 그럼 니가 섹시하지를 말든가. 왜 나한테 지랄이야.

기석을 노려보던 우진, 기석에게 갑자기 키스를 한다.
기석도 이에 질세라 무서운 기세로 키스를 한다.
야성적이고 폭력적인 키스를 나누는 두 사람.
그렇게 입술이 붙은 채로 자연스럽게 테이블 위로 엎어지는 우진과 기석.
폭풍 키스를 하다가 잠시 멈춰서 우진이 말한다.

우진 오해하지 마. 나 너한테 감정 없다.

기석 (씩 웃으며) 마음껏 따먹고 가. 나쁜 년.

우진 맞아. 나 졸라 나쁜년이야. 넌 발정난 개새끼고.

기석 그래. 나 개새끼야.

우진은 다시 짐승 같은 키스를 하러 기석 위에 올라타며 벗던 옷을 야수처럼 벗어던진다.

14 하얏트 호텔 외부 / 밤 (과거)

비 내리는 하얏트 호텔 앞 풍경.
곧 입구에서 우진이 나온다.
우진, 내리는 비를 보고 어떡할지 망설인다.
과거의 사무엘, 멀리에서 비를 맞으며 그런 우진을 바라보고 있다.

그러다 그냥 고개를 숙이며 빗속으로 걸어 나가는 우진.
우진이 한참 걷는데, 우진의 앞에 누군가 서 있다.
그는 현재의 사무엘이다.
놀라며 사무엘을 보는 우진.

사무엘 그날 너 걱정돼서 따라가 봤었거든? (호텔을 보며)
좋은 호텔로 들어가더라. 그거 보는데 내 가슴이
무너지더라고.

우진 (...)

사무엘 그 호텔 앞에서 너 기다리면서 혼자 별생각을 다 했어. 따라 들어가 볼까. 차라리 모르는 게 낫지 않을까. 그냥 오해일 수도 있지 않을까.

우진 그냥 따라오지 그랬냐?

사무엘 한 시간 정도 기다리니까 나오더라고. 그 한 시간 동안 호텔에서 뭐 했어?

우진 (...)

사무엘 왜 대답 못 해. 갈 데까지 가보자며. 나는 그때 일, 그냥 죽을 때까지 묻고 가려고 했어. 나한테 그런 걸 물어볼 자격도 없다고 생각했거든. 근데 결국 이렇게 묻게 되네. 너 그날 거기 누구 만나러 갔던 거야?

우진, 대답하지 못하고 사무엘을 보던 시선을 피한다.
사무엘 역시 우진을 말없이 본다.
비가 계속 내리고... 두 사람은 계속 비를 맞고 서 있다.
표정으로 대화를 나누는 두 사람.

우진(v.o) 그냥 친구 만나러 갔던 거야.

사무엘(v.o) 친구를 만나러 야심한 시각에 호텔에 가? 그 친구랑 잤냐?

우진(v.o) 내가 솔직하게 말하면 너도 그럴래?

사무엘(v.o) 그래.

우진, 비에 젖은 머리를 뒤로 넘긴다.

15 우진과 사무엘의 아파트 / 낮

10씬 연속. 10씬과 다른 점은 집 내부에 바깥처럼 비가 내리고 있다.
비에 젖은 머리를 뒤로 넘기는 현재의 우진.
우진과 사무엘, 앞 씬과 마찬가지로 젖어 있고, 서로를 보고 있다.

우진 딱 한 번이었어.

사무엘 (...) 잤구나. 그 친구란 놈이랑. 누군데.

우진 정기석.

사무엘 (헛웃음 내뱉으며) 니 전 남친? 그 쓰레기 새끼랑 잤다고?

우진 응. 그 쓰레기랑 잤어. 근데 맹세코 그때 딱 한 번뿐이었고, 아무런 감정도 없었어.

사무엘 감정이 없는데 어떻게 자. 그게 어떻게 가능하지? 니가 짐승이야?

우진 백번 천번 내가 잘못했어. 변명 안 할게.

사무엘 그냥 변명해! 왜 변명을 안 해. 너 밤새도록 변명해도 모자라!

우진 (...) 잘못했어.

사무엘 니가 무슨 짓을 한 건지 알아? 너 니가 그렇게 욕하던 그 쓰레기 새끼랑 똑같아진 거야!

우진 (...) 이제 니 차례야. 너도 솔직하게 말해.

사무엘 나는... 뭐 말할 거리가 없는데?

우진 솔직하라고! 나도 솔직했잖아!!!

사무엘 뭐가 궁금한 거야? 잤는지, 안 잤는지? 안 잤어. 난 그 사람 손 한 번 제대로 잡아본 적이 없어.

우진 말이 되는 소리를 해. 같이 집을 들락거리는데 아무 일이 없었다고?

사무엘 우리는...

우진 우리? 아... 우리야?

사무엘 말 좀 할게. 솔직히 말하라며.

우진 그래, 말해.

사무엘 우리는 청소 메이트야. 청소를 같이했어.

우진 (헛웃음 내뱉으며) 청소?

사무엘 혼자 청소하는 게 얼마나 힘든 일인 줄 알아? 너는 청소에 관심도 없으니까 모르지? 둘 다 청소에 진심이라서 각자 집 대청소할 때 도와주고 그랬어. 그게 다야.

우진　　우리 집에도 왔었냐?

사무엘　　어.

우진　　이거 완전 미친 새끼네? 그 여자가 내 화장품, 내 옷, 내 팬티까지 다 봤겠네? 그 여자가 내 이불 만졌어? 말해.

사무엘　　(...) 청소를 하다 보니까.

우진　　감히 내 집에 다른 여자를 들여서 내 이불을 만지게 해? 이거 진짜 사람 뒤통수 제대로 치네?

사무엘　　니가 지금처럼 쓸데없이 오해할까 봐 그냥 말 안 한 거야. 청소만 같이했어. 정말이야.

우진　　(헛웃음 내뱉으며) 청소만 같이했는데 왜 이렇게 큰돈을 줬을까? 너 끝까지 치사하게 숨을래? 저 옆집 여자도 참 불쌍하다...

사무엘　　내가 뭘 숨고 있다는 거지? 지금 나 객관적으로 팩트만 얘기하고 있는데.

우진　　그럼 그때 여자 집 들어가서 삼십 분 동안 뭐 했어. 그때도 야밤에 같이 청소했냐?

사무엘　　그날은... 좀 아프시더라고. 그래서 약 좀 사다주고, 조용히 잠드는 거 좀 지켜봐 주다 나왔어. 남편분은 멀리 있고 당장 와줄 사람이 없다는데 어떡해. 이웃끼리 그 정돈 해줄 수 있는 거 아냐?

우진　　옆집 여자 아프다고 누가 약을 사다주고 재워줘!!! 너 그 여자 사랑했냐?

사무엘　　(...)

우진　　대답해 봐. 너 그 여자 사랑했어? 몸만 안 줬을 뿐이지 마음은 다 줬구나?

사무엘　　(...) 좋아했어.

우진　　(충격받아 말이 나오질 않는다)

사무엘　　솔직히 나 대화할 사람 필요했어. 넌 내 얘기 잘 안 듣잖아. 근데 민수 씨는 나랑 대화를 해주더라? 솔직히 마음 흔들렸어. 내가 그동안 너랑 살면서 너한테 못 받았던 거, 민수 씨는 너무 쉽게 주더라. 그동안 내가 왜 그렇게 외로웠는지 알겠더라고. 민수 씨 덕분에.

우진 외로웠어? 갚을 빚이 얼만데 외로웠어? 너 책임감 없이 퇴직하고 사업하다 망해서 우울하니 어쩌니 빌빌거리는 동안, 나는 혼자 이 가정 유지하려고 쉴 틈 없이 일했어. 그래서 외로울 새가 없던데 나는?!!

사무엘 그래, 너 혼자 가정 유지하느라 애썼네. 나는 뭐 좆도 아니었고. 그치? 니가 얼마나 사람 눈치 보게 하는지 알아? 내 자지가 왜 안 섰겠어? 생각이란 걸 좀 해봐. 습관처럼 남 깔아뭉개는 너 같은 사람이랑 누가 자고 싶어서 자지가 서겠냐?

우진 (눈물이 맺힌다) 그래. 그러니까 내가 정기석이랑 잔 거야. 정기석은 내가 아무리 깔아뭉개고 욕해도 나만 보면 꼴려하더라고.

사무엘 (부들부들 떨며) 어, 나도 꼴리더라! 분노 조절 못해서 입만 더럽고 지밖에 모르는 어린애랑 살다가 입도 깨끗하고 남 생각할 줄도 아는 어른 만나니까 꼴리던데?

우진 이제 진실을 얘기하네. 꼴렸어?

사무엘 그래, 꼴렸어. 10분에 한 번씩 변하는 니 기분 맞추면서 불안하게 살다가, 내 기분 신경 써주는 사람 만나니까 안심되면서 너무 꼴리던데? 그래도 나는 너처럼 더럽게는 안 놀았어.

우진 그래? 너는 존나 깨끗하셨어? 너 그 여자 생각하면서 딸 친 적 있어 없어?

사무엘 (...)

우진 대답을 못 하는 거 보니까 있나 보네. 아주 존나 깨끗하셔.

사무엘 넌! 그날 정기석이랑 몇 번 했어. 할 때 콘돔은 꼈냐?

우진 작작 해. 난 적어도 너처럼 질퍽하게 감정에 젖어서 비련의 남주인공 같은 지랄은 안 떨었어. 2년 동안 시발 물어보지도 못한 주제에 뭐? 콘돔 꼈냐고? 콘돔 안 꼈다, 시발! 어쩔 건데!

사무엘 더러워...

우진 니가 더 더러워. 겉으로는 착한 척 다 하면서 속으로는 남의 집 와이프 상상하면서 몰래 딸이나 치는 주제에. 난 적어도 너랑 있을 때 딴 남자 생각한 적 없어. 넌 나랑 있을 때 그년 생각했을 거 아니야. 몸은 나랑 있으면서 정신은 거기 가 있었겠지. 그게 더 기만이야.

사무엘 기만의 말뜻을 잘 모르나 보네. 너처럼 꼴리면 아무나랑 하는 게 기만이야.

우진 그냥 차라리 한번 하고 말지 그랬냐. 나는 차라리 그게 훨씬 이해가 될 것 같은데. 아. 옆집 가서도 안 섰구나? 그래서 못 했네. 잘 섰으면 너도 진작에 했겠지.

사무엘, 열받아서 제정신이 아니다.
전에는 한 번도 본 적 없는 야수 같은 얼굴로 갑자기 자기 바지를 내려버린다.
그러더니 소중이를 잡고 흔들기 시작한다.

우진 뭐 하는 짓이야.

사무엘 내 자지가 안 선다고? 보여줄게.

우진 미쳤어?

사무엘 그래, 미쳤다! 짐승이랑 대화를 하다보니까 짐승이 되네. 아... 씨발 좋아. 미치니까 너무 좋네? 속이 시원하다! 자, 봐봐! 섰지? 섰지?

우진, 못 봐주겠는지 일어나서 사무엘에게 다가가 바지를 올린다.
사무엘, 미쳤는지 다시 바지를 내린다.

사무엘 (눈이 돌았다) 왜! 실컷 봐, 니가 좋아하는 자지! 빨딱 섰잖아! 봐봐!

우진, 다시 바지를 올리려는데, 사무엘은 계속 바지를 내리며 옥신각신.
이때, 식탁 위에 있는 우진의 폰에서 도어캠 알람이 계속 울린다!
이를 듣지 못하고 계속 옥신각신하는 우진과 사무엘.
곧 어디선가 들려오는 유리창 깨지는 소리!
놀라서 동시에 소리가 난 쪽을 보는 우진과 사무엘.

우진이 후다닥 아파트 복도 쪽으로 창문이 난 작은 방에 가보니,
작은 방 유리창이 구멍이 나서 깨져 있다.
방바닥에는 깨진 유리 파편들과 함께 주먹만 한 돌이 있다.
우진, 놀라서 다시 거실로 가자 사무엘은 민수가 준 백팩을 들고 차 키를 챙기고 있다. 우진이 냅다 달려가 백팩을 뺏으려 한다.

우진	진짜 바닥 보이네. 이 와중에 이걸 챙겨?
사무엘	니가 친 사고 수습하려는 거야.

아파트 실내에 내리던 비가 어느덧 바닥에 고였다.
우진과 사무엘의 발목까지 찬 빗물.
민수가 준 백팩도 비에 흠뻑 젖었다.

우진	내가 벌어온 돈 손대지 마. 내 돈이야.
사무엘	이거 니 돈 아니야. 민수 씨 돈이야.
우진	바람피워서 걸린 년이 자기 가정 지키려고 준 돈이 내 돈이지 그럼!
사무엘	바람 안 폈으니까 돌려주자.
우진	(버럭) 너 도대체 누구 편이야!!!

우진, 사무엘의 말에 폭발하여 눈에 보이는 스탠드 조명을 팔로 쳐서 날려버린다.
그 스탠드 조명은 일직선으로 날아가더니 벽에 부딪혀 빗물 속으로 풍덩! 빠진다.
사무엘, 이를 보고 놀람도 잠시! 본인도 폭발하여 소파 위에 개 놓은 빗물에 젖은 빨래를 집어 바닥에 집어던지고 발로 밟아댄다! 첨벙! 첨벙!

사무엘	너만 성질 있는 줄 알지? 나도 있어! 나는 뭐 화를 못 내서 안 내고 사는 줄 알아?
우진	(팔짱을 끼고 그런 사무엘의 모습을 어이없이 보다가) 빨래 잘하네. 저거 잘 말려서 니가 다시 개.
사무엘	내가 니 개냐? 니가 개라.

부들거리며 반항하는 사무엘의 모습을 보자 빡이 도는 우진.

소파 쪽으로 걸어가서 소파에 있는 쿠션에 얼굴을 묻고 악! 악! 소리를 질러대다가 그 쿠션을 소파에 쳐대며 분풀이를 실컷 하고, 쿠션을 사무엘에게 던져 버린다.
빗물에 젖은 쿠션에 머리를 맞는 사무엘,
쿠션을 들고 식탁에 몇 번 내려치는데,
쿠션이 터지며 깃털이 떨어져 바닥에 고인 빗물 위로 둥둥 뜬다.
그 사이 방치된 백팩이 보이자, 얼른 백팩을 들고 도망치는 사무엘!

16 우진과 사무엘의 아파트 / 복도 / 낮

민수의 돈이 담긴 백팩을 들고 있는 사무엘, 현관문 열고 뛰쳐나온다.
바로 뒤따라 나오는 우진!
사무엘은 옆집으로 가서 문을 두드리는데 기척이 없다!
사무엘의 백팩을 붙잡고 늘어지는 우진.

우진	너 이년 사랑했냐?
사무엘	민수 씨! 민수 씨!!! 안 계세요?
우진	사랑했냐고!!!
사무엘	민수 씨!!!

사무엘, 대답 없이 폰 꺼내 민수에게 전화를 건다.
우진은 사무엘의 옷자락까지 붙잡고 늘어진다.
전화 받는 민수.

민수(e)	여보세요.
사무엘	민수 씨. 지금 어디 계세요?
민수(e)	사무엘 씨... 저 파주 부모님 집에 와 있어요.
사무엘	제가 지금 그리로 가겠습니다.
민수(e)	지금요?
사무엘	네. 문자로 주소 좀 찍어주실 수 있을까요?

전화 끊는 사무엘.
우진, 사무엘을 두 손으로 붙잡고 놓지 않는다.

우진 너 까불지 마. 이거 들고 지금 그 여자한테 가면 우리 갈라서는 거야.

사무엘 어우 지겨워.

사무엘, 몸을 흔들며 우진의 팔을 떼어내려 하는데 쉽지 않다.
유도선수처럼 사무엘의 옷자락과 백팩을 잡고 놓지 않는 우진.
사무엘, 유도 자세로 몇 번 벗어나기를 시도하다가 간신히 우진에게서 벗어난다.
아파트 복도를 전속력으로 뛰기 시작하는 사무엘.
우진이 바로 사무엘을 쫓아간다!

우진 서! 안 서?!!

17 도로 / 낮

도로를 빠른 속도로 달리고 있는 사무엘의 택시와 우진의 렌터카.
사무엘의 택시가 앞서가고 우진의 렌터카가 바짝 추격하고 있다.
이리저리 차들을 피해서 급하게 달리는 사무엘.
하지만 우진의 운전 솜씨 만만치 않고 차의 마력이 만만치 않다.
사무엘의 차를 거뜬하게 따라붙는 우진의 차.

우진의 렌터카

우진, 독이 잔뜩 오른 눈으로 운전하면서 사무엘과 통화를 하고 있다.

우진 비상등 켜고 차 당장 갓길로 빼.

사무엘 나 항상 니 말 잘 들었잖아. 오늘부터는 안 들어. 씨뻘. 말 안 들으니까 너무 신나!

사무엘의 택시

사무엘, 쫓기면서 우진과 통화를 하고 있다.
백미러와 사이드미러를 보면서 다급하게 운전한다.

우진 너 서는 게 좋을걸?
사무엘 싫어. 안 서.
우진 후회할 텐데?
사무엘 후회 안 해!
우진 시발 너는 서야 할 때 서는 법을 모르는 게 문제야.
사무엘 아까 선 거 봤으면서 아직도 그 소리네?

사무엘, 액셀 밟는다. 올라가는 시속 게이지.
하지만 앞차들에 가로막혀 브레이크를 밟으며 바로 속도를 줄이는 사무엘의 택시.
그 사이, 우진의 차가 사무엘의 옆 차선으로 붙는다!

우진 그래, 같이 죽자!!!
사무엘 어쩔 건데.
우진 받아버린다!
사무엘 받아봐. 나 안 쫄려. 나 오늘부로 새로 태어났거든.
우진 내가 못 할 것 같지?

사무엘의 차를 치겠다는 듯 차를 막 갖다 대며 위협하는 우진의 차.
사무엘의 차는 우진의 차를 피하며 방어운전을 한다.
카레이싱이 마치 부부싸움 같아 보이는 순간.

그때, 우진의 차가 부아아앙 소리를 내며 사무엘의 차를 앞지르더니 급회전을 하며 앞뒤 방향을 바꿔 사무엘의 차를 막는다. 전속력 후진을 하는 우진의 차!
그 순간 눈이 마주치는 우진과 사무엘.
우진, 브레이크를 밟는다!
덩달아 놀라서 브레이크 밟는 사무엘. 끼이이익!
두 차는 박기 일보 직전 코앞에서 멈춘다.
도로에 생긴 검은 타이어 자국, 도로에서 올라오는 타이어 타는 연기.

사무엘의 택시

운전대를 잡고 고개를 숙이고 있는 사무엘.

죽은 게 아닐까 싶어 고개를 들어보면, 우진의 차 정면이 보이는데, 차 안에 우진이 없다!
그때, 사무엘의 차 조수석 창문에서 똑똑 두드리는 소리.
사무엘 놀라서 보면, 우진이 서 있다.
움찔하며 놀라는 사무엘.

우진　　　(문 열려고 시도하며) 열어!

우진, 분에 겨워 어디론가 걸어가는 게 보인다.
렌터카 트렁크에서 야구 방망이를 들고 오는 우진.

사무엘　　　어? 어어! 어어어!!!

우진이 사무엘 창문 앞에 서더니 방망이로 창문을 톡톡 두드린다.
사무엘 어쩔 줄 몰라서 차 안에서 소릴 지른다.

사무엘　　　뭐. 뭐!

사무엘이 문을 열지 않자 우진이 프로 선수처럼 손에 침을 탁탁 뱉은 후, 방망이를 세게 움켜쥔다. 풀 스윙으로 창문을 내려치려는 순간!
소리를 질러대며 창문을 여는 사무엘.

사무엘　　　으아아악! 열었다! 열었어! 차 좀 그만 뿌셔!

창문이 열리자 스윙을 멈추는 우진,
한심하다는 듯 사무엘을 비웃더니 방망이를 던지고,
조수석 문을 열고는 민수가 준 백팩을 꺼낸다.

운전석에서 내리는 사무엘, 달려가 우진에게서 백팩을 뺏으려고 한다.
우진 역시 뺏기지 않으려고 안간힘을 쓴다.
다시 부부간에 백팩을 둘러싼 힘겨루기가 시작된다.
힘으로는 안 될 것 같자 백팩 뺏기를 멈추는 우진, 백팩의 지퍼만 연다.
사무엘, 뭐지? 싶어 우진을 바라보는데...

백팩에 손을 집어넣더니 안에 있는 지폐들을 손에 쥐고 하늘로 뿌리기 시작하는 우진!
사무엘이 당황해서 방심한 틈을 타 백팩을 가로채고는, 백팩에서 돈을 더 꺼내어 허공에 뿌린다.
사무엘, 그런 우진을 막으려 팔을 잡으려 하자 미친 듯이 팔을 뿌리치는 우진.

사무엘　　우진 진정해. 너 지금 제정신 아니야. 이거 돈이야. 니가 제일 좋아하는 돈!

우진　　내 몸에 손대지 마. 니 말대로 미치니까 좋네!

사무엘　　넌 원래 미쳤어. 더 미치면 안 돼!

우진의 매서운 저항에 사무엘이 손을 바로 떼고 물러선다.
우진은 다시 백팩에서 돈을 꺼내 뿌려댄다.

우진　　내가 가질 수 없으면!!!

하늘에서 흩날리는 지폐.

우진　　아무도 못 가져!!!

또 하늘에서 흩날리는 지폐.

우진　　내가 가질 수 없으면!!!!!!

비상등을 켜고 사무엘의 차 뒤에서 멈춰있던 차들에서 사람들이 뛰쳐나와 그 광경을 폰으로 찍는다.
사무엘은 넋이 나가 이를 지켜본다.
어떤 사람들은 땅에 흘린 지폐를 줍는다.
계속해서 하늘을 향해 돈을 미친 듯이 뿌려대는 우진.
아수라장이 된 도로.
화면 서서히 어두워진다.

화면 다시 나타나면, 우진과 사무엘의 아파트 내부. 텅텅 비어있다.
텅 빈 거실, 텅 빈 안방, 텅 빈 사무엘 방이 천천히 보여진다.

자막: 11개월 후
11 Months later

신발을 신은 채로 아파트 내부를 이리저리 구경하고 있는 신혼부부.
젊은 남성 부동산 중개사가 신혼부부를 따라다니고 있다.
신혼부부, 안방을 열어보고, 작은방을 열어본다.

중개사 오래된 집 치고 생각보다 깔끔하죠?
아내 (화장실 문을 열어보고는) 뭐, 생각보다 깔끔하긴 한데... 오래되긴 오래됐네요.
중개사 그거야 리모델링 싹 하면 되죠. 내가 싸고 좋은 업체 소개해 드릴 수 있어요.
남편 혹시 전에 어떤 분들이 사셨어요?
중개사 이 집 주인분들이 직접 살았어요. 신혼부부. 그렇게 금실이 좋더니만, 잘돼서 나갔어요. 터가 좋은지 이 집만 들어오시면 그렇게들 잘 돼서 나가더라구요.

서로 얼굴을 바라보며 말없이 대화하는 부부.

아내 저희 계약할게요.
중개사 그러실래요? 드디어 임자가 나타났네요. 그럼 내가 주인분들에게 연락해서 날짜 잡을게요.

그때, 남편이 어딘가를 보면,
바닥에 꾸겨진 종잇조각이 하나 있다.
남편이 그것을 줍는데... 종잇조각을 펴니 그것은 오만 원권 지폐다.
잔뜩 젖었다 마른 지폐인 듯.

남편	진짜 잘 돼서 나가셨나 보다...
아내	돌려드려야 되는 거 아냐?
중개사	그런 돈은 줍는 사람이 임자죠. 이 집도 빨리 주우셔야 돼.

돈을 주워서 좋아하는 부부.

19 우진과 사무엘의 아파트 / 복도 / 낮

마스크를 쓰고 모자까지 눌러쓴 한 남성, 우진과 사무엘의 집 현관문 앞에 서 있다.
그의 정체가 누구인지는 불분명하다.
주변을 두리번거리더니 주머니에서 락카를 꺼내 흔드는 남자.
그때, 현관문 열리며 신혼부부와 중개사가 나오자,
재빨리 락카를 옷 안에 숨기고 복도를 지나가던 척 걸어가는 남자, 얼마간 걸어가다 멈추더니 되돌아온다.

테러남	혹시 이 집 살던 분들 이사 가셨나요?
중개사	그렇겠죠? 이분들이 이사 올 예정이니까?
아내	누구시죠?
테러남	택배 기사예요.

고개를 꾸벅 숙이고 인사하며 사라지는 테러남.

20 우진과 사무엘의 아파트 / 입구 / 낮

아파트 입구에 세워진 택배 트럭.
곧 테러남이 뛰어 내려와 차의 운전석 옆에 탄다.

택배 트럭 내부

운전석에는 택배 옷을 입은 50대가 넘어 보이는 중년 남성이 앉아 있고,
보조석에는 아까 락카를 들고 있던 20대 초반의 남성이 앉는다.
택배기사는 한쪽 팔에 깁스를 하고 있다.

테러남	아버지. 그 집 있잖아요, 생수 무식하게 많이 시켰던… 개념을 국밥에 말아먹은 집.
택배기사	609호?
테러남	네. 그 집 이사 갔대요.
택배기사	아이고 잘됐네. 그 집 지날 때마다 팔이 아팠는데.
테러남	다행이죠. 아버지가 그 집 때문에 이렇게 다치신 거 생각하면 아직도 빡쳐요.
택배기사	오늘은 탑차에 생수 많이 없었냐?
테러남	네. 요즘 그렇게 개념 없는 사람들도 줄어드는 것 같아요.
택배기사	이게 다 너튜브 님 때문이다! 오늘 기분도 좋은데 왕돈까스나 함 때리까.
테러남	네! 왕돈까스 가요.

택배 기사, 차 출발시킨다.
택배 트럭이 아파트를 빠져나간다.

21 논산 딸기 농장 / 앞 공터 / 새벽

차 내부

사무엘 폰에서 울리는 새벽 5시 알람.
사무엘, 자다 일어나 몸을 일으키며 랜턴 불을 켠다.
사무엘이 일어난 곳은 차 안이다.
뒷좌석이 차박을 목적으로 평탄화되어 매트가 깔려있는 자리.

차 외부

딸기 농장 공터의 잡초가 무성히 자란 곳에 세워진 낡은 스포티지가 세워져 있다.
트렁크를 열고 나오는 사무엘,
목이 뻐근한지 목을 몇 번 돌리더니 연초를 한 대 꺼내 불을 붙인다.

〈CUT TO〉
농장 외부에 설치된 수돗가에서 양치질을 하는 사무엘.
불편하게 쪼그려 앉아 수돗물로 머리를 감는 사무엘.

22 논산 딸기 농장 / 비닐하우스 / 아침

딸기가 주렁주렁 열려 있는 딸기 농장.
사무엘, 넓은 비닐하우스 안에서 바퀴 달린 의자에 앉아 앞으로 나아가며 손으로 딸기를 따고 있다.
바지춤에는 휴대용 블루투스 스피커가 달려 있고,
스피커에서는 '이혼을 멋지게 극복하는 방법'에 대한 강의가 나오고 있다.

〈CUT TO〉
하우스 바닥에 쌓인 딸기 잎들을 긴 나무 밀대로 밀어내며 청소하고 있는 사무엘.
사무엘의 얼굴에서 건강한 땀이 흐른다.

23 논산 딸기 농장 / 사무실 / 낮

사무엘 부가 딸기를 들고 찍은 사진이 인쇄된 커다란 현수막. 눈썹 문신이 돋보인다.
화면 빠져나가면, 사무엘 부가 테이블 앞에 앉아 딸기들의 상태를 확인하며 박스에 담고 있고,
스티커를 붙여 상품으로 만들고 있다.
사무엘은 그 옆에 서서 딸기 바구니들을 개량하는 테이블 위로 옮기고 있다.
그때 새참 들고 등장하는 막내 누나 찬양.

찬양　　부자가 사이가 좋으네이. 식사하세요.

누나가 옆 테이블에 새참을 내려놓으며 자리에 앉는 사무엘에게 말을 붙인다.

찬양　　너는 멀쩡한 아부지 집 납두고 허구헌 날 차에서 자냐...
　　　　꼴사납게.
사무엘부　　내비둬. 잔소리하지 말고.
찬양　　아부지 말씀 섭하게 하시네... 잔소리는 뭔 잔소리여.
　　　　걱정이지.

사무엘부	그놈의 걱정이 다 잔소리여. 내비둬.

이때 사무엘의 핸드폰 진동이 울린다.
사무엘이 전화를 받으며 일어난다.

사무엘	여보세요.
중개사(e)	하늘 부동산입니다. 집을 사시겠다는 분들이 있어서요.
사무엘	정말요?
중개사(e)	사모님이랑 공동명의시죠? 같이 한번 오셔야 될 것 같은데...

사무엘의 난처하고 씁쓸한 얼굴.

24 논산 태권도장 / 저녁

'백절불굴' 한자로 쓰여진 액자가 벽에 붙어있는 태권도장.
검정 띠 사무엘, 보호구를 차고 품띠 남학생과 진지하게 겨루기 중이다.
관장이 심사를 보고 있다.

품띠 남학생이 뒤후리기로 사무엘의 머리를 가격하자,
열받은 사무엘, 역공을 시작한다!
찍기, 뒤후리기, 정권 지르기 등으로 품띠 남학생을 인정사정없이 공격하는 사무엘.
사무엘의 눈이 돌아가 있다.
다리를 올려 품띠 남학생의 머리를 찍어버리는 사무엘.
쫄아서 도망만 다니던 품띠 남학생이 엎어진다.
하지만 아랑곳없이 넘어진 남학생을 계속 공격하려는 사무엘.
관장이 안 되겠는지 사무엘을 만류한다.

관장	(사무엘에게) 홍. 경고 하나.

사무엘, 고개 끄덕인다.

25 상가 건물 주차장 / 낮

우진과 사무엘 아파트 바로 앞에 있는 상가 건물에 있는 주차장.
사무엘이 주차장에 구형 스포티지를 주차하고 내린다.
곧 자신이 살던 아파트를 회한 어린 눈으로 둘러보는 사무엘.

그때 아파트로 들어가는 계단에서 나타나는 우진.
말끔한 모습의 우진, 사무엘을 발견하고는 사무엘 쪽으로 다가온다.
어색하게 마주하는 우진과 사무엘.

우진	일찍 왔네.
사무엘	어. 차 막힐까 봐. 너도 일찍 왔네.
우진	어. 좀 둘러보려고.
사무엘	(…)
우진	뭔가 분위기가 많이 달라졌다.
사무엘	그런가. 너는 그대로네.
우진	(…) 시간이 좀 뜨네. 커피나 한잔할래? 할 말도 있고.
사무엘	(경계하며) 무슨 말?
우진	불편하면 말고.

사무엘의 난처한 얼굴.

26 식당 / 내부 / 낮

우진과 사무엘이 창밖이 보이는 테이블에 마주 앉아 순대국밥을 먹고 있다.
예전과는 뭔가 달라진 분위기의 두 사람.
사무엘의 단정했던 머리는 길어서 풀어헤쳐져 있고, 복장도 어딘가 자유로워 보인다.
우진 역시 캐주얼한 차림이다.
한동안 말없이 국밥만 먹고 있는 두 사람.

우진	그…
사무엘	어…

우진　　내가 부탁할 게 있는데.

사무엘이 먹던 속도가 느려지며 우진을 바라보자,

우진　　그 부탁이 뭐냐면 내가 지금부터 말을 할 건데, 계속 밥 먹어줘. 나 보지 말고. 절대 고개 들면 안 돼.

사무엘 잠시 우진을 보다가 다시 국밥에 고개를 묻고 밥을 먹는다.

우진　　사무엘.

사무엘은 우진의 말이 안 들리는 듯 계속 국밥 그릇에 얼굴을 묻고 밥을 먹는 척한다.
우진, 사무엘의 정수리를 보고 눈물이 핑 돌지만, 애써 삼킨다.
우진도 애써 밥을 먹으며 말을 이어나간다.

우진　　(크게 호흡을 하고) 잘 지냈어?
사무엘　　(고개를 살짝 들고 대답을 해야 하나 말아야 하나 망설인다)
우진　　고개 들지 말라니까.
사무엘　　(다시 고개 숙인다)
우진　　여전하네. 내 말 잘 들어주는 거.
사무엘　　(...)
우진　　나는 잘 못 지냈어. 힘들더라. 이혼하고 우리 사이에 남아 있던 거라고는 집 하나였는데, 이제 이 집마저 사라진다니까 기분이 이상하네. 요즘 부쩍 이 집 처음 샀을 때 생각이 많이 나. 겁도 없이 대출을 그렇게 받아 놓고 우리 집 생겼다고 엄청 행복해했잖아.
사무엘　　(계속 고개를 숙이고 있다)
우진　　나 그동안... 그렇게 좋았던 우리가 어쩌다 이렇게 됐는지 생각 많이 했어. 생각 끝에 너를 진짜로 보내줘야겠다는 결심이 서더라. 그러려면 내가 꼭 해야 할 일이 있다는 걸 깨달았어. 그걸 지금 하려고 해.

사무엘 (긴장한다)

우진 미안해, 사무엘.

사무엘 (미묘하게 놀라는 표정)

우진 우리 이렇게 된 거... 다 내 잘못 같아. 너는 그냥 내가 니 옆에 있는 것만으로 만족했던 것 같은데, 나는 너한테 바라는 게 너무 많았어. 니가 내 옆에 있는 건 당연한 거라고 생각했으니까. 내가 착하고 똑똑한 너를 망쳐놓은 것 같아. 너무 미안해.

사무엘 (눈시울이 붉어지자 이를 악물고 눈물을 참는다)

우진 너랑 같이 살 수 있었던 6년이 고마워. 나 이제 잘 살 테니까, 너도 잘 살아?

사무엘의 순대국밥에 눈물이 뚝뚝 떨어진다.
우진에게 들킬세라 숨죽여 우는 사무엘.
우진과 사무엘, 두 사람의 모습과 함께 유리창 너머로 보이는 아파트 풍경.
따뜻한 캐럴 느낌의 음악이 흐르며 페이드아웃.

27 호텔 / 전경 / 밤

우진이 일하는 호텔 앞에 눈이 펑펑 내리고 있다.
호텔에 서 있는 나무들에 트리 조명으로 반짝이고 있다.

28 호텔 / 로비 / 밤

화면 나타나면, 연말 분위기가 물씬 풍기는 호텔 내부.
로비 한쪽에 와인을 팔기 위해 설치해 둔 진열대와 거대한 크리스마스트리가 놓여있다.

자막: 3개월 후
3 Months Later

트리 아래 놓이는 예쁘게 포장된 선물 박스들.
사복을 입은 준호가 트리 앞에 쪼그려 앉아 장식들을 정리하다가 고개를 들어 우진을 바라본다.
산타 모자를 쓰고 트리 앞에 서서 직원들의 연말 카드를 달고 있는 우진.

준호	누나. 저 바로 체크인 좀 해주시면 안 될까요?
우진	안 됩니다, 손님은 이번 달 체크인을 너무 많이 하셔서 안 되십니다.
준호	아 누나...

이때 멀리서 호텔 입구에 문 열고 들어오는 한 남성.
와인과 케이크, 그리고 꽃까지 들고 있어 손이 모자라 보인다.
우진이 준호에게 고개로 그 남자를 가리키자 준호가 뒤를 돌아보더니 그에게 달려간다.
꽃을 받고는 입이 귀에 걸리는 준호.
우진은 이들을 귀엽게 바라본다.

준호애인	안녕하세요. 누나. 저 또 왔어요.
우진	그러네요.
준호	(한층 더 애교 떨며) 누나. 체.크.인.
우진	네, 손님. 여기 있습니다. 애인분이 귀여우셔서 스위트룸으로 업그레이드되셨습니다.
준호	(꺅 소리 지르며) 봤지, 봤지. 진짜 할 줄 안다니까.
준호애인	누나 사랑합니다. 덕분에 연말 스위트하게 보내겠습니다.
우진	좋은 하루 보내십시오, 손님들.

준호와 애인은 신이 나서 엘리베이터를 타고 사라진다.
우진은 귀여워서 짓던 미소가 한동안 유지되더니 금세 무표정이 된다.

곧 한 커플이 체크아웃하러 프런트에 선다.
남자는 2화에 잠깐 나왔던 검사이고, 여자는 그보다 한참 어려 보이는 20대 여성이다.

검사	체크아웃이요.

곧 체크아웃을 끝내고 와인 진열대로 가서 와인을 구경하는 검사와 그의 애인.

우진은 이 둘의 뒷모습을 아련하게 바라보다가 창밖을 본다.
우진의 시선으로 보이는 유리 벽 너머 눈 쌓인 바깥 풍경.

29 도로 / 택시 / 내부 / 밤

택시 내부.
라디오에서 크리스마스 캐럴이 울려 퍼지고 있다.
우진, 뒷좌석 손님 자리에 앉아 운전기사 쪽을 애틋한 눈으로 한 번 본다.
말없이 운전 중인 중년의 택시 기사.
와이퍼가 내리는 눈을 닦아 내고 있다.
창밖으로 시선을 돌리는 우진.
성에 낀 창틈에 눈이 쌓여있고, 바깥으로 눈이 내린다.

30 우진의 원룸 / 내부 / 밤

우진, 아이패드에 〈연말 솔로 홈파티 메뉴 파스타〉를 보며 부엌에서 파스타를 만들고 있다.

유튜버 여러분. 솔로라고 연말에 집에서 혼자 라면으로 때우고 있는 거 아니죠? 제가 뭐라고 했어요. 솔로는? 축복이다. 여러분은 혼자가 아니에요. 세상에서 우리를 뭐라고 부르나요? 부대라고 하죠. 솔로부대. 자, 이제 통후추를 갈아 넣으세요. 여러분. 통후추 하나면 연말 분위기 나요.

우진, 유튜브 영상 따라 만들고 있지만, 팬 위에 통후추를 갈아 넣는 것마저 몹시 어색한 솜씨.

집 안은 침대와 테이블만 있고, 정리 정돈이 되어 있지 않아 매우 어지럽다.
발로 옷 무더기를 대충 치우고 파스타 볼과 포크 들고 침대에 걸터앉는 우진.
이때 울리는 폰 진동음.
우진, 폰 들어보면, 폰 화면에 뜨는 '울 언니'
우진 부랴부랴 아이패드에 유튜브로 '와글와글 소리'를 검색하고는 틀어둔다.
정말 왁자지껄한 소리가 흘러나오자 전화를 받는 우진.

정아(e) 너 뭐 해. 내일 크리스마슨데.

우진 나 지금 친구들 만나고 있는데?

정아(e) 지랄하네. 니가 친구가 어디 있어. 잔말 말고 오늘 우리 집으로 와. 애들이 이모랑 촛불 불고 싶대.

우진 안 들려? 나 진짜 친구랑 있다니까.

정아(e) 진짜지? 청승 떨 거 아니지.

우진 어. 나 바쁘다. 끊는다.

우진, 전화 끊고 고개를 절레절레 흔든다.
우진만 있는 공간에 와글거리는 소리만 들리고.
우진은 입맛이 떨어졌는지 테이블 위에 파스타를 갖다 두고는,
테이블 위에 있는 와인을 한 병 집어 싱크대로 가서 오프너를 찾아 낑낑대며 깐다.
잘 안된다.
이때 똑똑똑 문 두드리는 소리.
놀란 우진이 문 쪽을 바라본다.

우진 누구세요?

사무엘(e) 우진… 우진… 나야. 사무엘.

사무엘의 목소리에 놀라는 우진.

〈CUT TO〉
세탁기 돌아가는 소리 들리고,
사무엘, 우진의 집을 정리하고 청소하고 있다.
우진은 침대 위에 올라가 앉아 와인 병나발을 불며 그런 사무엘을 구경하고 있다.

우진 너도 참… 연말에 여기서 뭐 하고 있냐?

사무엘 그러는 너도 연말에 집에서 혼자 뭐 하고 있냐? 남자 안 생겼어?

우진 그게 궁금해?

사무엘 (…)

우진 내가 그런 사적인 걸 너한테 말해줘야 할 의무는 없는

것 같은데?

사무엘 (...) 없지.

⟨CUT TO⟩

작은 소반 위에 놓인 딸기.

어느 정도 정리된 원룸 오피스텔.

우진과 사무엘, 침대 앞에 기대어 앉아 딸기를 주워 먹고 있다.

우진만 맥주를 마시고 있다. 어색한 분위기.

우진 딸기 맛있네.

사무엘 응. 올해 농사가 잘됐어.

우진 가족들은 다 잘 지내시지?

사무엘 응. 다 잘 지내셔. 너희 가족분들도 다 잘 있으시지?

우진 (끄덕이며) 응.

사이.

우진 술 안 마실래? 냉장고에 맥주 있는데.

사무엘 차 타고 왔어.

우진 아... 그래.

사무엘 쯧, 마시자.

사무엘, 일어나서 냉장고에서 맥주 한 캔 가져와 다시 앉는다.

맥주 까서 마시는 사무엘, 집을 둘러본다.

사무엘 옛날에 너 자취할 때, 니가 나 이런 집에 불렀었는데.
기억나?

우진 아. 그랬었나?

사무엘 응. 우리 사귀기 전에.

우진 기억난다.

사무엘 (...)

우진 넌 어떻게 생각할지 모르겠지만 그 집에 온 거 니가 처음이었어.

사무엘 그랬어? 몰랐네. 이 집엔 누구 안 왔었나?

우진 넌 도대체 그런 게 왜 궁금하니?

사무엘 궁금한 게 당연하지. 그래도 전 와이프였는데.

우진 알려줘?

사무엘 왔었구나?

우진 안 왔어. 아무도.

사무엘 응... 그래.

사이.

우진 그때 내 자취방에 너 거의 살다시피 했었지?

사무엘 그랬지.

우진 그때 참 좋았는데.

사무엘 그러게.

우진 (사이) 아, 나 그 우리가 쫓다가 포기했던 검사 있잖아.

사무엘 아... 그 수정방?

우진 그 사람 새 여자랑 또 바람피우러 왔더라. 그때 니 생각 좀 났지.

사무엘 아... 그 검사 새끼, 그거.

딸기를 집다가 살이 닿는 우진과 사무엘.
서로 눈을 마주 본다.
둘 다 서로에게서 시선을 피하지 않는다.

사무엘 먼저 집어.

우진 응.

우진, 사무엘의 시선 피하며 딸기를 집어 먹는다.
계속 사무엘의 시선이 꽂히자 불편하다는 듯 사무엘을 보는 우진.
사무엘, 우진에게 얼굴을 가까이 대며 키스하려고 하자,
우진이 얼굴을 살짝 피한다.

우진 왜 이래. 취했어?

사무엘 (원래 자리로 돌아오며) 미안.

어색한 두 사람.
그때, 돌연 사무엘에게 키스를 하는 우진!
끈적하게 키스를 나누는 두 사람.
소반이 엎어지면서 바닥에 흘리는 딸기들.

우진과 사무엘, 강렬한 키스를 나누다가 서로의 몸을 애무하기 시작한다.
입술을 밀착시킨 채 껴안고 침대로 향한다.
침대에 엎어져 우진의 옷을 하나하나 벗기는 사무엘.
미친 듯이 서로의 몸으로 파고드는 두 사람.
그러다 잠시 멈추더니.

우진 우리 이혼했잖아.

사무엘 (...) 섹스는 할 수 있잖아.

우진 그건... 그렇네.

다시 하던 일을 계속하는 우진과 사무엘.
화면, 그런 우진과 사무엘을 비추다가
어디론가 서서히 움직인다.
창 너머로 눈 내리는 바깥 풍경이 보인다.
우진과 사무엘의 신음 소리 점점 거세지고...

그 위로 오르는 타이틀.

LONG TIME NO SEX

—끝—

스토리보드

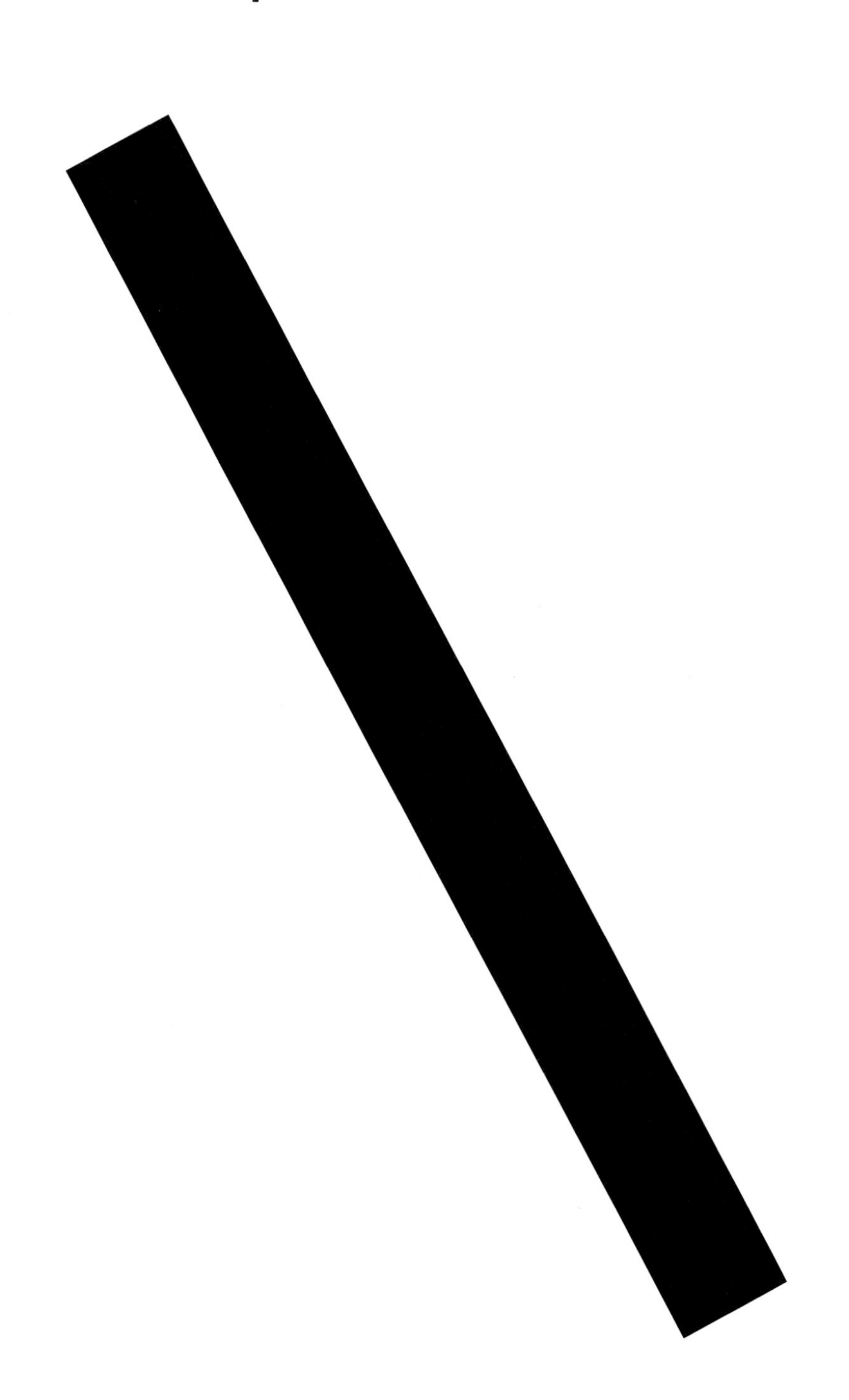

LTNS 1

14	우진 사무엘 아파트 / 부엌	N	2023.06.01.목
	깍두기를 담그는 사무엘에게 정수네에 같이 가자고 하는 우진	S	20:39

사무엘 손 T.S

1

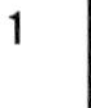

깍두기를 담그고 있는 사무엘.

사무엘, 우진 F.S

2

우진은 식탁에 앉아 영수증을 보며
가계부를 정리하고 있다.

사무엘이 담그던 깍두기를 하나 들고
우진의 입에 넣자 자연스럽게 받아먹는 우진.

사무엘 간 어때?

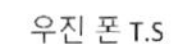

우진 폰 T.S

3

사무엘 OS 우진 B.S

4

우진 (미간을 잔뜩 찌푸리더니) 어우!

↓

LTNS 1

14	우진 사무엘 아파트 / 부엌	N	2023.06.01.목
	깍두기를 담그는 사무엘. 정수네 나눠 준다는 말에 같이 가자고 하는 우진	S	20:39

사무엘　짜?

우진　(표정 확 바뀌며) 아냐, 맛있어. 너무 맛있어.

사무엘　(기분 좋아지며) 그래?

우진　근데 무슨 깍두기를 그렇게 많이 해?
우리 둘이 먹는데.

사무엘　아... 정수네 좀 갖다 주려고.
그 집 내 깍두기 좋아하잖아.

우진　공짜로 자꾸 갖다 주지마. 돈 받아.

사무엘　그럴까?

우진 OS 사무엘 B.S

5

사무엘, 우진 F.S

6

(다시 깍두기 담으러 가는 사무엘)

우진　언제 가? 나도 갈래.
가서 깍두기 주고 맛난 거 좀 얻어먹어야겠다.

사무엘　뭣하러 그래. 혼자 갔다 올게.

우진 M.S

사무엘 M.S

우진　에이. 아냐. 나도 세연씨 모처럼 보고 싶네.
사무엘　(...) 그럼 내일 같이 갈까?
우진　차는 언제 나온대?
사무엘　한... 일주일 정도 걸린대.
우진　우리 뭐 잘못했니?
안 그래도 죽겠는데 차까지 왜 이래.
사무엘　보험 처리돼서 수리비는 안 나왔어.
백퍼 상대 과실이라.
우진　그럼 당연히 그래야지.
사무엘　그 동안 밀렸던 집안일도 좀 해놓고 그럴게.
우진　휴가 끝나면 두 배로 벌어라 사무엘.
사무엘　어.

사무엘 다 담근 깍두기를 두 개의 큰 락앤락에 옮겨 담는다.

14	우진 사무엘 아파트 / 부엌	N	2023.06.01.목
	깍두기를 담그는 사무엘에게 정수네에 같이 가자고 하는 우진	S	20:39

사무엘 빰 T.S

9

눈물처럼 눈 옆으로 흐르는 땀줄기.

-

-

-

-

LTNS 1

30	도로 / 사무엘 새 택시 안-한강 변	D	2023.06.08.목
	한강변을 달리는 사무엘 택시 새 택시를 타고 드라이브 하는 우진과 사무엘	L	20:04

그랜저 앞부 F.S / Follow

1

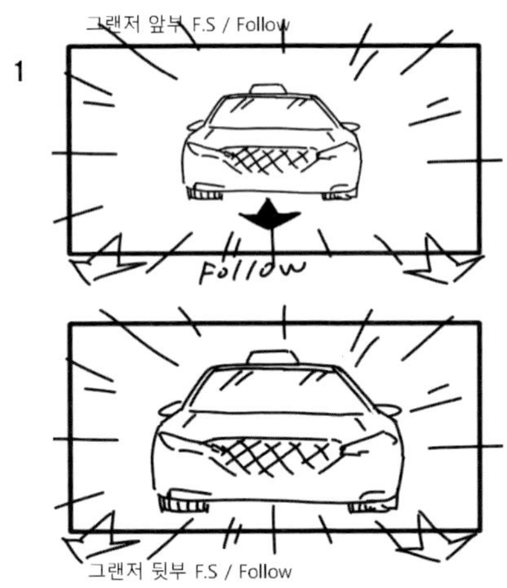

사무엘의 새 택시, 한강 변을 시원하게 달리고 있다.

그랜저 뒷부 F.S / Follow

2

새로운 택시 등-> 우진, 사무엘 정면 M.S / Boom down

3-1

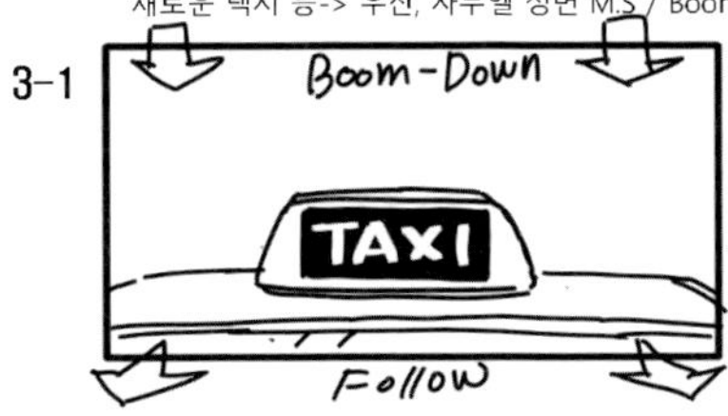

3-2

뒷좌석의 우진,
선글라스를 낀 채 창밖을 바라보고 있고,
운전석의 사무엘 역시 선글라스를 낀 채로
운전을 하고 있다.
어디 레스토랑에라도 다녀왔는지
모처럼 차려 입은 두 사람.

우진 **볼륨 좀 키워봐.**
사무엘 **(음악 볼륨을 키우며) 스피커 빵빵하네.**

LTNS 1

30	도로 / 사무엘 새 택시 안-한강 변	D	2023.06.08.목
	한강변을 달리는 사무엘 택시 새 택시를 타고 드라이브 하는 우진과 사무엘	L	20:04

우진 B.S

4

우진 이 자리 유지하는 게 만만치가 않다.
이 똥구멍만 겨우 가리는 자리.

사무엘 그래도 같이 사니까 어떻게든 살아지네.

우진 (사무엘의 말이 맘에 들지 않자) 사무엘.
우리 그동안 열심히 살았잖아. 그치?

사무엘 그치. 열심히 살았지.

우진 버는 족족 이자로 다 나가니까
먹을 것도 제대로 못 먹고...

사무엘 (...) 그치.

사무엘 B.S

5

우진 측면 B.S

6

우진 열심히 산 대가가 이거라는 게 억울하지 않아?
지금 우릴 봐봐. 미래가 없잖아, 솔직히.
아무리 노력해도 죽을 때까지 이 정도겠지.

사무엘 (...)

우진 우리 이제 이렇게 살지 말자.

사무엘 (?) 갑자기? 그게 무슨 말이야?

사무엘 측면 B.S

7

LTNS 1

31	도로 / 한강 다리 위	N	2023.06.08.목
	블랙리스트 수첩을 보며 나쁘게 살기로 다짐하는 우진과 사무엘	L	20:09

우진, 사무엘 정면 M.S

1

정차하고 있는 사무엘 택시.
우진과 사무엘 나란히 서 있다.
우진과 사무엘의 뒤로 보이는 아파트 숲이 기괴해 보인다.

사무엘 OS 우진 측면 B.S

2

우진 　우리 최소한 평범하게는 살자.
사무엘 　(?) 우리 지금 그렇게 살고 있는 거 아닌가?
우진 　(고개 저으며) 이건 평범한 게 아니지.
남들 가진 것만큼은 갖고 사는 거,
남들 다 하는 건 나도 할 수 있는 거.
그런 게 평범한 거야.
사무엘 　난 그냥, 지금도 적당히 만족하는데.
너랑 이렇게 둘이 돈 굶어 죽지 않을 정도로 벌면서,
같이 TV보고... 가끔 같이 술도 한 잔씩 하고...
우진 　정말 만족해?
사무엘 　(...) 강아지 한 마리만 더 있었으면 좋겠어.
리트리버로.
우진 　리트리버 키우고 싶으면... 나쁘게 살아야 돼.
사무엘 　나쁘게?
우진 　응. 나쁘게 살아야 돼.
우리가 나빠져 봤자 뭐 얼마나 나빠지겠어.
전두환 만큼 나빠지겠어?
그런 데다 비하면 우리는 썩어도 준치야 시발.
사무엘 　말하는 게 어째 불안하니... 무슨 생각인 건데.

우진 OS 사무엘 측면 B.S

3

우진 OS 사무엘 뒷부 M.S

4

우진, 사무엘에게 수첩 건넨다. 사무엘,
의아해하며 수첩 받아본다.

블랙리스트 수첩 T.S

5

수첩에는 <Black List> 라고 적힌 스티커 라벨이 붙어있다.

LTNS 1

31	도로 / 한강 다리 위	N	2023.06.08.목
	블랙리스트 수첩을 보며 나쁘게 살기로 다짐하는 우진과 사무엘	L	20:09

사무엘 C.U

6

사무엘 (수첩 받아서 보고는) 이게 뭐야. 블랙리스트?

우진 정수 씨 같은 사람들 세상에 많아.

사무엘 정수 같은 사람들.

우진 가진 것에 만족을 못 하고
자꾸 더 가지려고 하는 사람들.

우진 C.U

7

사무엘 아… 더 가져선 안 될 것까지
가지려고 하는 사람들?

우진 행운인지 불행인지
난 그런 사람들을 많이 알고 있네.

결연한 우진의 표정.
그런 우진이 왠지 무섭지만
덩달아 결연한 표정을 지어 보이는 사무엘.

우진, 사무엘 정면 M.S

8

사무엘 무슨 생각인지는 모르겠지만,
니가 나빠지겠다면 나도 같이 나빠질래.
우리 둘이 같이 해야 하는 일이잖아.

우진 맞아. 혼자서는 못 해. 같이 해야 돼.

비장한 우진과 사무엘의 얼굴.

블랙리스트 수첩 T.S / Zoom in

9

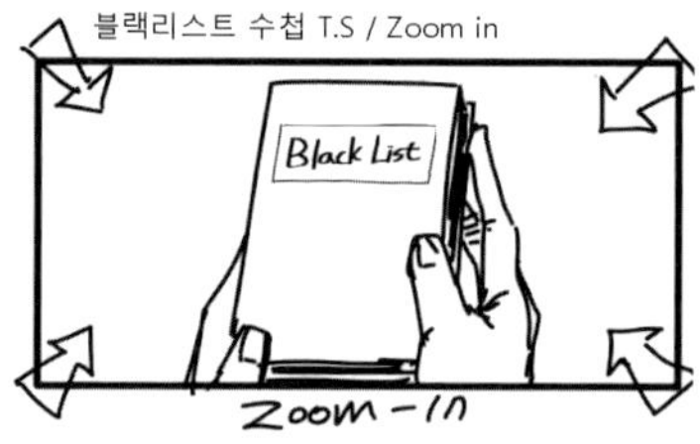

화면을 가득 채우는 수첩의 <Black List> 글자.

LTNS 3

24	산 / 초입-등산로-묘비 앞-정상	M	2022.07.18
	산을 오르는 영애 / 바람에 날려가는 영애 가발을 잡는 백호 / 다정한 영애, 백호의 모습	L	-

영애 뒷부 W.S

1

<초입로>

어두운 새벽. 영애 홀로 산을 오르고 있다.

영애 뒷부 W.S

2

<등산로>

오르고,

영애 뒷부 W.S

3

<등산로>

오르고.

영애측면 F.S / F.in

4

<묘비 앞>

그러다 산의 중간 돌무덤 앞에 멈춰 서
쪼그려 앉아 잡초를 뽑는 영애.

영애 목소리
눈뜨면 가슴이 답답하고 명치가 조여 와서 산을 오르고 올랐습니다.

영애 B.S

5

때마침 불어오는 거센 바람.
나부끼는 영애의 옷과 머리.

24	산 / 초입-등산로-묘비 앞-정상	M	2022.07.18
	산을 오르는 영애 / 바람에 날려가는 영애 가발을 잡는 백호 / 다정한 영애, 백호의 모습	L	-

그러다 영애의 앞머리 가발이 벗겨져 바람에 날아간다.

날아가는 머리카락 T.S / FOLLOW / 고속논의

6

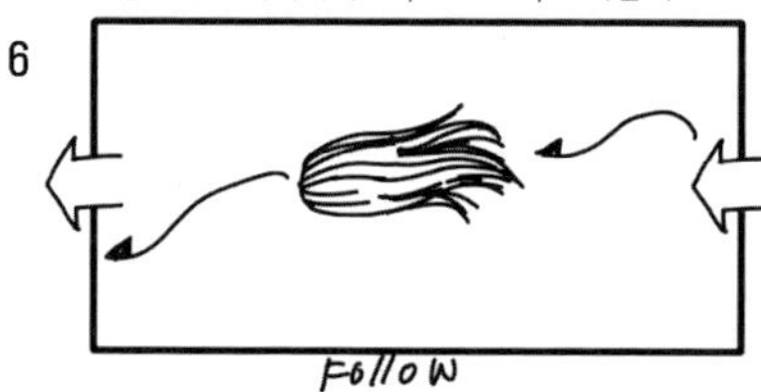

Follow

영애 M.S

7

놀란 영애가 고개를 들어 가발이 날아간 쪽을 본다.

날아가는 머리카락 T.S / FOLLW / 고속논의

8

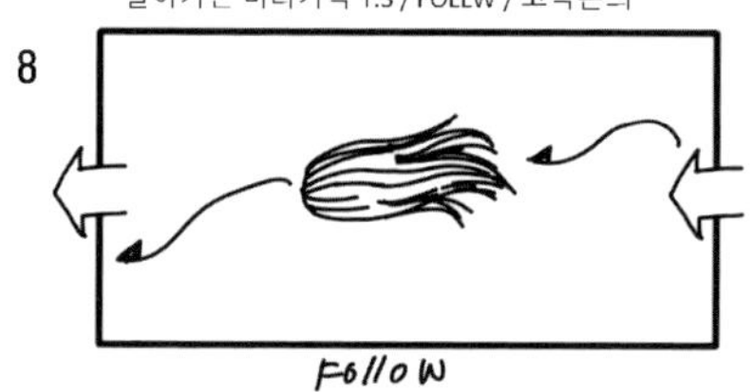

Follow

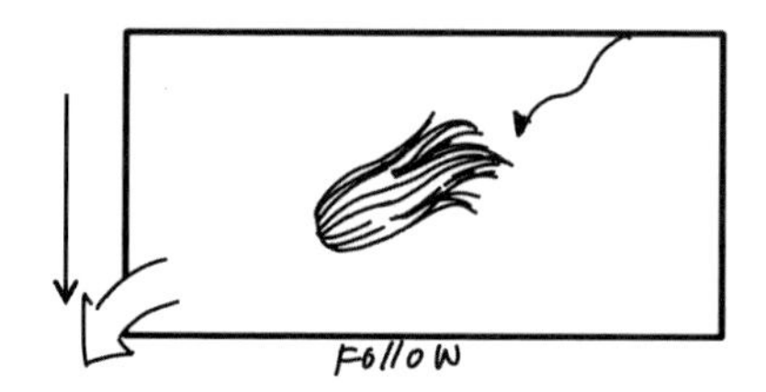

Follow

LTNS 3

24	산 / 초입-등산로-묘비 앞-정상	M	2022.07.18
	산을 오르는 영애 / 바람에 날려가는 영애 가발을 잡는 백호 / 다정한 영애, 백호의 모습	L	-

누군가의 손이 영애의 가발을 잡아챈다.

백호 B.S

9

산에서 내려오고 있던 백호가
기가 막히게 날아가던 영애의 앞머리 가발을
손으로 잡은 것.

영애 목소리
그러다 그이를 만났습니다.
신이 나에게 그동안 고생 많았다고 보내준 선물처럼
제 눈앞에 나타났습니다.
그 사람은 남자도 아름다울 수 있다는 사실을
가르쳐 준 사람,
함께하면 행복할 수 있다는 것을 가르쳐 준 사람,

영애 F.S 백호 F.in

10

(쭈구려 있다 일어나는 영애, 백호가 다가간다)

백호가 영애에게 다가가 가발을 내민다.

LTNS 3

24	산 / 초입-등산로-묘비 앞-정상	M	2022.07.18
	산을 오르는 영애 / 바람에 날려가는 영애 가발을 잡는 백호 / 다정한 영애, 백호의 모습	L	-

앞머리가 사라졌다는 사실에 부끄러워
고개를 들지 못하고
가발을 받아 얼른 머리에 끼우려 한다.

백호 OS 영애 B.S

11

영애 아이구... 감사합니다.
제가 지금 민망해서 고개를 못 들어 죄송해요.
얼굴 보고 감사해야 하는데...

이때 백호가 영애의 어깨를 톡톡 친다.
영애가 힐끔 백호를 보자,

영애 OS 백호 B.S

12

백호는 자신의 머리를 벗으며
자신도 가발임을 보여준다.

백호 OS 영애 B.S

13

서로의 모습을 보며 함께 웃는 영애와 백호.

영애 목소리
평생 키스 한번 못해보고 죽을 뻔 했던 나에게
첫키스를 선물해 준 사람입니다.
이 사람을 만나기 위해서 60년을 기다렸습니다.

영애 OS 백호 B.S

14

24	산 / 초입-등산로-묘비 앞-정상	M	2022.08.24
	산을 오르는 영애 / 바람에 날려가는 영애 가발을 잡는 백호 / 다정한 영애, 백호의 모습	L	-

백호 영애 F.S / ZOOM IN

15-1

CUT TO

<정상> (벤치 말고 바위)

산 정상 바위 위,
영애와 백호가 다정히 앉아 있는 뒷모습이 보인다.

-

15-2

영애가 문득 뒤를 돌아보며 화면 쪽을 지긋이 바라본다.

영애 목소리
그러니 방해하지 마세요.

LTNS 4

44	병원 응급실	N	2023.09.08.금
	의식이 없는 사무엘을 보고 걱정하는 우진	0	23:58

사무엘 OS 우진 M.S

1

응급실 침대 두 칸에 나란히 누워있는 우진과 사무엘이 부감으로 나란히 보인다.

우진 OS 사무엘 M.S (의료진 in)

2

사무엘은 의식이 없고, 우진은 눈만 껌뻑이고 있다.

곧 의사들이 나타나 사무엘을 수술실로 이동시키고,

(간호사 3명 IN, 한 명 우진 옆에 남음)

부감 F.S

3

44	병원 응급실	N	2023.09.08.금
	의식이 없는 사무엘을 보고 걱정하는 우진	0	23:58

우진 B.S

4

우진 혼자 덩그러니 누워있다.
곧 우진 쪽에도 간호사들이 다가와
다친 얼굴에 거즈를 닦으며 치료를 하기 시작한다.

우진　　제 남편은 괜찮을까요?
간호사　경미한 뇌진탕이라 응급 수술하면 괜찮으실 거니
　　　　걱정마세요.
우진　　다행이네요.
간호사　천만다행이죠. 부부가 어쩌다 이렇게 다치셨어요.
우진　　(초점 나간 눈으로) 먹고 살다 가요.

우진의 한쪽 눈에서 눈물 한줄기가 흐른다.
텅 빈 얼굴을 타고 흐르는 눈물.

LTNS 5

26	사무엘과 민수 대청소 몽타주	D	2023.04.04.화 2023.04.12.수 2023.04.20.목 2023.04.25.화
	함께 청소하는 사무엘과 민수. 서로에게 시선이 가고, 서로의 손과 엉덩이, 신체가 맞닿는다.	S	10:15 / 16:32 13:00 / 11:09

락스통 휴지 T.S

(1) 사무엘 집 – 화장실

26A

함께 사무엘의 집 화장실을 청소 중인 민수와 사무엘.

청소 도구들 T.S

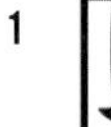

사무엘 장갑낀 손 T.S

(장갑끼고 손을 푸는 사무엘)

부어지는 락스 T.S

칫솔의 치약 T.S

26	사무엘과 민수 대청소 몽타주	D	2023.04.04.화 2023.04.12.수 2023.04.20.목 2023.04.25.화
	함께 청소하는 사무엘과 민수. 서로에게 시선이 가고, 서로의 손과 엉덩이, 신체가 맞닿는다.	S	10:15 / 16:32 13:00 / 11:09

락스에 휴지 적시는 민수 손 T.S

민수는 고무장갑을 낀 채로 휴지를 락스에 적셔

타일에 휴지 붙이는 민수 손 T.S

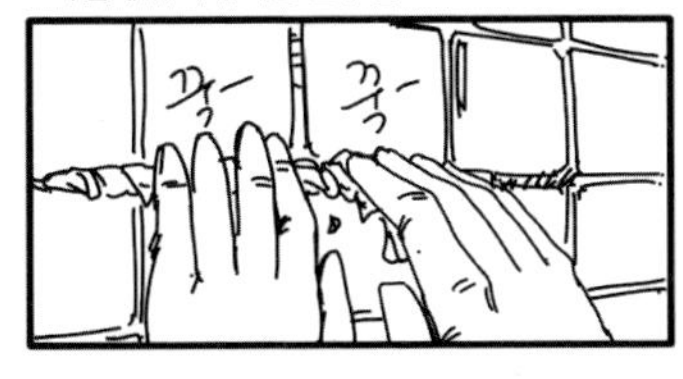

곰팡이 난 타일 벽에 붙이고 있고,

변기 커버 닦는 사무엘 손 T.S

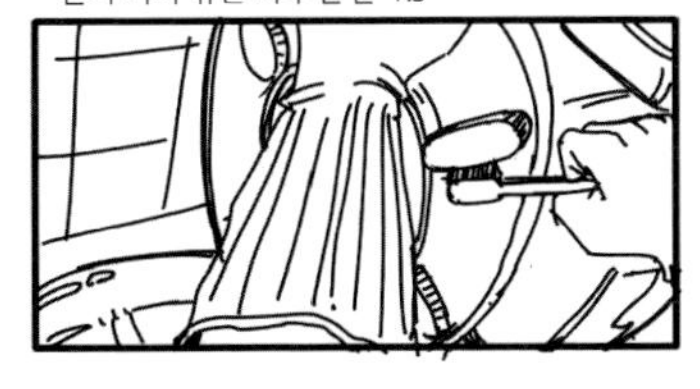

사무엘은 치약을 묻힌 칫솔로 변기를 닦고 있다.

타일에 휴지 붙이는 민수 손 T.S

칫솔로 닦는 사무엘 손 T.S

LTNS 5

<table>
<tr><td rowspan="2">26</td><td>사무엘과 민수 대청소 몽타주</td><td>D</td><td>2023.04.04.화
2023.04.12.수
2023.04.20.목
2023.04.25.화</td></tr>
<tr><td>함께 청소하는 사무엘과 민수. 서로에게 시선이 가고,
서로의 손과 엉덩이, 신체가 맞닿는다.</td><td>S</td><td>10:15 / 16:32
13:00 / 11:09</td></tr>
</table>

민수 W.S

11

민수, 방향을 바꾸다

민수 W.S

12

사무엘 뒷부 M.S

13

쪼그려 앉은 사무엘의 엉덩이를 힐끔 본다.
사무엘의 툭 튀어나온 튼실한 엉덩이.

민수 C.U

14

걸레 짜는 사무엘 손 T.S

15

(깨끗하게 빤 빨래)

LTNS 5

26	사무엘과 민수 대청소 몽타주	D	2023.04.04.화 2023.04.12.수 2023.04.20.목 2023.04.25.화
	함께 청소하는 사무엘과 민수. 서로에게 시선이 가고, 서로의 손과 엉덩이, 신체가 맞닿는다.	S	10:15 / 16:32 13:00 / 11:09

걸레 T.S

16

(바닥에 툭 떨어진다)

26B

분무기에 부어지는 물 T.S

17

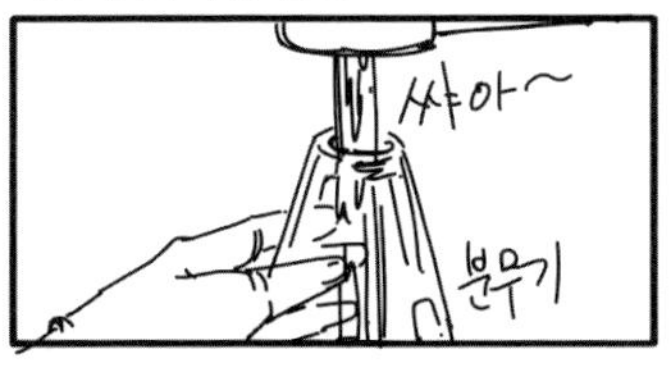

(2) 민수 집 - 거실

책 꺼내는 사무엘 C.U

18

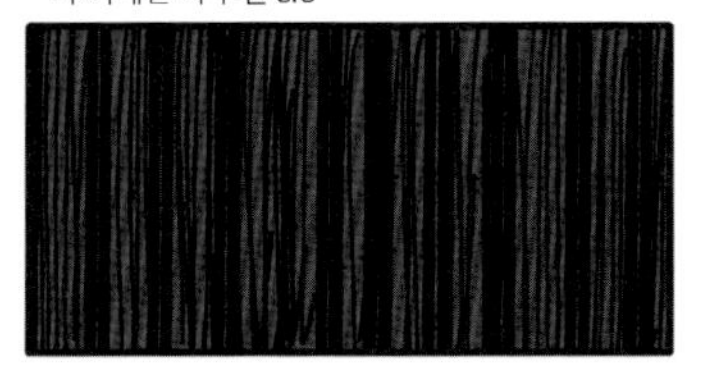

민수 집 거실에 있는 책장을 청소 중인 사무엘과 민수.

내려놓는 책 T.S

19

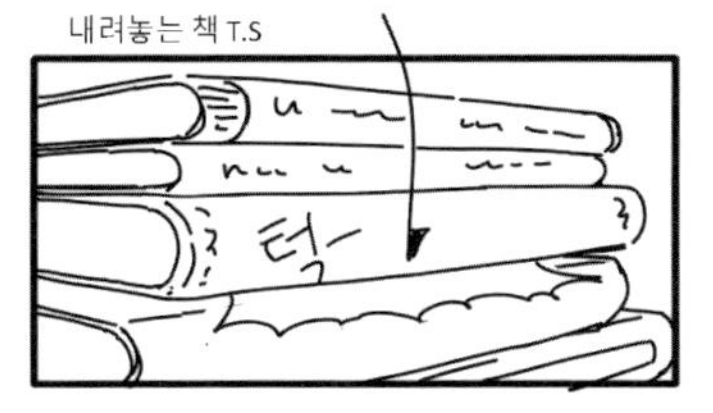

26	사무엘과 민수 대청소 몽타주	D	2023.04.04.화 2023.04.12.수 2023.04.20.목 2023.04.25.화
	함께 청소하는 사무엘과 민수. 서로에게 시선이 가고, 서로의 손과 엉덩이, 신체가 맞닿는다.	S	10:15 / 16:32 13:00 / 11:09

민수 C.U

20

사무엘은 바닥에 앉아
가나다순으로 책들을 분류하고 있고,
민수는 젖은 걸레와 분무기를 들고 쪼그려 앉아
바닥 칸의 책장 안 먼지를 꼼꼼히 닦아내고 있다.

책 분류하는 사무엘 손 T.S

21

책 분류하는 사무엘 C.U

22

사무엘이 앞에 있는 민수의 엉덩이를 힐끔 본다.

LTNS 5

26	사무엘과 민수 대청소 몽타주	D	2023.04.04.화 2023.04.12.수 2023.04.20.목 2023.04.25.화
	함께 청소하는 사무엘과 민수. 서로에게 시선이 가고, 서로의 손과 엉덩이, 신체가 맞닿는다.	S	10:15 / 16:32 13:00 / 11:09

민수 뒷부 F.S

23

민수의 툭 튀어나온 튼실한 엉덩이.

민수 사무엘 측면 F.S

24

사무엘 C.U

25

아이패드 T.S

26

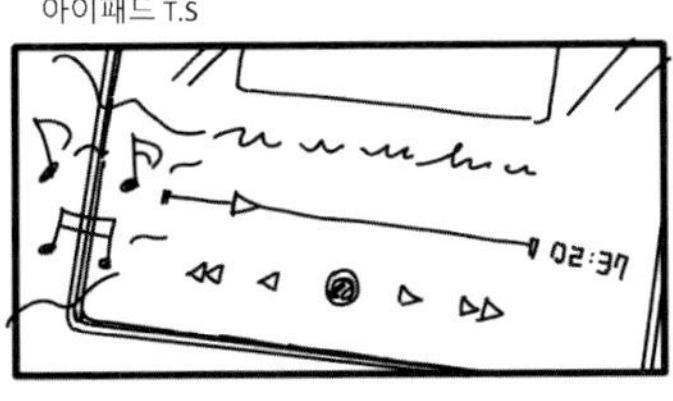

26C

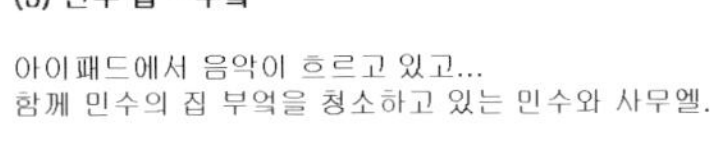
(3) 민수 집 – 부엌

아이패드에서 음악이 흐르고 있고...
함께 민수의 집 부엌을 청소하고 있는 민수와 사무엘.

비워진 냉장고 T.S

27

냉장고에 있던 물건들이 다 밖으로 나와 있고,

LTNS 5

<table>
<tr><td rowspan="2">26</td><td>사무엘과 민수 대청소 몽타주</td><td>D</td><td>2023.04.04.화
2023.04.12.수
2023.04.20.목
2023.04.25.화</td></tr>
<tr><td>함께 청소하는 사무엘과 민수. 서로에게 시선이 가고,
서로의 손과 엉덩이, 신체가 맞닿는다.</td><td>S</td><td>10:15 / 16:32
13:00 / 11:09</td></tr>
</table>

설거지 하는 손 T.S

민수와 사무엘은 둘 다 싱크대에 나란히 서 있다.
둘 다 맨손으로 설거지 중이다.
민수가 그릇에 세제를 묻혀서 건네면,
건네받아 물로 헹구는 사무엘.

민수 사무엘 뒷부 M.S

민수 사무엘 B.S

민수 제가 손이 안 예쁜 게, 설거지를 항상 맨손으로 하거든요. 손에 뽀드득하는 느낌이 나야 제대로 닦인 것 같아서.

사무엘 그쵸, 설거지는 맨손으로 해야죠. 저도 손이 두껍고 뭉뚝해서 이쁘진 않아요.

민수 어떻게 이렇게까지 비슷하지?

사무엘 OS 민수 C.U

사무엘 그쵸? 진짜 신기할 지경이네요... 혹시 손에 습진 안 생기세요?

민수 (사무엘에게 손 보여주며) 저도 한 때 습진으로 고생 좀 했었죠.

사무엘 와! 근데 손이 정말 깨끗하시네요? 저는 아직도 손 습진 연고 바르는데.

민수 저는 연고 대신 유황크림 발라요. 연고는 너무 세더라고요.

민수 OS 사무엘 C.U

32

사무엘 그러시구나... 이렇게 꿀팁 하나 또 얻어가네요.

LTNS 5

26	사무엘과 민수 대청소 몽타주	D	2023.04.04.화 2023.04.12.수 2023.04.20.목 2023.04.25.화
	함께 청소하는 사무엘과 민수. 서로에게 시선이 가고, 서로의 손과 엉덩이, 신체가 맞닿는다.	S	10:15 / 16:32 13:00 / 11:09

설거지 하는 손 T.S

33

민수에게서 세제 묻은 그릇을 건네 받다가

–

민수의 맨손을 잡게 되는 사무엘!

민수 사무엘 B.S

34

당황하지만 아무렇지도 않은 척 다시 설거지를 한다.
그런 사무엘에게 살짝 밀착하는 민수.

민수 사무엘 뒷부 팔 T.S

35

두 사람은 팔과 팔이 닿는다.

–

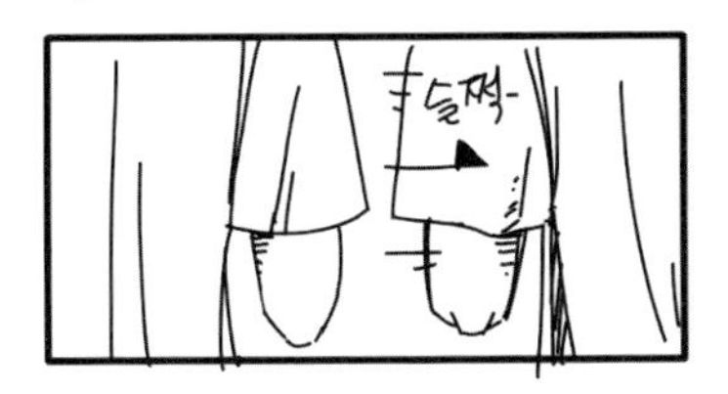

사무엘이 살짝 떨어진다.

26	사무엘과 민수 대청소 몽타주	D	2023.04.04.화 2023.04.12.수 2023.04.20.목 2023.04.25.화
	함께 청소하는 사무엘과 민수. 서로에게 시선이 가고, 서로의 손과 엉덩이, 신체가 맞닿는다.	S	10:15 / 16:32 13:00 / 11:09

민수 사무엘 B.S

사무엘 W.S

37

(4) 사무엘 집 – 침실 **26D**

침대가 놓인 안방.
벌거벗은 매트리스의 윗부분 왼쪽과 오른쪽 모서리에
사무엘과 민수가 각각 엎드려 덮개를 씌우고 있다.

민수 W.S

38

민수, 사무엘 K.S

39

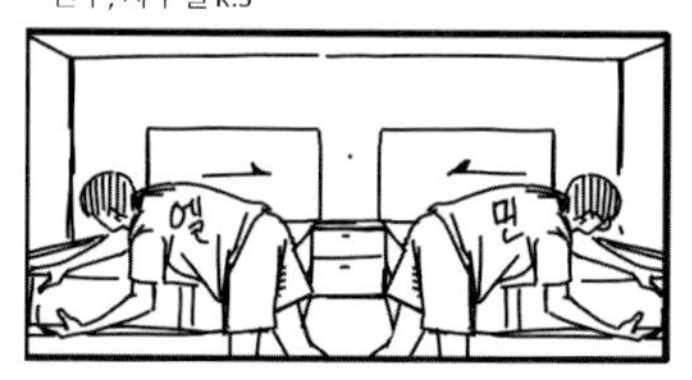

둘의 엉덩이가 달을랑 말랑 하다가

–

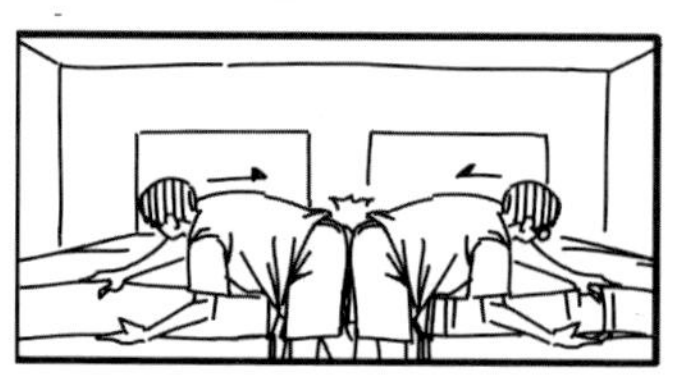

살짝 맞닿고, 놀란 사무엘이 살짝 엉덩이를 뗀다.

26	사무엘과 민수 대청소 몽타주	D	2023.04.04.화 2023.04.12.수 2023.04.20.목 2023.04.25.화
	함께 청소하는 사무엘과 민수. 서로에게 시선이 가고, 서로의 손과 엉덩이, 신체가 맞닿는다.	S	10:15 / 16:32 13:00 / 11:09

민수 사무엘 엉덩이 T.S

곧 다시 민수의 엉덩이가 다가가 다시 맞닿고,

사무엘은 또 살짝 엉덩이를 뗀다.

부감 F.S

41

침대 아랫부분 모서리 양쪽으로 이동하는 사무엘과 민수.

다시 엉덩이가 맞닿고
이번에는 사무엘이 엉덩이를 피하지 않고 가만히 있는다.
모서리에 덮개를 다 끼우고도 계속 끼우는 척하는 민수.

LTNS 5

26	사무엘과 민수 대청소 몽타주	D	2023.04.04.화 2023.04.12.수 2023.04.20.목 2023.04.25.화
	함께 청소하는 사무엘과 민수. 서로에게 시선이 가고, 서로의 손과 엉덩이, 신체가 맞닿는다.	S	10:15 / 16:32 13:00 / 11:09

사무엘 B.S

어딘가 상기 된 사무엘의 얼굴.

민수 B.S

민수 사무엘 엉덩이 부감 M.S

44

맞닿아 있는 둘의 엉덩이.

LTNS 6

9	우진과 사무엘 아파트 / 6층 복도	D	2023.10.06.금
	백팩을 던져 놓고 가는 민수, 우진이 낚시대로 백팩을 들어올린다	0	12:30

지붕 바닥-우진 F.S / TILT UP

Tilt-Up

1-1

고요한 현관 지붕 위.
그 위에는 짝 잃은 슬리퍼 한 짝,
짝 잃은 목장갑 한 짝 등
방치된 지 오래되어 보이는 물건들이 널려 있다.

1-2

화면이 위로 올라가면 3층 복도에 서서
현관 지붕 위를 내려다보고 있는 우진이 보인다.

*"그 위로 자막 : 금요일
Friday"*

아파트 정면 F.S-민수 / ZOOM IN

2-1

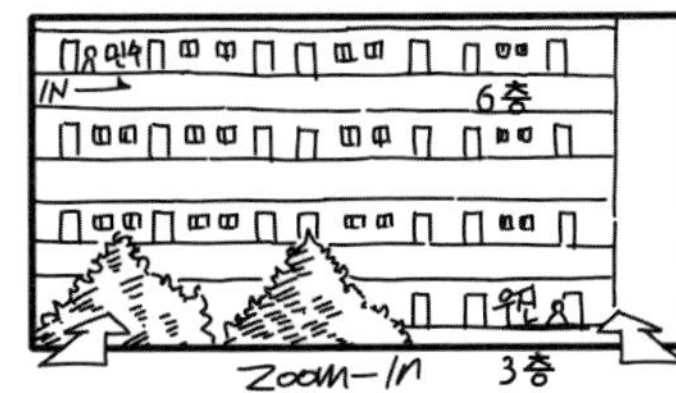

~~화면 계속 위로 올라가고,~~
6층에 다다르면

곧 후드티를 뒤집어쓴 민수,
백팩을 메고 자기 집 문 열고 나와 복도를 걸어간다.

2-2

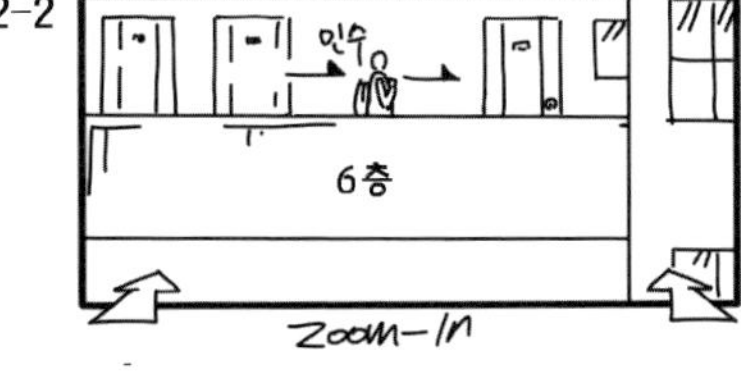

2-3

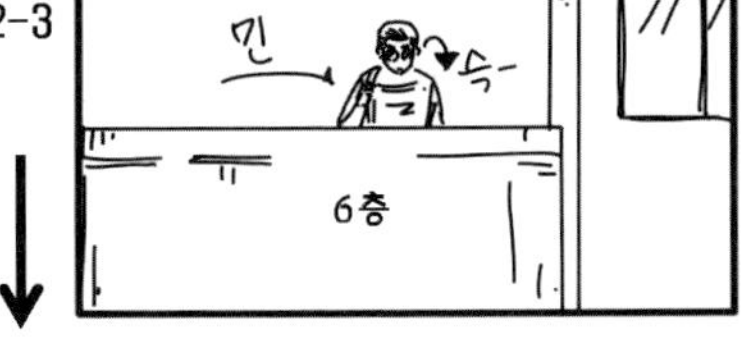

복도 끝에 멈춰 서서 난간 밑쪽을 한 번 본다.
백팩을 벗어 던지려다 말고
곧 엘리베이터 방향으로 꺾어 사라지는 민수.

LTNS 6

9	우진과 사무엘 아파트 / 6층 복도	D	2023.10.06.금
	백팩을 던져 놓고 가는 민수, 우진이 낚시대로 백팩을 들어올린다	0	12:30

백팩을 벗어 던지려다 말고
곧 엘리베이터 방향으로 꺾어 사라지는 민수.

우진, 민수 F.S

3

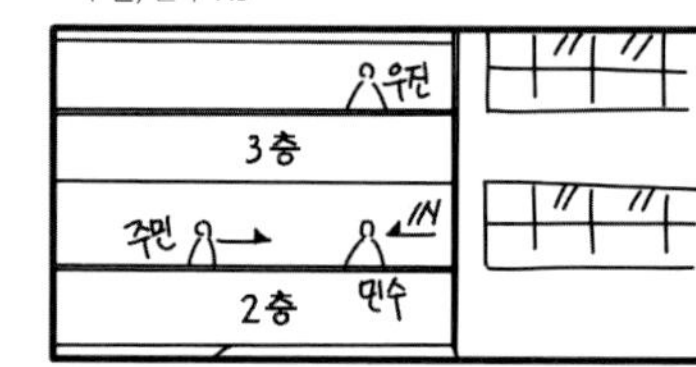

어느덧 백팩을 메고 2층 복도로 들어와서 서는 민수.

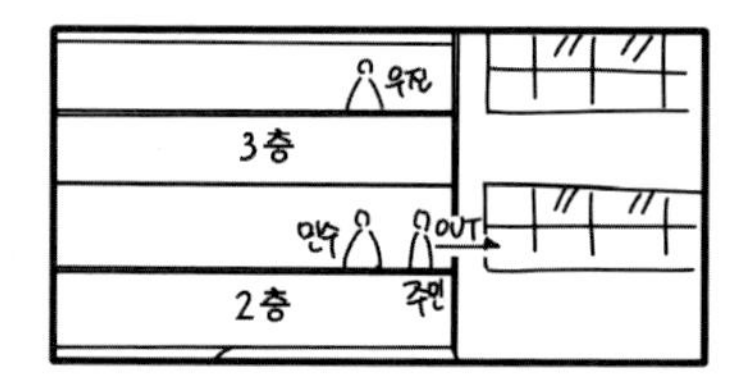

마침 아파트 주민이 민수를 지나쳐간다.

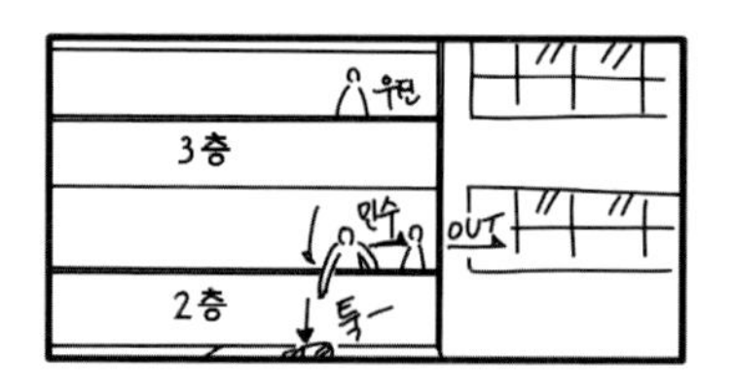

아파트 주민이 지나갈 때까지 기다렸다가
냉큼 백팩을 벗어 1층 현관 옥상 위로 던져 버리는 민수,
곧 뒤도 안 돌아보고 엘리베이터 쪽으로 사라진다.

민수 M.S

4

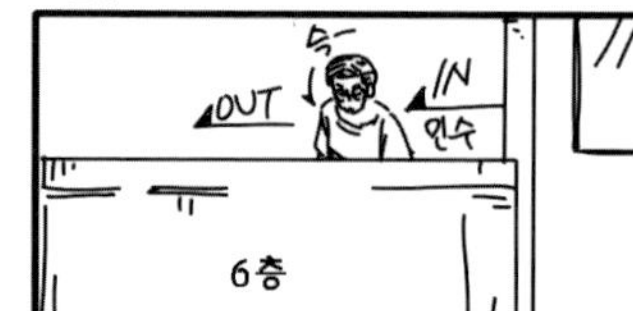

다시 6층 복도에서 나타나는 민수,
아래를 내려다보다가 다시 집으로 들어간다.

9	우진과 사무엘 아파트 / 6층 복도	D	2023.10.06.금
	백팩을 던져 놓고 가는 민수, 우진이 낚시대로 백팩을 들어올린다	0	12:30

우진 M.S

5

3층 복도에서 ~~현관 지붕을 내려다보고 있던~~ 우진의 핸드폰 알람이 울린다.

우진 폰 T.S

6

핸드폰에는 민수가 자신의 집 앞을 지나가는 게 보인다.

우진 M.S

7

핸드폰을 집어넣고,

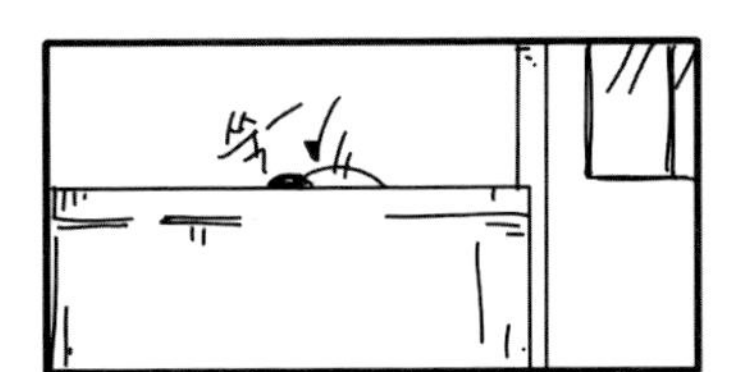

어디서 가져왔는지 낚싯대를 들고
아래를 향해 낚싯줄을 힘껏 던지는 우진.

(7컷도 낚시대 던지는 액션 촬영)

백팩 T.S

8

1층 현관 지붕 위에 떨어져 있는 백팩

LTNS 6

9	우진과 사무엘 아파트 / 6층 복도	D	2023.10.06.금
	백팩을 던져 놓고 가는 민수, 우진이 낚시대로 백팩을 들어올린다	O	12:30

위로 낚싯바늘이 떨어진다.

9

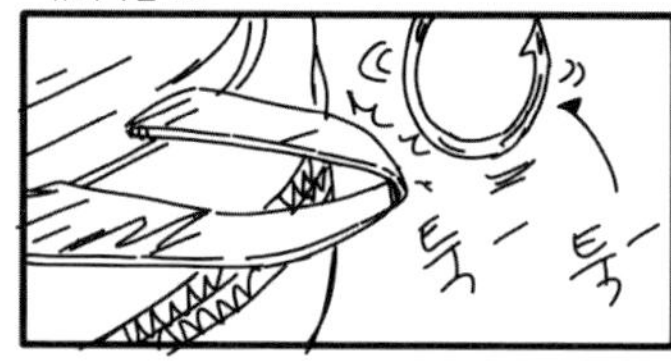

백팩 위에서 헤매는 낚싯대 바늘.

우진 B.S / 앙각

10

(고군분투중인 우진)

낚시바늘 E.T.S

11

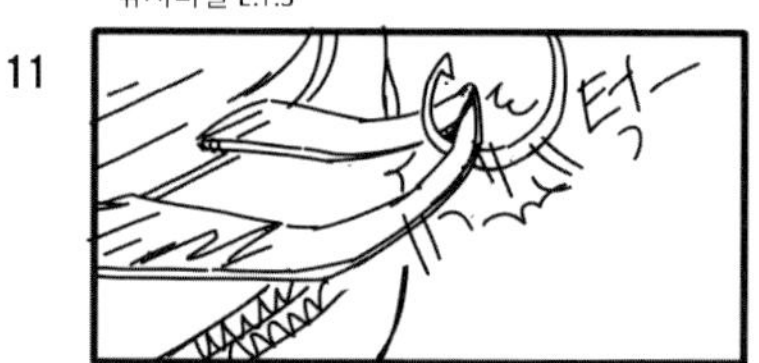

간신히 백팩에 걸린다.

LTNS 6

9	우진과 사무엘 아파트 / 6층 복도	D	2023.10.06.금
	백팩을 던져 놓고 가는 민수, 우진이 낚시대로 백팩을 들어올린다	0	12:30

백팩 F.S

12

끌려 올라가는 백팩.

우진 K.S

13

3층에서 낚싯대 릴을 감고 있는 우진.

백팩이 우진의 손에 들어왔다.

우진 측면 M.S

14

우진, 백팩을 메고 복도를 유유히 빠져나간다.

LTNS 6

10	우진과 사무엘 아파트 / 거실	D	2023.10.02.월
	우진이 민수를 협박해 돈을 받은 것을 알게 된 사무엘	S	11:24

우진 follow

1-1

백팩을 멘 우진, 낚시대를 들고 집으로 들어온다.

1-2

사무엘, 거실에서 빨래를 개고 있다가 우진을 본다.

2

우진은 낚시대를 현관에 대충 세워놓고는 메고 있던 백팩을 식탁에 털썩 내려놓으며 비장한 얼굴로 사무엘을 본다.

3

사무엘 웬 백팩? 못 보던 거네?

우진 봤던 거 아니고?

4

LTNS 6

<table>
<tr><td rowspan="2">10</td><td>우진과 사무엘 아파트 / 거실</td><td>D</td><td>2023.10.02.월</td></tr>
<tr><td>우진이 민수를 협박해 돈을 받은 것을 알게 된 사무엘</td><td>S</td><td>11:24</td></tr>
</table>

사무엘 뭔 소리야. 어디 갔다 와?
우진 일.

4

사무엘 일? 오늘 휴일 아냐?
우진 그 일 말고. 우리가 하던 일.
사무엘 우리 그 일은 당분간 쉬는 거 아니었어?
우진 그럴려고 했지. 근데 웬 호구가 눈앞에 나타나더라구.
사무엘 너... 혼자 그 일 하고 있었어? 그 힘든 일을 왜 혼자 했어.
우진 (사무엘 뚫어져라 보며) 너 걱정 돼서.
사무엘 그래서 이번엔 누구였는데?

5

우진 있어. 택시 기사.
사무엘 택시 기사? 택시 기사한테서 돈을 뜯어온 거야?
우진 아니? 택시 기사 내연녀. (사무엘을 뚫어져라 보며) 그 기사는 돈이 별로 없더라고.
사무엘 내연녀는 돈이 좀 있는 사람이었나 보네? 어떤 사람인데?
우진 어떤 사람이긴... 바람 피는데 그냥 쌍년이지. 아. 특이한 게 하나 있었다.

6

사무엘 뭔데?
우진 우리 아파트 살더라?
사무엘 (살짝 표정 굳으며) 우리 아파트?
우진 응. 왜 움찔하지?
사무엘 (우진의 눈치를 살피며) 우리... 아파트라고?
우진 내연녀 남편은 포항에서 연구원하면서 주말에만 왔다 갔다 하는 것 같고, 멀쩡하게 생겼더라고. 많이 외로웠나? 왜 능력 있는 남편 놔두고 택시 기사랑 바람을 폈지?

7

사무엘 (얼굴이 잿빛이 된다) 너 지금 나랑 뭐하자는 거야.
우진 나? 나 그냥 니가 물어보는 말에 대답하고 있는 건데? 솔직하게?
사무엘 그러니까... 그 택시 기사가... 나니?
우진 (비웃으며) 어.
사무엘 너 증거 있어? 증거라고 할 만한 게 있을 리가 없을 텐데?

8

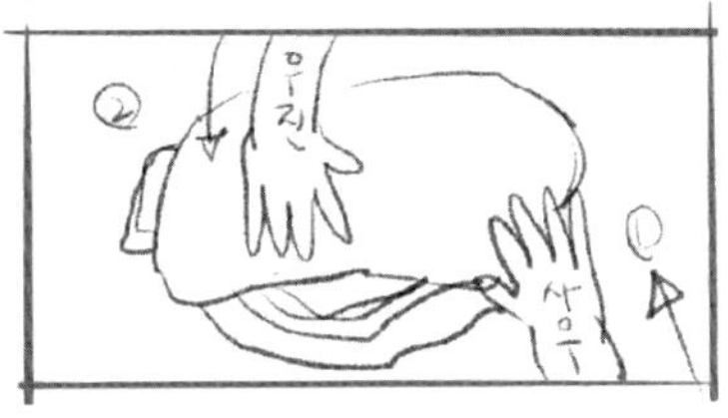

우진 증거? 있지. 둘이 버젓이 같이 집에 들어가던데? 그거면 빼박 아닌가? 이번 미행은 너무 쉬웠어. 왜냐면 내가 고생할 필요도 없었던 게... (눈빛 돌변하며) 바로 우리 옆집이잖아, 이 씹쌔끼야...
사무엘 (한동안 뭐라 말을 하지 못하다가) 너 아무래도 안 되겠다. 정신 상담 좀 받아봐야겠다. 다른 사람도 아니고 나를 미행했어? 그것도 모자라서 아무 죄 없는 사람까지 협박했어? 너 완전 잘못 짚었어... 너 이번에 진짜 큰 사고 친 거야...
우진 (고함 발사) 사고는 니가 쳤지!!!

사무엘, ~~우진의 뒤에 있는~~ 백팩 쪽으로 간다.
우진은 발로 백팩을 밟는다. (손으로 막는다)

10	우진과 사무엘 아파트 / 거실	D	2023.10.02.월
	우진이 민수를 협박해 돈을 받은 것을 알게 된 사무엘	S	11:24

9

10

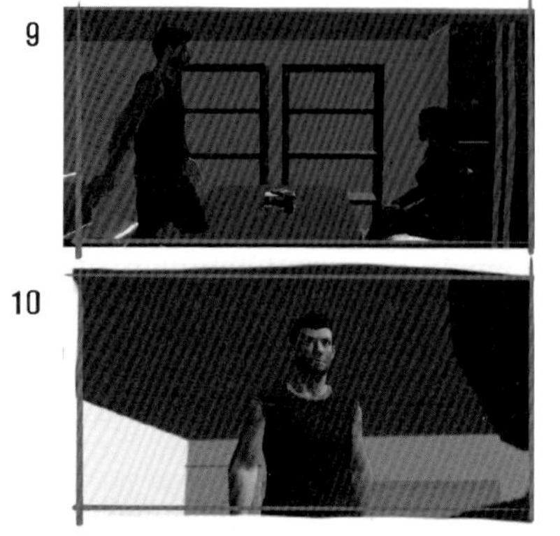

우진　그렇게 궁금해? 내가 돈을 벌었을지, 안 벌었을지?
사무엘　(...)
우진　나도 진짜 궁금하다. 여기 뭐가 들어 있을까? 나도 아직 안 열어봤거든.　만약에 진짜 돈이 들어있으면... 우리 어떡하냐?
사무엘　너 이딴 짓거리하기 전에 먼저 나한테 물어볼 생각은 안 해봤어?
우진　안 해봤겠냐? 근데 니가 할 말이 너무 뻔하던데?

11

12

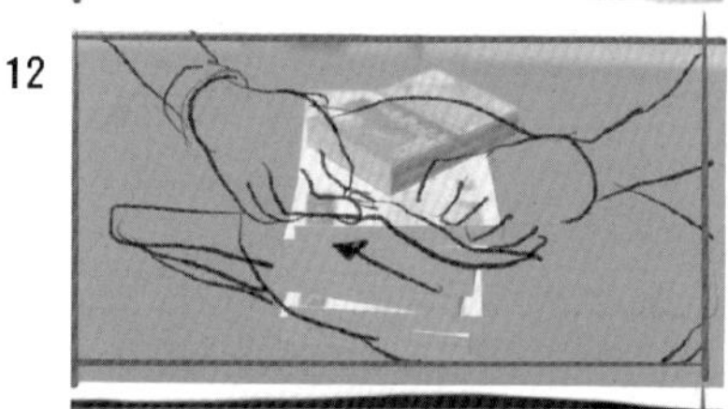

우진, ~~백팩을 들고 식탁에 올려놓는다.~~
백팩의 지퍼를 잡는다.

13

우진　이거 같이 보면 되겠네. 이 안에 뭐가 들었는지.
사무엘　장담하는데, 거기 돈 안 들었어. 우리 아무 사이도 아니거든. 어떡하냐? 돈 못 벌어서? 아무리 옆집이라도 나름 고생 좀 했을 텐데.
우진　오케이. 그럼 열자.

LTNS 6

10	우진과 사무엘 아파트 / 거실	D	2023.10.02.월
	· 우진이 민수를 협박해 돈을 받은 것을 알게 된 사무엘 ·	S	11:24

14

우진, 백팩의 지퍼를 내리고 손을 집어넣는다.
두근두근. 백팩을 뚫어져라 보는 사무엘. 곧 돈 다발을 들고 꺼내는 우진의 손. 사무엘, 돈 다발을 보고 놀란다.

15

우진 돈이 나오네? 그것도 졸라 많이?
사무엘 (놀라 당황하며) 아니... 돈이 왜 나오지?
우진 돈이 나올 만 하니까 나오겠지.
사무엘 너 도대체 뭐라고 협박했길래 그 사람이 돈을 줬어...
우진 내가 뭘 뭐라고 협박해. 우리가 맨날 쓰던 협박문 그대로 복붙했는데?
사무엘 (한숨 내쉬며) 너는... 악마야.

16-1

~~사무엘, 백팩에 손을 뻗자, 우진이 팔을 뻗어 이를 저지한다.~~

우진 내가 벌어온 돈에 손 대지 마. 내 거야.
사무엘 (바닥을 보고 한숨을 푹 내쉬더니 고개 들며) 갈 데까지 가보자는 거지? 그래. 갈 데까지 가보자.
우진 우리가 지금 더 갈 데가 있나?

16-2

사무엘 (얼마간 우진을 가만히 보다가) 우진. 너 나한테 이럴 자격 있어? 너 왜 그렇게 떳떳해?
우진 뭔 소리야. 그냥 빌어도 모자랄 판에.
사무엘 나 그날 다 봤어.
우진 뭘.
사무엘 2년 전에 너 가출했던 날.

낮->밤 조명 변화, 이후 계속 밤

17

우진, 무언가 생각났다는 듯 동공이 흔들린다.

(우진이 안방 문 쪽을 바라보면)

LTNS 6

30	우진 원룸	N	2024.12.24.화
	파스타를 만드는 우진 / 사무엘이 우진의 집을 정리한다. / 좋은 시간 보내는 우진과 사무엘	0	21:20

옷 무더기 T.S

1

우진, 아이패드에 <연말 솔로 홈파티 메뉴 파스타>을 보며 부엌에서 파스타를 만들고 있다.

유튜버 **여러분. 솔로라고 연말에 집에서 혼자 라면으로 떼우고 있는 거 아니죠? 제가 뭐라고 했어요. 솔로는? 축복이다. 여러분은 혼자가 아니에요. 세상에서 우리를 뭐라고 부르나요? 부대라고 하죠. 솔로 부대. 자, 이제 통후추를 갈아 넣으세요. 여러분. 통후추 하나면 연말 분위기 나요.**

(지저분한 우진 방, 유튜브 영상 소리 흐르고)

커피잔, 와인병 등 T.S

2

침대 OS 우진 측면 F.S

3

아이패드 T.S

4

우진 측면 M.S

5

우진, 유튜브 영상 따라 만들고 있지만, 팬 위에 통후추를 갈아 넣는 것마저 몹시 어색한 솜씨.

30	우진 원룸	N	2024.12.24.화
	파스타를 만드는 우진 / 사무엘이 우진의 집을 정리한다. / 좋은 시간 보내는 우진과 사무엘	0	21:20

우진 K.S

6

집 안은 침대와 테이블만 있고,
정리정돈이 되어 있지 않아 매우 어지럽다.
발로 옷 무더기를 대충 치우고
파스타 볼과 포크 들고 침대에 걸터앉는 우진.

이때 울리는 폰 진동음.

우진 폰 T.S (폰 F.In,out)

7

우진, 폰 들어보면, 폰 화면에 뜨는 '울언니'

우진 K.S

8

우진 부랴부랴 아이패드에 유튜브로
'와글와글 소리'를 검색하고는 틀어둔다.

(우진 손가락이 플레이 버튼 누르면 시작되는 소리)

LTNS 6

30	우진 원룸	N	2024.12.24.화
	파스타를 만드는 우진 / 사무엘이 우진의 집을 정리한다. / 좋은 시간 보내는 우진과 사무엘	0	21:20

아이패드 T.S

9

유튜브
와글와글
영상

정말 왁자지껄한 소리가 흘러나오자

우진 B.S

10

전화를 받는 우진.

정아(e) 너 뭐해. 내일 크리스마스데.

우진 나 지금 친구들 만나고 있는데?

정아(e) 지랄하네. 니가 친구가 어디 있어.
잔말 말고 오늘 우리 집으로 와.
애들이 이모랑 촛불 불고 싶대.

우진 안 들려? 나 진짜 친구랑 있다니까.

정아(e) 진짜지? 청승 떨거 아니지.

우진 어. 나 바쁘다. 끊는다.

우진 측면 B.S

11

우진, 전화 끊고 고개를 절레절레 흔든다.
우진만 있는 공간에 와글거리는 소리만 들리고.

우진 K.S

12

우진은 입맛이 떨어졌는지
~~테이블 위에 파스타를 갖다 두고는,~~
~~테이블 위에 있는~~ 와인을 한 병 집어
(침대 근처에 있는)

30	우진 원룸	N	2024.12.24.화
	파스타를 만드는 우진 / 사무엘이 우진의 집을 정리한다. / 좋은 시간 보내는 우진과 사무엘	0	21:20

아이패드 OS 우진 K.S

13

(입맛이 떨어졌는지 파스타를 도로 들고 가는 우진)

싱크대로 가서 오프너를 찾아 낑낑대며 깐다.

우진 M.S

14

잘 안 된다.

이때 똑똑똑 문 두드리는 소리.

놀란 우진이 문 쪽을 바라본다.

우진 **누구세요?**

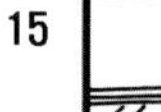

30	우진 원룸	N	2024.12.24.화
	파스타를 만드는 우진 / 사무엘이 우진의 집을 정리한다. / 좋은 시간 보내는 우진과 사무엘	0	21:20

아이패드 OS 우진 K.S

15

사무엘(e) **우진... 우진... 나야. 사무엘.**

사무엘의 목소리에 놀라는 우진.

우진 F.S

16

<CUT TO>

세탁기 돌아가는 소리 들리고,
사무엘, 우진의 집을 정리하고 청소하고 있다.
우진은 침대 위에 올라가 앉아 와인 병나발을 불며
그런 사무엘을 구경하고 있다.

우진 OS 사무엘 M.S

17

우진 B.S

18

우진 **너도 참... 연말에 여기서 뭐하고 있냐?**

우진 OS 사무엘 M.S

19

사무엘 **그러는 너도 연말에 집에서 혼자 뭐하고 있냐?**
남자 안 생겼어?

30	우진 원룸	N	2024.12.24.화
	파스타를 만드는 우진 / 사무엘이 우진의 집을 정리한다. / 좋은 시간 보내는 우진과 사무엘	0	21:20

우진 B.S

20

우진 그게 궁금해?

우진 OS 사무엘 M.S

21

사무엘 (...)

우진 B.S

22

우진 내가 그런 사적인 걸
너한테 말해줘야 할 의무는 없는 것 같은데?

사무엘 측면 B.S

23

사무엘 (...) 없지.

우진 사무엘 T.F.S

24

<CUT TO>

작은 소반 위에 놓인 딸기.
어느 정도 정리된 원룸 오피스텔.
우진과 사무엘,
침대 앞에 기대어 앉아 딸기를 주워 먹고 있다.
우진만 맥주를 마시고 있다. 어색한 분위기.

30	우진 원룸	N	2024.12.24.화
	파스타를 만드는 우진 / 사무엘이 우진의 집을 정리한다. / 좋은 시간 보내는 우진과 사무엘	0	21:20

우진 B.S

25

우진　딸기 맛있네.

사무엘　응. 올해 농사가 잘 됐어.

우진　가족들은 다 잘 지내시지?

사무엘　응. 다 잘 지내셔.
너희 가족 분들도 다 잘 있으시지?

우진　(끄덕이며) 응.

사무엘 B.S

26

사이.

우진　술 안 마실래? 냉장고에 맥주 있는데.

사무엘　차 타고 왔어.

우진 B.S

27

우진　아... 그래.

사무엘 B.S

28

사무엘　쯧, 마시자.

사무엘, 일어나서

사무엘 측면 B.S

29

냉장고에서 ~~맥주 한 캔 가져와 다시 앉는다.~~
맥주 까서 마시는 사무엘, 집을 둘러본다.

LTNS 6

30	우진 원룸	N	2024.12.24.화
	파스타를 만드는 우진 / 사무엘이 우진의 집을 정리한다. / 좋은 시간 보내는 우진과 사무엘	0	21:20

사무엘 옛날에 너 자취할 때,
니가 나 이런 집에 불렀었는데. 기억나?

우진 B.S

30

우진 아. 그랬었나?

사무엘 측면 B.S

31

사무엘 응. 우리 사귀기 전에.

우진 기억난다.

사무엘 (...)

우진 넌 어떻게 생각할지 모르겠지만
그 집에 온 거 니가 처음이었어.

우진 B.S

32

LTNS 6

30	우진 원룸	N	2024.12.24.화
	파스타를 만드는 우진 / 사무엘이 우진의 집을 정리한다. / 좋은 시간 보내는 우진과 사무엘	0	21:20

사무엘 B.S

33

사무엘 그랬어? 몰랐네.

(우진 옆으로 가서 앉는 사무엘)

우진 사무엘 F.S

34

사무엘 이 집엔 누구 안 왔었나?

우진 넌 도대체 그런 게 왜 궁금하니?

사무엘 궁금한 게 당연하지. 그래도 전 와이프였는데.

우진 알려줘?

사무엘 왔었구나?

우진 안 왔어. 아무도.

사무엘 응… 그래.

사이.

우진 그때 내 자취방에 너 거의 살다시피 했었지?

사무엘 그랬지.

우진 그때 참 좋았는데.

사무엘 그러게.

우진 OS 사무엘 B.S

35

우진 (사이) 아, 나 그 우리가 쫓다가
포기했던 검사 있잖아.

사무엘 아… 그 수첩방?

우진 그 사람 새 여자랑 또 바람 피러 왔더라.
그때 니 생각 좀 났지.

사무엘 OS 우진 B.S

36

사무엘 아… 그 검사 새끼, 그거.

엘
우

LTNS 6

30	우진 원룸	N	2024.12.24.화
	파스타를 만드는 우진 / 사무엘이 우진의 집을 정리한다. / 좋은 시간 보내는 우진과 사무엘	0	21:20

우진 사무엘 손 T.S

37

딸기를 집다가 살이 닿는 우진과 사무엘.

우진 사무엘 W.S

38

서로 눈을 마주본다.
둘 다 서로에게서 시선을 피하지 않는다.

사무엘 C.U

39

사무엘 먼저 집어.

우진 C.U

40

우진 응.

우진, 사무엘의 시선 피하며 딸기를 집어 먹는다.

우진 사무엘 W.S

41

계속 사무엘의 시선이 꽂히자
불편하다는 듯 사무엘을 보는 우진.

LTNS 6

30	우진 원룸	N	2024.12.24.화
	파스타를 만드는 우진 / 사무엘이 우진의 집을 정리한다. / 좋은 시간 보내는 우진과 사무엘	0	21:20

사무엘, 우진에게 얼굴을 가까이 대며 키스하려고 하자, 우진이 얼굴을 살짝 피한다.

우진 왜 이래. 취했어?

사무엘 (원래 자리로 돌아오며) 미안.

어색한 두 사람.

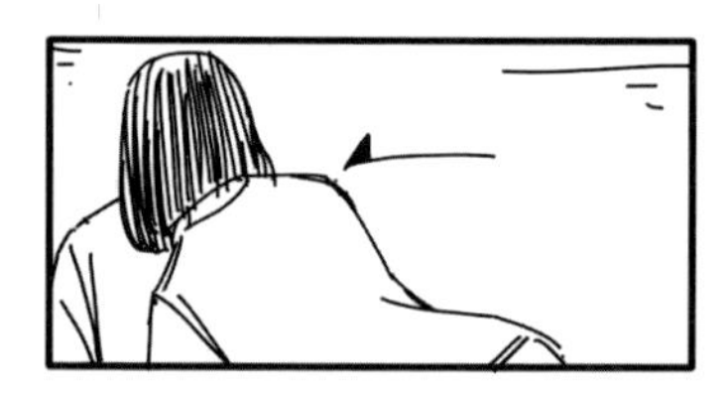

그때, 돌연 사무엘에게 키스를 하는 우진!
끈적하게 키스를 나누는 두 사람.

딸기 소반 T.S

42

소반이 엎어지면서 바닥에 흘리는 딸기들.

우진 사무엘 F.S

43

<침대 위>

우진과 사무엘, 강렬한 키스를 나누다가
서로의 몸을 애무하기 시작한다.
입술을 밀착시킨 채 껴안고 침대로 향한다.
침대에 엎어져 우진의 옷을 하나하나 벗기는 사무엘.
미친 듯이 서로의 몸으로 파고드는 두 사람.
그러다 잠시 멈추더니.

LTNS 6

30	우진 원룸	N	2024.12.24.화
	파스타를 만드는 우진 / 사무엘이 우진의 집을 정리한다. / 좋은 시간 보내는 우진과 사무엘	0	21:20

우진 사무엘 측면 C.U / TILT -UP 창문

44-1

우진　우리 이혼했잖아.

사무엘　(...) 섹스는 할 수 있잖아.

우진　그건... 그렇네.

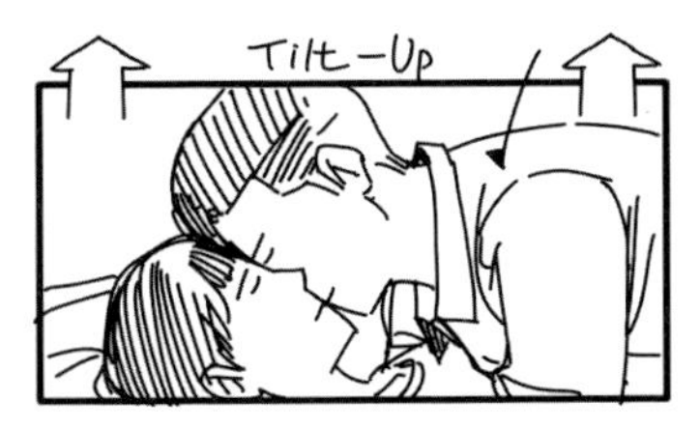

다시 하던 일을 계속하는 우진과 사무엘.
화면 그런 우진과 사무엘을 비추다가,

44-2

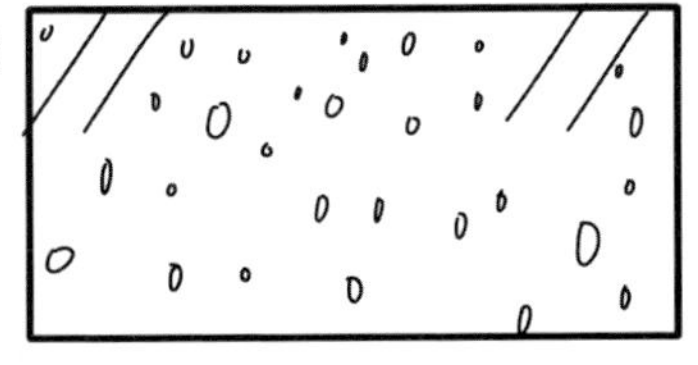

어디론가 서서히 움직인다.
창 너머로 눈 내리는 바깥 풍경이 보인다.
우진과 사무엘의 신음 소리 점점 거세지고...

창 밖 우진, 사무엘 F.S / (카메라 집 안에서 밖으로 빠지며)

45

그 위로 오르는 타이틀.

LONG TIME NO SEX

스틸

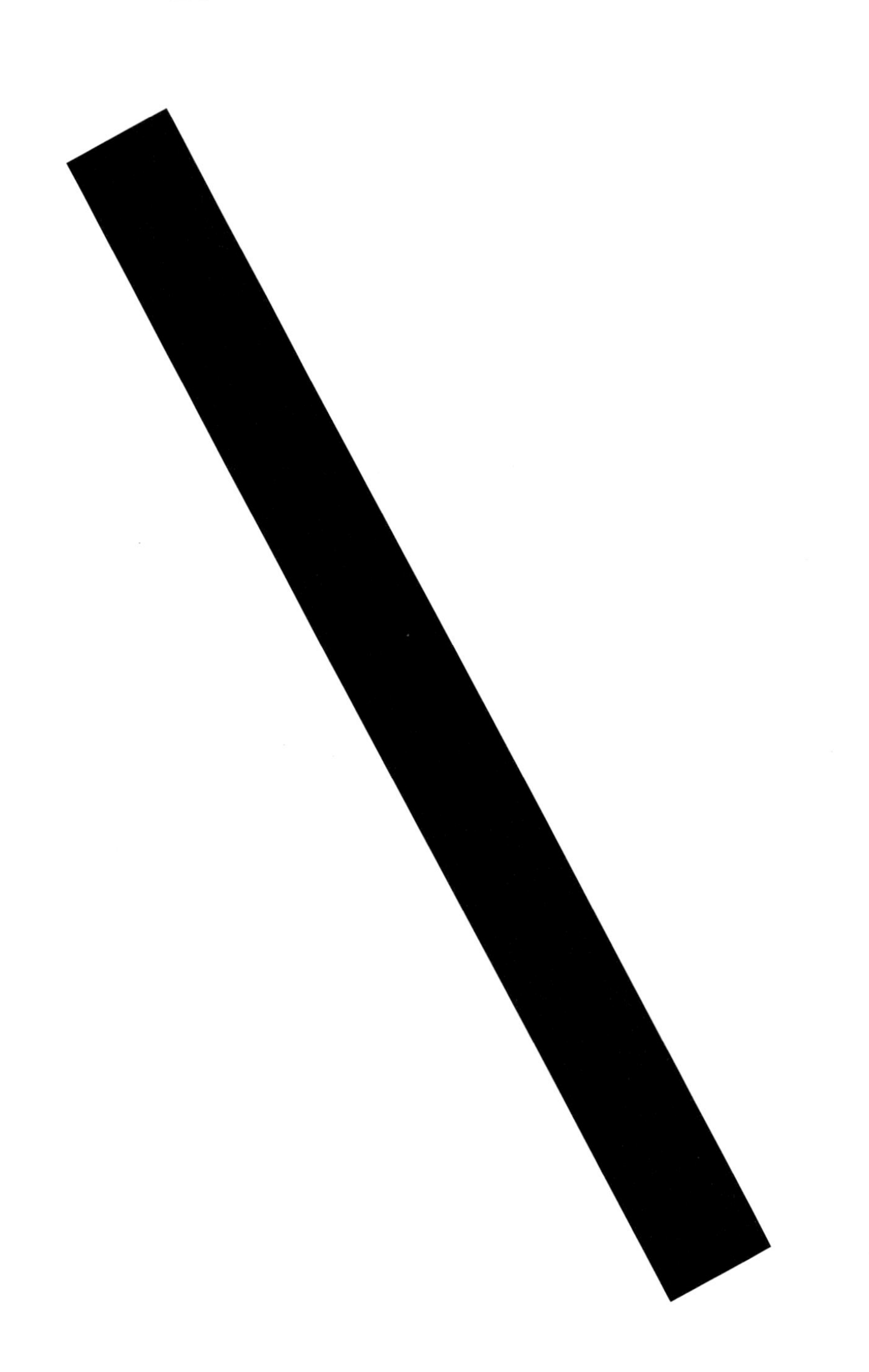

NEWBROS

서울시 관악구
410-2404
신용카드대출
255-1008

Dear. 곽병우

HJC
CS

RACEWAY

새신자
ROOM

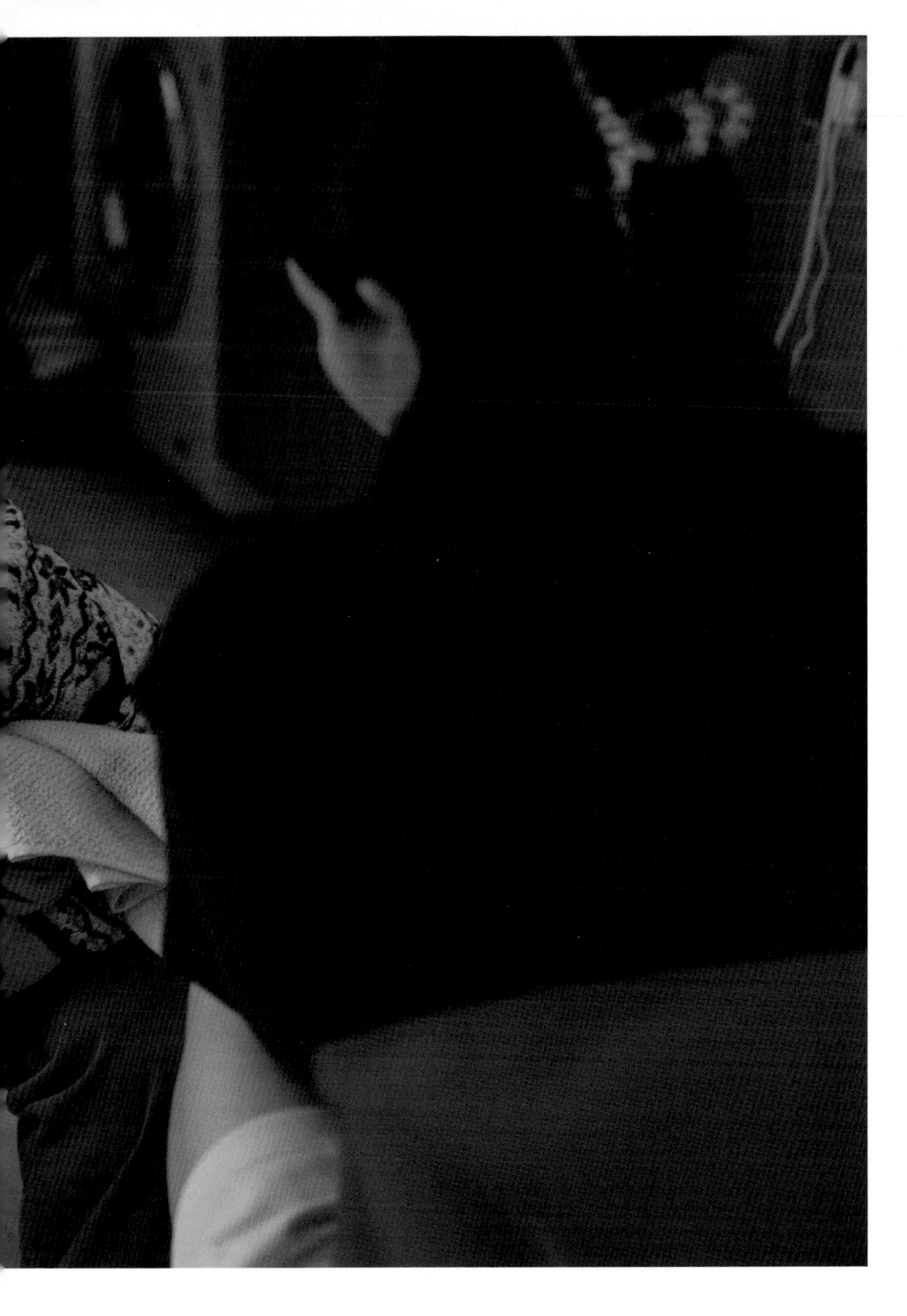

감독 인터뷰

인터뷰와 글 진명현 [무브먼트] 대표
참여 전고운, 임대형

사랑에는 돈이 필요하고 돈에도 사랑이 필요하다. 어쩌면 돈도 사랑도 재능인 동시에 재량이고 또 재난일 것이다. 전고운과 임대형 두 감독이 돈과 사랑이 간절하게 필요한 어느 부부의 슬픈 사랑 이야기를 대도시의 한복판으로 데려다 놓았다. 임박사무엘과 우진이 그토록 꿰매고 싶었던 것은 무엇이었을까. 구멍 난 가슴에, 텅 빈 통장에 채우고 싶었던 것은 얼마만큼이었을까. 이 섹스리스 부부가 돈을 뜯어내기 위해 불륜 커플을 추적하는 길목마다 저 질문들이 보는 이들의 발목을 붙잡는다. 세상에는 사랑이 너무 많아서 또는 없어서, 너무 흔해서 너무 귀해서 생기는 관계의 맹점들이 있고 돈 또한 마찬가지다. 그러니까 〈LTNS〉는 돈과 사랑을 바라보는 착시의 틈에서 태어난 작품이기도 하다.

두 공동 감독이 정교하게 합을 맞춰, 마치 랩 배틀처럼 귓속으로 돌진해 오는 펄떡이는 대사들은 이 작품의 백미다. 그리고 그 신명 나는 대사들의 등에 업힌 쓸쓸함의 정조는 어쩐지 이 배틀이 발라드 대첩이 아닐 리 없다고 울먹이는 것 같기도 하다. 〈소공녀〉(2018)와 〈윤희에게〉(2019)라는 걸출한 작품을 내놓은 두 감독이 함께 만든 첫 번째 드라마, 어느 에피소드를 깨물어도 안 아플 순간이 없을 〈LTNS〉 6부작의 이야기를 봄날, 귀 기울여 들어봤다.

'공동이 아니면 불가능한 결혼 생활'을 주제로 작품을 만들게 되었다. 이 '공동의 작업'은 어떻게 시작되었을까.

프리티, 전고운 (이하 프) 임대형 감독에게 프러포즈는 내가 먼저 했다. 이전에 임대형 감독의 작품인 <윤희에게>를 시사회에서 보고 '귀한 사람' 그리고 '귀한 감독'이라고 생각하고 있었다. 내가 문화부 장관이라면 지켜주고 싶을 정도로. 제안하던 당시 나는 혼자 글쓰기가 너무나 싫었던 상태였는데 임대형 감독과 우연히 차 마실 기회가 생겨 장난삼아 무엇이든 한 번 같이 해보자는 제안을 하게 되었다. 갑작스러웠을 제안에 임대형 감독이 선뜻 손을 잡아 주었다.

빅브라더, 임대형 (이하 빅) 제안을 받고 처음에는 장난인 줄 알았다. 전고운 감독에게 이 제안이 진지한 거냐고 물었다. 대답을 듣고는 작업을 함께 하기로 했다. 집에 놀러 온 날, 마늘이 많이 들어간 파스타를 함께 해 먹고 "그럼 작업을 해보자. 해봅시다." 이렇게 시작되었다. 이심전심이었다.

프 코로나로 폐쇄적인 상황이었고 극장이 흔들리던 때였다. 영화 대본을 쓰는 것이 무기력하게 느껴졌던 시기로 기억한다. '이걸 써서 뭐 하지?'라는 생각도 들었던 때이다. 지각변동의 시기랄까. 그러다 갑자기 OTT 시대가 도래했고 모두가 이사 가는 분위기가 되었다. 나는 이야기 하는 걸 좋아했기 때문에 포맷이 무엇인가는 크게 중요하지 않았다. 시리즈를 한번 써보고 싶었는데 때마침 같이 하고 싶은 동료가 생겼고, 그렇다면 우리 연습 삼아 완고를 목표로 써보자 해서 '공동의 작업'이 시작되었다.

길고 지난했던, 하지만 즐거웠던 공동 작업을 다 마치고 나서는 어떤 마음인가. 서로에게 다시 프러포즈할 마음이 있는지, 두 분 재혼 생각이 있는 건지.

빅 처음부터 아무것도 없는 상태에서 땅 파서 글을 쓰기 시작했다. 소재를 찾는 것부터 연출까지 지난한 기간을 같이 보내고 나니 동료애가 생겼다. 좋은 기회가 있으면 언제든 또 같이하고 싶다.

프 재혼도 하고 싶고 자식도 낳고 싶고. 대가족을 한번 이뤄보고 싶다는 마음이다.

촬영과 방영 준비 기간 모두 짧았다고 들었다. 글을 쓰면서 다져 놓은 호흡이 아니었다면 어려웠을 거라 짐작된다.

빅 작업을 하면서 서로의 밑바닥을 보여주고 내가 감추고 있는 것들, 벽을 세우고 있는 것들이 완전히 허물어지는 순간이 있었다. 이 점이 좋았다. 그 과정에서 '나'라는 인간이 모자라고 부족하다고 생각했는데 전고운 감독이 받아들여 주고 같이 가주는 것에 대한 고마움이 있었다.

프 밑바닥까지 내보이는 건 보통 연인 아니면 배우자이지 않나. 우리는 글을 쓰는 작업을 하면서도 서로의 밑바닥을 내보이고 그렇지만 헤어지지 않는다는 게 예상외로 좋았다. 사실 다른 건 내가 예상했던 대로 참 좋았다. 좋을 줄 알았으니까 함께 하자고 제안했던 것이기도 하고. 서로 어긋나지 않은 게 기적 같다. 선물을 받은 기분이다.

어떻게 보면 두 분이 이 소재를 찾아낸 게 필연적이지 않았을까.

프 처음 임대형 감독에게 제안할 때는 〈냉정과 열정 사이〉(2003) 포맷을 떠올렸다. 우리가 성별이 다르다 보니 무리하지 않는 방식으로 해보려 했다. 그런데 이 이야기를 들은 임대형 감독이 멜로를 싫어한다고 해서 충격을 받았다. 엄청난 반전이었다.

임대형 감독에게 이 얘기를 확실하게 들어보겠다.

빅 멜로를 싫어하는 건 아니다. (웃음) 연애에 대해 잘 모른다고 생각한다. 그래서 추상적인 개념으로 이해하고 이야기를 할 수 있을 텐데 정확히 남자 대 여자의 이야기 구조에서 내가 남자로서 대표성을 갖는 이야기를 잘할 수 있을까 하는 고민이 있었다. 그러던 중 둘 다 코미디를 좋아한다는 공통점이 있어서 지금의 소재를 찾게 되었다.

우진과 사무엘 캐릭터에는 젠더 반전이 엿보인다.
말투, 행동, 속도에서 느껴졌다. 의도가 있었나.

프 완전히 의도였다. 전반적인 젠더 미러링 콘셉트를 가지고 있었다. 드라마 캐릭터 디자인 콘셉트였고. 임대형 감독과 나의 잘 맞는 코드 중 하나가 이런 걸 즐기는 부분이었다. 이를테면 뻔한 부분들을 비트는 것 같은 것들.

작품의 1화부터 이야기를 나눠보자. 1화의 첫 시작은 2년간의 연애와
5년 간의 결혼 생활 변화를 재치 있게 보여준다. 점프 컷도 돋보인다.
택시와 호텔이라는 공간 안에 속한 두 사람의 직업은 어떻게 정하였나.

빅 처음부터 사무엘이 택시 기사, 우진이 호텔리어였던 것은 아니었다. 작업할 때 각 회차를 쓰고 회의를 하는 과정을 거쳤는데 이때 새롭게 세팅했다. 직업도 몇 번씩 바뀌고. 스토리를 좀 더 핍진성 있게 고쳐 나가려는 과정에서 둘의 직업이 결정되었다.

프 작품의 메인 플롯이 불륜을 잡는 일이다 보니 두 사람의 직업이 활용되어야 했고 그렇게 활용할 수 있는 직업을 찾아서 설정하게 되었다.

두 사람 모두 타인과의 관계를 맺기보다 외로움이 시시각각 점점 더 커져간다.

빅 외로움은 항상 내 작품의 화두이기도 하다. 우리가 그리고자 했던 인물상이 현대사회의 개인주의화 된 인물들이었기 때문에 그런 부분들이 반영되었던 것 같다.

프 우리가 진짜 하고 싶었던 이야기는 현대 사회를 풍자하는 것이었다. 어딘가 일그러진 모습들을 담으려고 했고 지금 시대의 모두가 다 외롭다고 느꼈고 어쩌면 외로움이 작품의 기본 감정이었던 것 같다.

그 점이 느껴진다. 1화에서 사무엘의 차가 침수되는 것을 시작으로 인물들은 스스로가 만든 평화로움에 잠식당한다. 거시적 안정감을 위한 미시적인 위험을 택하며. 사무엘의 우유부단함과 때로는 과감하게 속도를 내는 두 가지 면은 어떤가.

빅 사실은 우리 둘 다 우유부단한 타입인 것 같다. 결정을 할 때 끝까지 고민하는 타입들이다. 얼마 전에 내가 결정을 해야 하는 상황이 있었는데 결정을 했다고 하니 전고운 감독이 축하를 해줬다. 결정이라는 일이 우리에게는 축하를 주고받을 일인거다. 하지만 둘 다 결정 이후에는 거침이 없다. 그런 성향이 사무엘과 우진에게도 있었다.

프 다들 조금씩 그렇지 않나. 지금 이 시대가 주는 영향 때문인 것 같다. 보상이 확실치 않고 다들 무기력함을 느끼며 살고 있다. 우리도 처음부터 결정이 어려운 사람들은 아니었다. 선택이 고꾸라질 수 있다는 공포도 여러 번 느껴왔고 잡을 수 있는 기회도 많지 않은 시대를 살고 있다. 모두가 자유로운 것처럼 보이지만 또 막상 그렇지도 않다. 이런 생각들이 사무엘 캐릭터 안으로 들어가 쌓아 올린 것 같다.

1화와 6화에 사무엘이 물리적으로 물에 젖는 장면들이 반복된다.

프　처음부터 짜 놓았던 것은 아니다. 의도가 있다, 없다의 이분법적인 측면은 아니었고 자연스럽게 작품에 물이 많이 나오게 되었다. 현대 사회의 풍자를 염두하고 자연스럽게 퍼즐처럼 맞춰졌다. 사무엘은 초고에서의 캐릭터 콘셉트는 굉장히 우울증과 무기력이 심하던 사람이었다. 우울증 약도 먹고 공황장애 약도 먹는. 그래서 잘 다니던 대기업도 그만두고. 그런데 기나긴 설명을 들어내다 보니 지금과 같이 남았다.

사무엘은 무슨 전공이었나.

프　사무엘은 서울대 경제학과를 나온 설정이었다. 작품에서는 노출되지 않았다.

빅　설정들이 굉장히 세세했는데 작품에 보이지 않은 부분이 많다. 인물들의 이름 짓는 데만 한 달이 걸린 것 같다.

이름에 대한 이야기도 좀 더 들어보자.

프　임박사무엘은 사무엘의 엄마가 돌아가시고 나서 엄마를 그리워하며 그때부터 양성을 쓰게 되었다는 설정이다. 인생의 가장 큰 의지였던 엄마의 죽음 이후 무기력과 우울증에 빠지게 되었다는 전사가 있었다. 가부장제의 막내아들이고 누나들은 양성을 쓰지 않는다.

빅　양성은 사무엘 본인 스스로가 한 결정이었다. 우진은 외자 이름이고 임박사무엘은 다섯 글자다. 짧고 긴 이름을 대비시키고 싶었고 사무엘 캐릭터가 뭔가 구구절절하지 않나. 그런 인상을 보는 사람들에게도 심어주고 싶었다.

우진과 사무엘의 2년 연애. 그들은 어떤 커플이었는가.

빅 최종 버전에서는 빠지게 되었지만 우진이 기석과 헤어지고 사무엘을 바에서 만났다는 이야기를 했었다. 회사 동료들과 회식하러 온 자리였다는 디테일도 있었고. 또 그 이전 버전에서는 둘이 인디 뮤지션 공연을 보러 갔다가 만났다는 설정도 있었다. 밴드 '언니네 이발관' 공연장에서 만났다는.

집 안에서도 성향이 보인다. 허리띠를 졸라매야 하지만 책이 굉장히 많다거나. 우진과 사무엘 그리고 두 분의 MBTI가 궁금해진다.

프 사무엘은 INFP고 우진은 ENTJ. 우리는 둘 다 INTP다.

그래서 이렇게 T(이성적)의 이야기가 나왔나.

프 우리는 전혀 그렇게 느끼지 않았다. 대문자 F(감성적) 느낌 아닌가? 국밥 눈물 씬 정말 노력해서 썼다.

눈물을 노력했다면 T가 맞다. (웃음) F는 보통 더 나아간다.

빅 감정을 믿지 않는다. 감정이라는 건 매일, 매시간, 매분 단위로 변한다. 믿을 수 있는 게 아니라고 생각한다.

이 작품의 캐스팅에 대해 언급하지 않을 수 없다. 작품 속에서 배우들의 면면을 발견하는 재미가 대단하다. 작품의 배우 진영이 매우 촘촘하고 흥미롭다. 우진과 사무엘을 제외한 다른 캐릭터들의 캐스팅에서 중요하게 생각한 지점이 있나.

프 연기를 잘해야 하는 게 기본 조건이었다. 신선한 얼굴부터 잘 알던 얼굴까지 다양하고 촘촘하게 나누고 싶었다. 그래야 드라마가 매력적일 것이라고 생각했다. 아는 얼굴에서는 몰랐던 얼굴을 소개하고, 몰랐던 얼굴은 있는 그대로 보여주려 했다. 길지 않은 시간 동안 진짜 열심히 찾아 헤맸다. 누구 하나 할 것 없이 캐스팅은 다 쉽지 않았다.

빅 전고운 감독과 둘이라서 캐스팅하는 과정이 수월할 줄 알았는데 전혀 그렇지 않았다. 시나리오에 있는 베드 씬이나 여러 부분에 부담이 있었던 것 같다. 캐스팅 과정이 지난하긴 했지만 결국에는 캐릭터가 자기한테 맞는 사람을 잘 찾아간 것 같다. 기본적으로 연기 잘하는 배우가 1순위였고, 기성 배우와 신인 배우의 밸런스를 잘 맞추는 것이 중요하다고 생각했다.

프 평소에 마음속으로 팬이었던 사람에게 프러포즈할 기회가 작품을 할 때다. 캐스팅 과정에서 내 팬심을 막 던지는 순간들도 있었고, 또 오디션을 보는 파트도 있었다. 지금이야 콘텐츠를 봤을 때 수위 조절을 잘했다는 말씀들을 해주시지만 글로만 봤을 때는 오해의 여지가 있을 수 있는 대본이었다. 캐스팅 과정에서 많은 거절을 당했다. 그래서 나는 다시는 19금을 하고 싶지 않을 정도로 상처를 받았다. 그냥 한 번 만나볼 수는 있는데 회사 차원의 거절이 너무 많았다.

수락해서 작품을 함께해 준 배우들에게 고마운 마음을 전한다면.

프 내가 상을 줄 수 있다면 모두에게 상을 주고 싶다. 작품에 등장한 이들 모두에게. 정말 용감한 사람들이다. 그것만으로도 훌륭한 배우가 아닐까.

빅 정진영, 양말복 선배는 더 해라, 더 해도 된다고 하셨다.

프 출연 배우 모두가 더 해봐라, 더 용감하게 해보자 이렇게 얘기했다. 그들을 만나기 위해 그렇게 많은 눈물을 흘렸던 것 같다.

우진과 사무엘 역의 이솜, 안재홍 배우에게서 익숙하면서 새로운 면모를 보았다. 그 의지가 느껴지기도 했다. 코미디 장르에 능한 두 배우가 웃기면서도 슬픈 페이소스를 담아낸다. 마지막엔 화산이 폭발해서 한데 뒤엉킨 용암 같기도 했다.

빅 두 배우 모두에게서 각자 가지고 있던 면을 확장해서 보여주려고 했다. 대부분의 연출자들이 갖는 욕망이 아닐까. 특히 대화 장면은 매 쇼트 찍을 때마다 계속 모니터를 보면서 배우들과 이야기를 나눴던 기억이 있다. 6화 클라이맥스 씬을 찍을 때는 전고운 감독이 반장이었는데 그때도 그랬다.

프 참고로 우리는 촬영 현장에서 씬마다 반장과 부반장을 정했다.

빅 6화의 그 씬은 특히 배우들이 마음을 먹고 왔던 것 같다. 다 쏟고 가겠다는. 매 씬이 다 그랬지만 남다르게 느껴졌다.

프 링 위의 챔피언 타이틀 전 같았다.

빅 두 배우가 총알을 장전하고 와서 기진맥진할 때까지 모든 에너지를 쏟겠다는 의지가 첫 테이크 때부터 보여졌다. 에너지가 좋았고 넘쳤다. 나도 그런 에너지에 영향을 받으면서 힘을 찾았다.

프 드라마는 영화에 비해 정말 시간이 없다. 그래서 배우들이 각자 알아서 잘한 거 같다. 이건 좀 아니다 싶은 것만 이야기하는 정도였다.

빅 나는 평소 이솜 배우의 팬이었는데, 작품으로는 첫 만남이었다. 우리 현장이 이솜 배우에게는 전고운 감독, 안재홍 배우와의 인연 덕분에 좀 더 편안한 현장이었을 것 같다. 그래서 무대처럼 활보하며 폭발시킬 수 있지 않았을까. 안재홍 배우도 마찬가지였을 거라 생각한다.

프 비 맞는 씬을 찍을 때가 기억난다. 두 배우가 친하지만 현장에서는 서로 잘하기 위해 노력하는 타입이다. 그런데 그 씬이 너무 힘들다 보니 어느샌가 입술도 시퍼렇게 변해있었다. 한 테이크를 더 가자는 말에 두 사람이 돌아서서 축 처진 채로 어깨동무하며 들어가던 뒷모습이 기억에 남아 있다.

촬영하면서 두 배우 사이에 전우애가 있었겠다.

빅 나는 그 씬에서 부반장 역할이었다. 안재홍 배우가 처음부터 모든 힘을 다 쏟아서 연기했다. 당시 안재홍 배우에게 전고운 감독과 나눴던 이야기를 전한 기억이 있다. 우리는 이 씬을 보는 사람들도 코미디로 받아들였으면 좋겠다고 했었고, 비아냥거리는 대사들을 그런 코미디의 느낌으로 해보자는 이야기였는데 안재홍 배우도 그 이야기를 기억하더라. 그런 식의 가이드만 있었을 뿐이지만 배우들 모두 준비를 잘 해왔고 현장에서도 잘 해줬다.

전작을 함께한 전고운 감독이 두 배우에게 새롭게 놀란 순간이 있었다면.

프 안재홍 배우는 그냥 찍는 씬이 없다. 사무엘은 행동 대장이라 미행 씬이 많았다. 그래서 운전하는 씬이 많은데 이때 마치 뷔페처럼 연기를 했다. 여러 가지를 다양하게 해주고 골라서 쓸 수 있게 만들어준다. 정확히 자기 캐릭터를 잘 소화해서 펼쳐 놓는다. 시안이 많고 두뇌 회전이 빠르다. 그런데 또 몰입해야 하는 연기를 할 때는 다른 에너지를 아무것도 안 쓰고 딱 자기 안에만 있는다. 그 안으로 확 들어가는 배우다. 언젠가 안재홍 배우에게 전화해서 물어본 적도 있다. "어쩌다 연기를 잘하게 됐어? 어떤 계기가 있었어?"라고. 작은 소품 하나에서부터 작품 전체를 볼 수 있는 사람이다. 탁월하다.
이솜 배우는 〈소공녀〉를 함께 해서 그런지 나를 믿는 신뢰감이 느껴졌다. 초반에는 약간 헷갈려 하다가도 내가 뭘 해달라고 디렉팅을 하면 엄청 빠르게 흡수를 잘하는 배우다. 확확 바뀐다. 그럴 때마다 쾌감이 드는 배우고 상당히 동물적인 감각을 지닌 배우라는 생각이 들었다. 놀라운 순간들이 많았다. 정말 너무 많았다.

기석과의 장면이 특히 좋았다. 감정을 아우르는 표정에서 슬픔이 느껴졌고, 우진의 심정이 전해졌다.

빅 나도 그 장면을 좋아한다. 이솜 배우는 본능적이기도 한데 자기 스스로가 이야기와 역할에 대해 백 퍼센트로 납득이 되어야 할 수 있는 사람이라고 생각했다. 항상 질문이 많았다. 어려운 표정을 지어야 할 때가 있는데, 예를 들면 우진이 과거의 우진과 사무엘을 보는 표정이 있었다. 그 장면에서 이솜 배우가 짓는 표정이 말로 설명하기 어려운 표정이었다. 신기하게도 나는 딱 정확히 그런 표정을 원했는데 그 표정을 지어주더라. 이해한 대로 정확히 표현하는 배우다. 표정을 특히 잘 쓴다.

프 우리가 인복이 좋은 것 같다.

돈과 섹스는 작품의 중요한 요소다. 그렇다고 부유한 상태가 성적인 활력이나 안정감을 의미하지 않는다는 것은 각 에피소드에 의미심장하게 녹아있다. 가장 자극적인 소재를 이야기의 두 기둥으로 사용하면서 클리셰의 함정에 빠지지 않기 위해 고민한 지점이 있을까.

빅 우리는 이게 재밌냐 재미없냐, 뻔하냐 뻔하지 않냐, 지나치냐 지나치지 않냐 이런 것들에 대해서 이성적인 선택을 했다기보다는 본능과 직관에 의해서 한 선택들이 많았다. 어느 선을 잡았던 것 같다. 글을 쓸 때도, 연출할 때도 마찬가지였다. 나한테는 지나치게 나가되 길을 잃지 않는 정도의 선이었던 것 같다. 이 선을 지키고자 노력했다.

프 클리셰라는 것이 뻔한 소재도 또 플롯도 아니라고 생각한다. 디테일이 없기 때문에 클리셰가 된다. 임대형 감독과 나의 관심사나 유머 코드가 마이너 하다는 생각이 있었다. 그래서 상업 자본을 가지고 와서 작품을 만들 때 '클리셰'라고 부를 소재를 가져와서 우리만의 디테일로 유니크하게 만들려 했다. 그래서 디테일을 최대한 채우려고 노력했다. 지금까지 봐왔던 대로, 예상대로 그럴 것 같아서를 좀 피하고.

디테일 이야기를 하니 곳곳에 숨어있다. 예를 들어 불을 켜고 볶아야 완성되는 사무엘의 볶음김치.

빅 사무엘은 귀찮다고 생각하지 않았을 것 같다. 맛있게 먹고 싶어서 볶는 과정도 감수했을 것이다.

프 그리고 사무엘은 요리를 좋아한다. 그러고 보니 부부라서 가능한 것 같기도 하다.

1화에 등장하는 세연의 대사 '허기가 지면 남의 집 담장을 넘게 되어 있다.'는 말은 이야기 전체를 예고하는 말로 보인다. 허기와 갈증에서 이어지는 '불륜'이라는 상황과 단어를 프리티빅브라더는 어떻게 정의 내렸나.

프 우리는 교통사고라고 생각했다. 그래서 처음에는 눈 맞는 장면을 교통사고 씬으로 쓰기도 했다. 안 당해보면 모를 일 아닌가. 사고가 일어나면 사람이 어떻게 될지 모르는 일이니까.

빅 사무엘과 민수 씬을 그렇게 쓰려고 했었다. 둘 다 차를 타고 있었고 부딪히는 씬을 섹스 씬처럼 쓰려고 했던 것 같기도 하다.

둘이 세차장에서 만나기도 한다.

빅 그러고 보니 그렇다. 계속 생각해 왔던 것들이 부지불식간에 영향을 미쳤던 것 같다.

에피소드 주인공들을 보면 '그럼에도 불구하고' 모두 사랑이다. 걷잡을 수 없는 불길이기도, 빠져나오기 어려운 물 속이기도. 주효한 의미를 가진 불과 물의 시각적인 효과를 만들기 위해 논의된 예시가 있다면.

프 사주로 보면 임대형 감독이 물, 내가 불이다. (웃음)

빅 촬영 감독님, 미술 감독님과 기술적인 이야기들을 많이 했다. 비를 어떻게 아파트에 내리게 할 것인가 등을 주로 이야기했다.

프 김병한 미술 감독님은 정말 많은 분량의 이미지들을 준비해 주셨다. 우진과 사무엘 캐릭터 작업에 참고가 되었다. 이를테면 두 사람이 침대를 각각 쓰는 것도 미술 감독님이 보여주신 이미지에서 비롯되었다. 비 오는 설정과 3화의 수조 세트는 모두가 재난 상황이었다. 우리 둘은 이 부분에서 경험이 없었는데 마침 미술 감독님이 직전에 물과 관련한 작품을 하고 오셔서 큰 도움을 받았다.

빅 작품 내적으로 미술 감독님과 대화를 많이 했다. 물이 중요한 메타포일 것 같다. 이런 이야기도 진지하게 나눴던 기억이 난다.

사랑은 모든 것을 가능하게 만들고 아무것도 가능하지 않게 만드는 아이러니가 씁쓸한 웃음을 만들어 낸다. 다큐적인 유머들이 박혀있는 작품이다. 두 감독님 모두 좋아하는 코미디 작품이 있는지.

빅 코미디는 기본적으로 배타적인 장르다. 유머라는 게 이해를 해야 웃긴 거고 이해를 못 하면 웃지 못해서 소외되는 장르라고 생각한다. 기억하기로는 우리 둘 다 좋아하는 코미디 영화는 코엔 형제 영화였다. 그런 공통점이 있었다.

프 〈LTNS〉의 시작이 코엔 형제의 〈번 애프터 리딩〉(2009) 이었던 것 같다. 그 작품 안에서 브래드 피트와 프랜시스 맥도먼드의 말도 안 되는 상황, 엉덩이 성형하려고 협박하는 그 코드에서 시작된 부분도 있다. 나는 개인적으로 〈웬만해선 그들을 막을 수 없다〉(2000)를 너무 좋아하고 최고의 코미디 작품 중 하나는 〈넘버 3〉(1997)라고 생각한다. 최고의 캐릭터들의 향연이 벌어지는 작품이다.

섹스 씬들이 매우 웃기면서도 슬프다. 실소가 나오는 애틋한 정서가 느껴진다. 누구 하나 맘 편하게 섹스하는 이가 없는 지점이 보여진다. 19금 코미디 장르 안에서 어떤 이들에게는 기대치보다 낮은 수위일 수 있겠다. 많은 고민이 느껴진다.

프 오랜 시간 고민하고, 생각한 지점이다. 특정 장면들이 잘려 웹상을 돌아다니는 것이 싫었다. 노출은 무조건 안 해야겠다고 생각했다. 우리의 목적은 그것과 상관이 없었다.

그래서 콘텐츠 안에서는 섹스 씬이 많지만 밈화나 숏폼화 되는 장면들이 없다.

프 사실 누구 하나 맘 편하게 섹스하지 못하는 시대다. 맘 편하게 섹스하는 시기가 과연 우리나라에 있을까. 허락이 되는 시기가 있다면 결혼해서인데 스태프 중 한 명이 울화통을 터뜨리며 이야기한 적이 있다. 결혼하기 전에는 섹스의 섹 자도 안 꺼내다가 결혼하자마자 애 낳으라는 이야기를 하는 게 너무 이상했다고. 갑자기 온 가족이 내 섹스 이야기를 묻는 게 너무 이상했다는 거다. 듣다 보니 우리 사회에서 맘 편하게 섹스 이야기를 하는 게 과연 언제일까. 거의 없다는 생각이 들었다.

빅 나는 한국 사회가 변태적인 사회라고 생각한다. 왜냐하면 임신이 가능한 섹스 외에 다른 섹스는, 예를 들면 중장년, 노년, 동성 간의 섹스에 대해서는 쉬쉬하고 금기시하는 느낌이 든다. 다들 손가락질하고 비난한다. 그런데 임신이 가능한 섹스만 허용이 되는.

프 이게 제목과도 연결이 되는데 '롱 타임 노 섹스'라는 제목에 '섹스'가 들어가면 홍보에 도움이 안 된다는 이야기를 들었다. 그래서 지금은 〈LTNS〉로만 쓰고 있다. 그런데 이런 저출산이 문제가 되는 사회에서 섹스라는 말을 부끄러워하는 것이 과연 저출산 문제를 해결될 수 있을까 생각을 했다. 섹스는 부끄럽고 불편하니 덮어두고 그런데 애는 많이 낳아야 되고. 이런 아이러니의 사회에서 맘 편히 섹스하는 커플을 그릴 수는 없었던 것 같다.

인물들이 주고받는 속도감이 마치 훌륭한 투수와 타자처럼 느껴진다.
실제로 두 분이 대사를 소리 내 주고받은 적이 있나.

빅 주로 그렇게 했다. 대사를 다 그렇게 썼다.

프 이게 말이 되냐를 계속 반추하기 때문에 상황극을 하면서 대사를 만들어 냈다. 누구누구를 각각 맡아서 한 역할극이 아닌 상황극이었다.

빅 모든 대사를 낭송하진 않았고 대사가 긴 부분, 대사가 재밌게 나와야 하는 상황에서 상황극을 시작했던 것 같다. 막히는 순간에서 그랬다.

작업이 막혔던 순간 해결 방법이 있나.

프 지금 생각나는 건 1화의 김새벽 배우가 연기한 세연의 정액량 대사를 쓸 때 서로 진땀을 흘렸던 기억이다. 우리 둘이서 그래 오늘 가자, 갈 데까지 가보자 했던 날들이 있었다. 과연 우리가 어디까지 솔직한 성적 대화를 할 수 있을까를 시도해 보았다. 이를테면 방귀 트던 날 같은. 서로 부끄러워하다가 조심스럽게 "감독님 혹시 그 정액량 이야기 해 보는 게 어떨까요?"라고 임대형 감독이 물어왔고 그렇게 시작된 날이 있었다.

'그렇게 시작된 날'이라면.

프 우리도 사회적 체면이 있고 성별도 다르고 (웃음) 이렇게 얌전한 말투로 임대형 감독이 이야기하길래 나도 그래 가보자, 내가 지금 뭘 못해 상태였다.

빅 하다 하다 막히면 전고운 감독이 안 되겠다 가자! 이랬었다.

프 1화부터 6화까지 순서대로 썼고 뒤로 갈수록 편해졌다. 우리는 더 못 나눌 대화가 없어진 상태가 되었다.

전체 에피소드에서 두 분이 꼽는 인상적인 대사는.

프 내가 가장 공감하는 대사는 우진이가 1화 엔딩에서 하는 "이 자리 유지하는 게 만만치가 않다. 이 똥구멍만 겨우 가리는 자리"다. 똥구멍이라는 대사를 이솜 배우가 입 오물거리면서 하는 게 만족스러웠다. 그리고 이학주 배우 대사 중에 "돈 원래 이렇게 드럽게 버는 거야."도 좋아한다. 공감하고. 그리고 안재홍 배우의 백 가지 대사보다 좋은 한순간이 있었다. 유레카를 외쳤던 장면이다. 정수 바람 피운다고 말하고 자기 입술 때리는 순간인데 웬만한 대사보다 더 좋아한다. 명대사 같은 파열음이다.

빅 너무 세게 때려서 빨개지고 소리가 찰싹 났다. 나는 간호사가 "부부가 어쩌다 이렇게 다치셨어요?" 하면 우진이 "먹고살다가요." 하는 대사를 좋아한다. 함축적이고. 또 하나는 우진과 사무엘의 싸움 씬에서 사무엘이 갑자기 바지를 내리고 자위를 한다. 그때 우진이 "자지 있다고 유세 떠냐"라고 하는 대사가 있는데 현장에서 추가된 대사다. 그 대사를 좋아하는 이유는 둘의 싸움에서 우진이 한 치도 물러서지 않는다고 느껴서다. 그 대사가 상황을 팽팽하게 만든다. 정말 필요한 대사였다고 생각한다.

프 나도 좋아하는 대사인데. 만약 그 싸움에서 같은 동작을 하기에 남자가 너무 유리하지 않나. 성기가 돌출되어 있어서. 그래서 유세 떠냐는 대사를 추가했던 것 같다.

더불어 기억에 남는 장면이 있다면.

프 6화에서 우진이 민수 가방을 낚싯대로 걷어 올려 집 안으로 들어오는 시퀀스를 좋아한다. 사무엘은 빨래를 들고 있고 우진은 물 마시고 식탁에서 선글라스를 끼고 있는 둘의 신경전이 벌어지는 장면이다. “어디 갔다 와?” “일” “그 일은 그만두기로 했잖아” 이런 대사가 나온다. 이때 폭발 직전의 텐션이 느껴지는 장면이다. 볼 때마다 배우들의 집중도가 느껴진다.

빅 나는 3화에서 백호와 영애가 똑같이 가발을 손 위에 올리고 웃는 장면을 좋아한다.

서울의 밤거리를 가로지르는 장면과 김준원 음악 감독이 만든 음악이 각 에피소드를 줄기차게 달리고 여닫는다. 어떻게 함께하게 되었나.

프 평소에 워낙 좋아하는 뮤지션이었다. 글렌체크의 음악이 우리 이야기의 톤을 띄워주고 다른 방식으로 매칭해 줄 수 있겠다는 생각을 했다. 우리 둘 사이에 이런 확신으로 이견은 없었다. 나는 원래 그런 걸 잘 못하는데 용기를 내서 아이유 님께 물어봤고 도움을 받아 김준원 음악 감독님과 작업할 수 있었다.

정교한 동시에 쓸쓸하고 마이너한 감각도 있어서 작품과 잘 어울렸던 것 같다.

프 음악이 작품 전체의 톤을 만져주는 역할을 해주었다. 김준원 음악 감독님은 <LTNS>가 첫 드라마 음악 작업이었는데 워낙 탁월한 감각을 가지고 있어서인지 대본을 읽은 단계부터 미리 곡을 써 놓으셨더라.

공간에 대한 이야기를 해보자. 안면도 라암도 내포항을 비롯한 독특한 공간과 로케이션 장소는 어떻게 찾게 되었나. 특히 섭외가 어려웠던 곳도 있을까.

빅 안면도 라암도 내포항은 함께 인터넷 서칭을 하다 찾아낸 공간이다. 3화의 주인공들이 고립된 공간 안에 있어야 했다.

프 여러 의도에 맞는 가장 적절한 공간이었다. 떠오르는 이미지로 미리 골라 대본에 적어두었는데 제작팀이 실제로 구해주셔서 신기했다.

빅 가장 섭외가 오래 걸린 공간은 4화의 아파트 내부 씬을 위한 집이었다. 피카소 원본이 있는 정도의 부잣집을 찾는 과정이 힘들었다.

프 그리고 가장 공을 들인 공간으로는 앞에서도 언급했던 3화의 바다를 대신하는 수조 세트다. 사실 예산상 불가능한 공간이었다. 기술적으로 논의를 정말 많이 했었다. 과감하게 피디님들이 안전을 위해 예산을 모두 넣어서라도 세트로 가야겠다는 판단을 했고 정말 새로운 경험이었다.

친구와 가족에게 영향을 받다가 점점 타인으로 옮겨가는 구조이면서 동시에 가난한 자에서 부유한 자에게 이동하는 타깃의 순서도 의미심장하다. 에피소드 간 순서 조율은 어떻게 이루어졌는지 궁금하다.

빅 대본을 쓰면서 이렇게 생각했다. 이 부부는 범죄로 돈을 벌기 시작하면서 더 큰돈을 벌어야겠다는 욕심에 가득 찬다. 그 욕망은 끝이 없는 것이고 돈이 불어나면서 부부는 점점 더 큰 욕망을 원하게 된다. 이와 동시에 위태로워지는 모습을 보여주고 싶었다.

그런데 돈에 대한 욕망이 커진다고 해서 성적인 욕망이 커지지는 않는다. 뒤로 갈수록 돈과 사랑간 관계가 크지 않다는 느낌이다.

프　회차가 거듭될수록 기능적으로 텐션을 올려야 했다. 보통 사람들의 심리가 가진 것이 많은 사람을 건드릴 때 텐션이 올라가지 않나. 자연스럽게 빌드업 된 것 같다.

1화의 영국이를 제외하면 에피소드 내에 자녀가 나오지 않는다. 흔히 갈등을 점화시키고 폭발시키는 것이 이들의 존재일 수 있는데 이유가 있다면.

빅　사무엘과 우진이 애를 낳느냐 마느냐 이런 고민을 했었다. 그런데 아이 때문에 범죄 행위를 하게 된다는 것과 추동의 원인이 아이가 된다는 것이 클리셰라고 생각해 피했다. 그리고 지금의 풍토가 자녀 없는 부부들이 많기 때문에 그랬던 거 같기도 하다. 그리고 기본적으로 나는 미혼남이라서 잘 모르는 것도 있었다.

프　아이만 나오면 너무 쉬운 장애물 장치가 되는 경향이 있다. 감정적 동요도 강력하고 그런데 우리가 그러려고 시작한 프로젝트가 아니다 보니까 배제하려고 노력을 했다. 개인적으로는 어린이 배우들을 좀 덜 쓰고 싶었던 것도 있다. 19금이다 보니 양심적인 것도 있고 기능적인 역할로 쓰고 싶지 않았다. 영국이는 시대상을 그리기 위한 필요로 넣었다.

3화 중장년의 로맨스 그리고 4화 레즈비언 커플이 바로 맞닿아 이어진다. 이 작품의 시대 반영적 요소와도 걸맞은 지점이다. 헤테로 커플에서 변주를 주면서 뒤의 흐름을 견인하는 역할이다. 캐릭터 구성에 담고 싶었던 이야기가 있나.

프　애초의 목표가 현시대를 풍자하는 것이었다. 불륜이라는 이름이지만 다양한 커플을 담는 게 목표였고. 일반적인 젊은 헤테로 커플, 나이가 많은 헤테로 커플, 동성 커플 등 여러 가지

존재를 자연스럽게 배치하자 이렇게 생각했다. 그들의 캐릭터의 디테일은 어려웠지만 당연히 다양성을 넣어야 한다고 생각했다.

빅 섹스 이야기를 하면서, 임신이 가능한 섹스만을 다루고 싶지는 않았다. 다양한 커플의 다양한 섹스를 다루고 싶었다.

4화인 [엑스 금지]는 불륜 이야기인 동시에 제도와 편견에 대해 본격적으로 다루는 이야기이다. 여성 퀴어 서사를 전면 등장시키며 이를 신파적으로만 다루지 않고 블랙 코미디로 전환하는 비틀기도 흥미롭다. 4화는 장르와 소재의 변주가 촘촘하고 빠르게 전개된다. 전체 회차 중 가장 속도감이 느껴진다.

빅 나는 전작에서 퀴어 커플의 이야기를 했었는데 그땐 영화 속 시대상에 따라 톤 앤 매너를 참고 감추고 쉬쉬하고 하는 마음으로 표현하다 보니 보수적 태도가 있을 수밖에 없었다. 이번엔 화끈하고 재미있게 등장시키고 싶었다. 전고운 감독이 있어서 좀 더 자신 있게 할 수 있었다. 4화가 유독 현장에서 많이 바뀐 회차긴 하다. 준비할 것들이 많았다. 아파트 헌팅부터 오토바이 추격 씬, 우진 액션 씬까지 쉽지 않은 씬들이 포진해 있었다. 그래서 촬영도 힘들었던 기억이 너무 많다. 그렇게 힘들게 찍어서 그런지 4화를 좋아하는 사람들이 많아서 반갑기도 했다.

프 퀴어 소재를 다루면서 대본을 현장에서까지 고치게 된 게 여기서부터 조금씩 경직되는 시점이었기 때문이다. 고민이 많을 수밖에 없는, 끝을 향해 달려가는 위치의 회차였다. 현장에서도 계속 수정이 이어졌고, 앓던 이 같았다. 다행스럽게도 배우들이 기지를 발휘해서 에너지 있게 만들어질 수 있었다. 여기서부터 메인플롯과 서브플롯이 바뀌는 회차기도 하다. 다시 사무엘과 우진의 이야기로 돌아와야 하는. 그래서 변곡선을 그리기 위해서 요소들이 많이 들어갈 수밖에 없었다. 끝까지 싸운 회차다.

5화 [불구경]부터는 본격적인 반전의 시작이다. 사무엘의 불륜으로 인해 외부로 향하던 감정의 화살이 다시 부부 안으로 돌아오게 된다. 개인적으로 5화에서 6화로 이어지는 수많은 문장부호야말로 시리즈의 백미라고 느꼈다. 두 감독님은 어떤 경로를 거쳐 시리즈의 대단원을 합의했나.

빅 나는 명확하게 결말이나 이미지를 정해 놓고 쓰는 사람이었는데 이번엔 그 방법론을 버리고 기꺼이 미로에 빠져보자는 마음으로 작업을 했다. 그 이유는 함께 하는 공동 작가에 대한 신뢰 때문이었고 덕분에 새로운 도전을 할 수 있었다. 결말이나 이미지를 정해 놓고 쓰면 미로에 빠질 확률이 적어서 그런 방법론을 써왔던 것 같은데 이번에는 전혀 다른 경험을 했고 그것이 나에게는 새로운 공부가 되었다.

프 전체 트리트먼트에서 러프하게 이런 커플을 다루자 정도는 있었다. 우진과 사무엘의 엔딩이 좋을 수는 없다고 생각했다. [롱 타임 노 섹스]라는 제목을 완성하려면. 그리고 이들은 남을 미행하고 협박하고 스토킹하는 범죄자들이다. 애초에 설정 자체가 해피엔딩을 맞을 수는 없어 그렇다면 이들에게 어떻게 우리 드라마식으로 벌을 줄까의 고민이 있었다. 제도 안에서는 시들했다가 벗어나니까 가능해지는 막연한 엔딩은 있었던 것 같다.

빅 막연하나마 생각하던 엔딩이 있긴 있었는데 나는 그걸 찾아 나가는 과정이었던 것 같다. 6화를 쓰면서 아, 이거구나 라고 생각했다. 그런 과정이 재미있었다.

5화에서는 사랑과 불륜에게 영원히 따라붙을 질문이 등장한다. 닭과 달걀과도 같은 '육체와 정신'의 문제를 던진다. 민수와의 관계는 짧은 러닝타임에도 불구하고 밀도가 높다.

빅 1~4화는 독립 회차였는데 5, 6화는 한 덩어리로 묶어서 생각했다. 회사에 보낼 때도 이전 회차까지는 한 회씩 대본을 보냈지만 5, 6화는 묶어서 보냈다. 부부 회차, 커플 회차다. 5화로 넘어오면서 다른 화들과는 달리 불륜 커플이 섹스를 하는 건 아니지만 섹슈얼한 긴장감은 있어야 된다고 생각했고, 이런 부분에서 지루하지 않게 긴장을 줄 수 있을까에 대한 의심도 있었다. 공들여 찍었지만 걱정도 있었다. 여기까지 따라온 사람들을 놓치게 되지 않을까 하는.

프 5, 6화는 1~4화처럼 웃기지는 않다. 까불고 센 척하다가 다운되는데 이걸 견뎌줄 수 있을까 하는 것에 대한 공포가 좀 있었다. 그런데 우리는 갈 길을 가야 했다. 5화는 사무엘과 민수의 만남이나 이런 부분에 대한 고민이 많았지만 초반에 우리가 얘기했던 남녀관계의 젠더 디자인을 새롭게 하는 데서 출발하는 게 큰 그림이었다. 남자가 청소하는 것, 여자가 세차하는 것 등의 디테일을 지지대 삼아서 만들어갔다. 청소 장면 연출은 임대형 감독이 반장이었는데 놀랐다. 대단한 고수라고 생각했다.

격정적인 동시에 긴장감을 자아내는 장면은 민수와 사무엘의 청소 씬이다. 닿은 듯 말 듯한 거리감, 깨끗해지기 위한 청소에서 시작되는 불륜 관계. '뭘 좀 아는' 상대를 만나는 소재로 청소를 택한 이유가 있나.

빅 대본을 쓰면서 우진이 깊이 화가 날 만한 포인트가 무엇일까라는 생각을 많이 했다. 실제로 쓰다가 전고운 감독이 화내는 걸 보면 아 됐다 이렇게 생각하기도 했고. 청소는 일상의 영역이지 않나. 불륜은 보통 일탈이라고 생각하지만 이러한 불륜이 생활 안에 있다면 더 큰 배신감을 줄 수 있을 것 같았다. 그게 또 이 커플이랑 어울리기도 했다.

민수가 동국에서 수면제를 먹이는 장면에서 사무엘보다 민수가 먼저 시작했을 것이라는 확신을 가지게 된다. 우진과 민수 모두 사무엘을 견인하는 이들이다. 가부장적인 대가족제도의 막내아들 사무엘에게 주어진 전사가 있다면.

프 연애를 많이 한 사람은 아닐 거라고 생각했다. 있다면 한두 사람 정도. 생각해 보면 사무엘이 막내아들이기 때문에 사랑을 얻는 데 있어서 수동적인 사람이었을 것 같다. 사무엘은 가만있어도 오는 사람이 있었고 예쁨을 받는 게 습관이었을 것 같다. 헤테로 남성인데 공부까지 잘하면 사랑받는 게 습성이 되지 않나 그 습성의 남자 같다. 끼만 살짝 부리는 정도라고 생각했다.

빅 남들 하는 건 다 했던 사람이 아니었을까. 좋은 대학에 적령기에 결혼한 엘리트의 길을 걸어온 사람. 이 사람은 당연히 연애와 결혼을 한 몸으로 생각했던 사람이었을 것 같다. 기독교 집안이기도 하고. 기본적으로 연애는 뜨거운 것이지 않나. 아무리 사무엘 같은 사람이라도 뜨거운 연애를 했을 것 같다. 이전 연애에서도 결혼까지 생각했을 것 같다.

사무엘과 우진의 전사를 말해준다면.

프	20대 중후반, 27살 정도에 만난 동갑내기다. 우리는 부부의 페어성을 중요하게 생각했다.
빅	우진은 현재 언니만 있고 부모님이 없다. 우진에게 결혼은 가족을 만드는 일이다. 그래서 사무엘과는 달리 사회에서 살아남기 위한 생존 방식이라고 정리를 했다.
프	우진의 아버지는 어린 시절에 사라지고 엄마도 10대 때 돌아가시고 20대 초부터 학군단에 들어가서 돈도 벌고 사무엘을 만나서 빨리 가족을 이루고 싶고 이랬던 것 같다.

기석이는 어쩌다 만나게 되었나.

프	20대 때 한 번씩 만나는 나쁜 사람을 대변한다. (웃음)

어렸을 때 이런 사람을 만나면 얼룩처럼 잘 지워지지 않는다. 대망의 6화로 넘어가자. 우진과 사무엘의 역사가 흘러가는 회차이다. 불빛이 찬란했던 대도시가 점차 어둠에 젖어드는 것처럼 관계의 정념이 사그라드는 모습이 어쩐지 사무엘의 발기부전과도 닮아 있다. 6화는 연애 소설 같은 느낌이다. 지문과 대사의 비중은 두 감독님이 어떻게 나누었나.

프	6화쯤 되면 서로 한 몸이 된 듯한 기분이 든다. 지문과 대사를 따로 나누지는 않았다. 임대형 감독이 우진의 성장을 위해서는 마지막에 사과하고 끝내야 한다고 해서 기혼자인 내가 그 부분을 썼다. 내 입장에서 남편과 헤어진다고 생각해 보면서 썼는데 슬퍼서 눈물이 났다. 나는 울면서 뭘 쓰는 적이 없는데 그래서 큰일이라 생각했다. 그런데 우리가 둘이어서 너무 좋았던 건 감수자가 있었다는 거였다.
빅	그럴 때 나는 "저 울었어요"라고 했다. 그 부분의 대사를 보고 이것은 살아있는 대사라는 생각을 했고 그 씬을 연출할 때도, 또 모니터 보는데도 눈물이 났다.

프 임대형 감독이 없었다면 그 대사를 쓰지 않았을 것 같다. 의견에 따라 지우지 않고 남긴 것이 아주 많다. 우리는 서로에게 그런 일이 많았고 그 부분이 가장 좋았다.

6화는 이솜, 안재홍 배우의 합이 완벽하게 폭발하는 클라이맥스이다. 사무엘의 비밀을 폭로하는 우진으로부터 본격인 전쟁이 시작되고, 우진과 기석의 과거 불륜까지 도파민이 마치 폭우처럼 쏟아진다. 연기와 연출, 촬영과 편집 모든 요소들을 집약해서 터뜨리는 회차였을 거라 짐작된다. 특히 편집의 리듬감이 훌륭하다.

프 편집실에서 가장 위로를 많이 받았다. 촬영을 하다 중간에 편집을 하러 가야 하는 일정이 있었다. 당시 너무 급한 건 아닐까 하는 공포가 있었다. 이영림 편집 감독님이 1, 2화 편집하신 것을 보고 안심이 되었다. 진짜 고마웠다. 편집 감독은 후반에 깃발을 꽂아주는 사람이다. 바쁘고 힘들고 절망하는 우리를 본인의 능력으로 구해주신 고마운 분이다.

빅 지금 와서 생각해 보면 이영림 편집 감독님이 없었으면 우리는 지옥에 빠졌을 수도 있겠다 싶을 정도로 편집 감독님을 믿었다. 6화 비 씬 때는 다 같이 편집 들어가기 전에 몸과 마음의 준비를 해야 했다. 여러모로 과잉된 씬이었고 모두가 힘들었다. 그 씬에서도 중심을 딱 잡아 주시려고 했다. 헤매는 와중에도 잘라낼 건 잘라내고 호흡을 줄 건 주고 그래서 이런저런 시도를 편집 감독님 덕분에 해볼 수 있었다.

프 그리고 우리 둘의 밸런스를 잘 잡아 주셨다. 나는 찍었던 씬들을 다 빼려고 하고.

빅 나도 평소에는 잘라 내는 것을 좋아하는데 나보다 심한 사람은 처음 봤다. (웃음) 나도 4시간짜리를 1시간 50분 만드는 사람인데 전고운 감독은 더 단호하다. 그래도 그런 방향이 작품을 위해선 좋다. 전고운 감독이 이번에는 그런 포지션을 맡고 있으니까 나는 반대 방향에 서야겠다는 생각을 했던 것 같다.

프 그렇다. 그래서 살린 씬이 많아서 고맙다. 모두 삭제했다고 생각하면 끔찍하다. 배우들의 감정을 따라가는 쪽으로 흐름을 잡아 주셔서 그 감정들이 잘 담길 수 있었다.

6화까지 따라온 시청자들에게 어떤 카타르시스를 주고 싶었나. 이별하기 전 회차. 준비도 많이 해야 하고, 준비한 대로 되지도 않는 게 이별이다.

빅 발산하는 에너지를 가진 씬들을 보며 카타르시스를 느끼지 않나. 나는 에둘러서 말하고 상대방의 기분을 생각하는 쪽의 사람이다. 대부분이 그렇게 사는 것 같다. 그래서 그런 사람들이 이런 씬들, 내뱉는 씬들을 만나면 대리만족을 할 수 있을 거 같다는 생각을 했다. 그리고 나도 우진과 사무엘처럼 이렇게 싸워보고 싶다는 생각도 했다. 밑바닥을 훤히 드러내면서 싸우는 건 꼭 해보고 싶은 일이기도 하다. 밑바닥을 보여준 사이가 헤어지지 않고 산다면 단단할 수 있지 않을까.

프 갑자기 싸웠던 순간이 생각이 났다. 나는 20대에 연애했을 때 무척 용감했다. 무섭지 않았고 상처받는 게 두렵지 않았다. "너의 진짜가 뭐야"라고 상대의 밑바닥을 보고 달려갔던 그런 연애를 했다. 그런데 결혼하고 나니까 그런 것들이 너무 어렵더라. 결혼을 하니까 안전하려고, 관계를 지키기 위해 피하는 게 서로에게 있는 것 같다. 그래서 우리가 아마 잃게 되는 부분도 당연히 있는 것 같고. 작품을 보는 사람들이 그런 것들을 돌이켜 보는 계기가 되면 좋겠다. 나도 남편한테 차마 하지 못하는 이야기가 있다. 작품을 보고 나서 대화를 못 나눴고 그게 또 부부가 아닐까 싶다. 20대에 비해 비겁해진 나에 대한 아쉬움과 대견함이 있는 글이었던 것 같다. 어쩌면 그만큼 성숙해진 게 있어서 참는 것도 있는 것 같다.

거실 재난 장면은 배우들이 쉴 틈 없이 대사를 뱉는다. 소총 하나로 전쟁을 치르는 병사들처럼 느껴질 정도다. 두 배우의 개성과 잠재력이 보는 이들에게 와닿는 회차다.

프 2회차에 나눠 찍긴 했지만 워낙 어려운 씬이었기에 모든 팀이 총체적 난국이기도 했다. 드라마는 시간이 넉넉하지 않아서 슬랩스틱으로 디렉션을 하면 패스트푸드점에서 음식 나오듯이 배우들이 따다닥 나왔다. 대본이 너무 길어서 여섯 구간으로 나눠서 싸움 씬을 찍었고 이 심각한 상황에서 어떻게 코미디로 넘어갈지 고민이 많았는데 배우들이 찰떡같이 해내 줬다. 감정 과잉의 씬이고 위험하기 때문에 이솜과 안재홍 배우도 물리적으로 어려운 연기였다. 물에 젖어서 상대의 눈이 안 보이고 여러 측면으로 모두가 너무 힘들었다. 전우들이었고 모두 짐승같이 찍었다.

빅 처음에는 이 씬을 찍는 일정이 하루로 되어 있었다. 말도 안 되는 일정이었다. 하루 만에 다 찍으라는 얘기에 너무 화가 났다. 전고운 감독이 계속 요구해서 얻어냈다. 사실 2회차로도 완벽하게 소화하기 어려웠다. 그 안에서 최선을 다하고자 노력했다. 말 그대로 전쟁같이 찍었다.

프 나는 의외로 힘들었던 건 호텔에서 진행한 우진과 기석이 만나는 씬이었다. 비 씬은 모두가 힘들었을 거라고 예상했던 장면이었고 호텔 씬은 의외로 너무 힘들었다. 비 씬은 뭘 얻어내야 하는지를 알고 찍는데 호텔 씬에서는 확신이 서는 게 어렵더라. 우진이 조금만 더 나아가면 보는 이들로부터 비난을 받을까 봐 고민이 많았고 적당한 뉘앙스를 찾는 지점이 너무 미묘했다. 그때 임대형 감독도 오토바이 추격 씬 준비하느라 감수자가 없는 상태라 계속 임대형 감독을 찾았다. 임대형 감독 없이 헤맸던 공포가 있었다.

빅 나도 공포 얘기를 하니까 생각난다. 혼자 찍은 씬들에서는 전고운 감독이 옆에 있다가 없으니까 공포였다. 촬영이 밀리고 비 와서 힘들 때 바로 상의할 수 있는 사람이 없다는 것이 공포였다.

프 나도 진심으로 두렵다. 믿을 만한 사람이 옆에 있다는 것이 정말 좋은 거더라. 사람이라 늘 헷갈리는데 말이다.

각자 서로의 등신대를 준비하는 것이 좋겠다. (웃음) 결과적으로 긴 시간을 돌아와 다시 섹스할 수 있게 된 커플, 두 사람의 이야기라고 생각이 드는 결말이다. 두 사람이 만든 사랑의 터에서 시작된 아수라장과 풍비박산을 거쳐 결국 사랑의 터가 허물어진 뒤 다시 시작하는 이야기. 결국 돈과는 아주 큰 관련은 없던 이야기는 아니었나.

프 '돈과는 아주 큰 관련은 없었던 이야기'라는 부분에서 글을 쓴 사람 입장에서 반론을 제기하고 싶다. 나는 섹스 리스의 가장 큰 이유는 경제적인 것이라고 생각한다. 경제적인 압박이 로맨스를 망친다. 경제 공동체가 되는 순간 섹스의 판타지성이 무너진다. 부자의 삶에서도 누군가가 돈을 더 많이 벌어오면 위축이 되는 것이 있다고 생각한다. 돈과 아주 큰 관련이 있다. 뇌뿐만 아니라 생식기에도 퍼져 있는 것. 이것은 또 미혼과 기혼의 문제일 수도 있다. 기혼자들이 공감할 수 있는 이야기라고 생각한다.

빅 우리가 엔딩에서 우진과 사무엘의 섹스를 가능하게 한 것은 제도의 허울을 벗었을 때 비로소 둘의 섹스가 가능해졌다라고 판단했기 때문이다. 물론 보는 사람에 따라서는 돈이 중요하지 않다, 가난해도 섹스할 수 있다고 생각할 수도 있지만 이 이야기는 어떤 측면에서는 돈이 너무 핵심적인 이야기다.

두 감독님이 생각하는 사랑의 정의는 무엇인가.

프 세상을 탐구할 수 있는 유일한 기회. 나와 타인, 타종까지 안다는 것은 사랑이 아니면 불가능하다.

빅 내 인생의 목적인 것 같다. 비슷한 말을 김새벽 배우가 한 적이 있다. 그 말을 듣고 통찰력이 있다고 생각했고 나도 내 인생의 목적을 사랑이라고 하고 싶어졌다. 지금으로서는 사랑이 뭔지 잘 모르겠지만 인생의 목적으로 삼고 싶은 가치인 것 같다.

대담을 읽고 있는 분들에게 한 마디씩 남겨 주신다면.

프 우선 이 대본집을 읽고 있다는 게 믿을 수가 없다. 〈LTNS〉 대본집을 가지고 있어 주셔서 감사하다. 작품을 봤다는 사람 하나하나가 정말 고맙다.

빅 누군가 이 책을 돈을 내서 보고 있다니 대단하다는 생각이 든다. 왜냐하면 내가 관객일 때도 대본집을 산다는 것은 큰 결심이기 때문에 정말 특별한 분들인 것 같다. 오타쿠가 세상을 바꾼다!

프 이 책을 가진 당신, 오덕이 세상을 바꿉니다!
이 책을 가진 사람 모두 대복 받고 대운이 트이시길!

빅 우리가 이름을 줄이면 전대운이다. 여러분들 대운 받으시길!

LTNS 대본집

Long Time No Sex SCREENPLAY

초판 1쇄 발행 2024년 6월 20일

지은이 프리티빅브라더
펴낸 곳 플레인아카이브
펴낸이 백준오
편집 장지선
디자인 씨클레프
교정 이보람
지원 이한솔
스틸 서지형
스토리보드 송유창, 이요섭

출판등록 2017년 3월 30일
제406-2017-000039호
주소 경기도 파주시 회동길 336-17, 302호
이메일 cs@plainarchive.com

38,000원
ISBN 979-11-90738-65-1 (03680)